CD CDO-403

«PANDORA»

Della stessa autrice

Fine dell'estate
Palomino
Una perfetta sconosciuta
Stagione di passione
Una volta nella vita
Un amore così raro
Due mondi due amori
Incontri
La tenuta
Ritratto di famiglia
Svolte
Promessa d'amore
Menzogne
Ora e per sempre
L'anello
Giramondo
Amarsi
Amare ancora
Cose belle
Il cerchio della vita
Il caleidoscopio
Zoya
Star
Daddy-Babbo
Messaggio dal Vietnam
Batte il cuore
Nessun amore più grande
Gioielli
Le sorprese del destino
Scomparso
Il regalo
Scontro fatale
Cielo aperto
Fulmini
La promessa
Cinque giorni a Parigi
Brilla una stella
Perfidia
Silenzio e onore
Il ranch
Un dono speciale

Il fantasma
La lunga strada verso casa
Immagine allo specchio
Dolceamaro
Forze irresistibili
Le nozze
La casa di Hope Street
Il viaggio
Granny Dan-La ballerina dello zar
Aquila solitaria
Atto di fede
Un uomo quasi perfetto
Il bacio
Il Cottage
Tramonto a Saint-Tropez
Una preghiera esaudita
Un angelo che torna
Appuntamento al buio
*Un porto sicuro**
*La casa**
*Il miracolo**
La stagione delle emozioni (Scomparso, Forze irresistibili, Il bacio)
*Sua Altezza Reale**
*Sorelle**
*Ricominciare**
*Una grazia infinita**
*Una volta ancora**
*Irresistibile**
*Gli inganni del cuore**
*Una donna libera**
*Le luci del Sud**
*Una ragazza grande**

*Di questi libri è disponibile la versione ebook

DANIELLE STEEL

UNA RAGAZZA GRANDE

Traduzione di Grazia Maria Griffini

Sperling & Kupfer

Big Girl
Copyright © 2010 by Danielle Steel.
All rights reserved including the rights of reproduction
in whole or in part in any form
© 2012 Sperling & Kupfer Editori S.p.A.

ISBN 978-88-200-5170-9
86-I-12

Questo romanzo è un'opera di fantasia. Nomi, personaggi, luoghi e avvenimenti sono frutto dell'immaginazione dell'autrice, o sono usati in chiave fittizia. Qualsiasi rassomiglianza con fatti, luoghi o persone, realmente esistenti o esistite, è puramente casuale.

Come sempre, dedico questo libro ai miei meravigliosi
figli Trevor, Todd, Beatie, Nick, Sam, Victoria,
Vanessa, Maxx e Zara,
che mi danno gioia, amore, sostegno, gentilezza,
mi donano momenti meravigliosi
e hanno mille premure per me.
Nella buona e nella cattiva sorte,
siamo uno per tutti e tutti per uno.
Grazie, ragazzi: siete un dono del cielo.
Con tutto il mio amore,
mamma/d.s.

1

Jɪᴍ Dawson era bello dalla nascita. Figlio unico, alto per la sua età, crescendo aveva sviluppato un fisico perfetto ed era diventato un atleta eccezionale. Era l'orgoglio dei genitori, il centro della loro vita. Erano già sulla quarantina quando l'avevano avuto, dopo anni di tentativi, ed era stato una benedizione del cielo oltre che una sorpresa, poiché ormai avevano perso le speranze. Sua madre lo contemplava adorante mentre lo teneva in braccio, e suo padre si divertiva un mondo a giocare a palla con lui. Era il più bravo della sua squadra, alla Little League, e il capitano di quella di football al college. Capelli e occhi scuri, fossetta sul mento, sembrava un divo del cinema e le ragazze impazzivano per lui. Nessuno si era meravigliato quando aveva cominciato a uscire con la reginetta della festa autunnale della scuola, una ragazza carina che il primo anno di università si era trasferita da Atlanta nella California del Sud. Minuta ed elegante, snella, occhi e capelli scuri come quelli di Jim e una pelle candida come Biancaneve, Christine era gentile, parlava con voce dolce e sommessa ed era palesemente in soggezione davanti a quello splendido ragazzo. Si erano fidanzati ufficialmente la sera della laurea, e sposati intorno al Natale dello stesso anno.

Jim lavorava già presso un'agenzia di pubblicità, perciò era stata lei a occuparsi dei preparativi delle nozze. Si era laureata, ma in realtà il suo unico, vero interesse durante i quattro anni di college era stato di trovarsi un marito e sposarsi.

Adesso formavano una coppia perfetta; si integravano e si completavano a vicenda ed erano così attraenti che sarebbero stati bene sulle copertine delle riviste. Dopo il matrimonio Christine avrebbe voluto fare l'indossatrice, ma Jim non era stato d'accordo. Lui aveva un buon impiego, guadagnava bene, e non voleva che la moglie lavorasse perché poteva mantenerla, e poi gli piaceva trovarla a casa ad aspettarlo ogni sera. Chi li conosceva affermava che non c'era coppia più affiatata.

Le decisioni le prendeva Jim, senza dubbio, e a Christine andava benissimo. La madre di lei era morta giovane, e quella di Jim, che la nuora chiamava Mamma Dawson, cantava le lodi del figlio in continuazione. Lodi più che meritate, perché era un figlio devoto, un marito innamorato e affettuoso, un compagno piacevole e divertente e, inoltre con il tempo era diventato un pezzo grosso dell'agenzia pubblicitaria. Era cordiale e sapeva rapportarsi con la gente, soprattutto finché lo ammiravano e non lo criticavano, poiché in genere non ce n'era motivo. Insomma, Jim era giovane, bello, simpatico ed estroverso, si presentava bene, aveva messo su un piedistallo sua moglie e la circondava di amore. Da lei si aspettava soltanto che facesse quello che diceva lui, lo rispettasse e lo adorasse; in poche parole che gli lasciasse fare il capo, e condurre il gioco. Il padre di

2

Christine aveva un carattere simile, e quindi lei era la donna giusta per diventare la moglie di un uomo come lui; del resto faceva una bella vita, superiore alle sue più rosee aspettative, dato che lui la circondava di ogni lusso senza farle mancare niente. Con Jim non c'era pericolo di sorprese sgradevoli, di comportamenti strani o delusioni: al contrario, lui la proteggeva e la riempiva di mille premure. Il loro rapporto funzionava alla perfezione perché entrambi conoscevano bene il proprio ruolo e seguivano rigorosamente le regole del gioco. Lui era l'Adorato, lei l'Adoratrice.

Non avevano alcuna premura di mettere al mondo dei bambini, e avrebbero anche atteso più a lungo se la gente non avesse cominciato a spettegolare, insinuando il dubbio che non potessero averne. In realtà stavano solo assaporando la loro indipendenza senza l'impegno dei figli. Facevano dei viaggetti durante il weekend, lunghe vacanze, e uscivano a cena almeno una o due volte la settimana, benché Christine fosse un'ottima cuoca e avesse imparato a preparargli i suoi piatti preferiti. A un certo punto della loro vita avrebbero senz'altro avuto degli eredi, e aspettavano il momento giusto. Però, dopo cinque anni, perfino i genitori di Jim avevano cominciato a preoccuparsi; loro sapevano che cosa voleva dire desiderare un figlio che non arrivava. Jim li aveva rassicurati che su quel versante non c'era nessun problema, era solo che volevano divertirsi e non avevano fretta. Avevano ventisette anni e intendevano godersi la libertà.

Ma dopo un po', tutte quelle domande cominciarono a fare effetto, e Jim decise di dire a sua moglie che ormai era ora di allargare la famiglia. Christine, come sempre, si era dichiarata pienamente d'accordo: l'opinione del marito era sempre la più giusta, l'idea migliore. Avevano calcolato che

3

ci volessero da sei mesi a un anno, invece lei rimase incinta subito, prima di quanto si aspettassero, e malgrado le preoccupazioni della suocera la gravidanza era stata semplice e senza complicazioni.

Quando cominciarono le doglie, Jim l'accompagnò in macchina all'ospedale, ma decise di non essere presente in sala parto, e anche questa sembrò a Christine la scelta più giusta: non voleva costringerlo a fare qualcosa che potesse metterlo a disagio. Jim desiderava un maschietto, di conseguenza era anche il desiderio di Christine. A nessuno dei due era mai passato per il cervello che potesse arrivare una femmina, e proprio perché si sentivano sicuri e pieni di fiducia durante la gravidanza avevano chiesto che non fosse rivelato loro il sesso del feto. Ma erano così convinti che si trattasse di un maschio che Christine aveva allestito la cameretta sulle tonalità dell'azzurro. Il nascituro si era presentato in posizione podalica ed era stato necessario il taglio cesareo.

Quando l'infermiera mostrò la bimba attraverso la vetrata del reparto maternità, Christine era ancora sotto anestesia; Jim era sconcertato, e il suo primo pensiero fu che ci fosse stato uno scambio di neonati. Quella che gli stavano indicando era una creatura con un delizioso faccino rotondo e due belle guanciotte piene, ma non assomigliava nel modo più assoluto né a lui né a Christine, e la sua testolina era circondata da un alone di capelli di un biondo chiarissimo. La cosa più sconvolgente, però, oltre ai lineamenti e al colore dei capelli, era che si trattava di una femminuccia. Non era questo, il figlio che si aspettava! Vedendo la neonata oltre il vetro riuscì a pensare soltanto che assomigliava alla regina Victoria. Lo disse addirittura a un'infermiera, la quale lo rimproverò ribattendo che sua figlia era bellissima. Ma Jim, che non aveva familiarità con le faccine grinzose e le smorfie dei neonati, non si trovò affatto d'accordo. Amareggiato, andò a sedersi triste e depresso in sala d'attesa finché lo chiamarono per dirgli che poteva far visita a sua moglie. A Christine bastò l'espressione della sua faccia per capire che era nata una femmina: non era stata all'altezza delle aspettative! Insomma, l'aveva deluso.

«È una bambina?» mormorò, ancora un po' intontita dall'anestesia, mentre lui annuiva, ammutolito. Come avrebbe fatto a raccontare ai suoi amici che quel figlio tanto atteso era una femmina? Era un colpo durissimo per il suo ego e la sua immagine. L'incapacità di controllare la sorte lo aveva sempre indispettito. Gli piaceva organizzare tutto nei minimi dettagli, avere il polso della situazione, e Christine si era sempre mostrata disposta ad accontentarlo.

«Sì, è una femminuccia», riuscì finalmente a rispondere mentre una lacrima scendeva lenta dall'angolo di un occhio della puerpera. «Assomiglia alla regina Victoria.» Poi tentò di buttarla sul ridere. «Non so chi sia suo padre, ma a quanto pare ha gli occhi azzurri... E poi è bionda.» In nessuna delle due famiglie c'erano dei biondi, a parte la nonna di Jim, ma sembrava un po' forzato andare a cercare una somiglianza così indietro nel tempo. Certo, si fidava ciecamente di Christine, non aveva dubbi sulla paternità. Era evidente che questa creatura era il prodotto dei geni recessivi, ma sembrava tutto fuorché la loro figlia! Le infermiere gli ripetevano di continuo che era deliziosa, ma lui non era convinto. Passarono parecchie ore prima che la portassero a Christine, la quale la contemplò stupefatta quando gliela misero in braccio, bene avvolta in una copertina rosa, e provò delicatamente ad accarezzarle le manine. Le avevano appena fatto un'iniezione per impedire la montata lattea, perché aveva preso la decisione di rinunciare all'allattamento al seno. Jim non ci teneva, e anche a lei non interessava; le importava più che altro di riacquistare il più in fretta possibile la sua figuretta snella, minuta ed elegante che a Jim piaceva tanto, anche perché durante la gravidanza lui non si era sentito attratto da lei, benché fosse stata molto attenta a non aumentare troppo di peso. Comunque, anche Christine non si capacitava che quella bambolotta paffuta con i capelli di un biondo così chiaro fosse figlia loro. Aveva le gambe lunghe, dritte, robuste. Le gambe di Jim. Ma quanto ai lineamenti...

Mamma Dawson si affrettò a dichiararsi pienamente d'accordo con suo figlio, quando la vide: somigliava alla nonna di Jim, ma si augurava che crescendo sarebbe cambiata, perché quella benedetta donna era stata per tutta la vita un donnone imponente, famosa per la sua cucina e la sua abilità nel cucito e nel ricamo, non certo per la sua avvenenza.

Il giorno successivo alla nascita della bambina, lo choc di essersi ritrovato padre di una femminuccia aveva cominciato a diminuire, anche se i colleghi lo prendevano in giro dicendogli che adesso doveva mettersi d'impegno per avere il maschio! Christine invece si sentiva in colpa e temeva che il marito fosse arrabbiato con lei perché non era riuscita a dargli un maschio, anche se lui si affrettò a rassicurarla con tutta la tenerezza di cui era capace che era contento e gli bastava che madre e figlia godessero di buona salute. E poi, loro due insieme avrebbero cercato di adattarsi alla situazione il meglio possibile. Quelle parole però avevano insinuato in Christine il dubbio di essere stata lei stessa, a suo tempo, un ripiego per il marito, e Mamma Dawson aveva lasciato capire che la pensava allo stesso modo.

Non era un segreto per nessuno che Jim, quasi a conferma della propria virilità, volesse un maschio. Comunque, dal momento che non si aspettavano una bimba, si resero conto di non avere dei nomi pronti per la paffuta neonata bionda che adesso Christine teneva in braccio.

Jim aveva scherzato sul fatto che la bambina somigliasse alla regina Victoria, ma poi si erano detti che in fondo non era male, come nome. Allora Jim si spinse più in là, proponendo Regina come secondo nome. Victoria Regina Dawson. Quel nome sembrava stranamente adatto.

Christine acconsentì con entusiasmo: voleva che il marito fosse contento almeno del nome, se non del sesso della loro creatura. Continuava a essere angustiata per non aver assecondato le sue aspettative. Ma quando, cinque giorni dopo, lasciarono l'ospedale con il loro fagottino in braccio, ebbe l'impressione che Jim l'avesse perdonata.

Victoria era una bambina di buon carattere, serena, senza pretese, facile da accudire. Cominciò a camminare e a parlare prima del previsto e tutti, quando la frequentavano, non potevano fare a meno di commentare che era una piccolina tenera e dolce, un vero tesoro. Aveva una carnagione candida, e quella peluria di un biondo chiarissimo che le copriva la testolina quando era nata a poco a poco si stava trasformando in un caschetto di riccioli di una tonalità più intensa, color oro; gli occhi invece erano rimasti di un bell'azzurro cielo. Chi la vedeva diceva che aveva un aspetto molto anglosassone, e allora Jim rideva e ne approfittava per raccontare che in effetti l'avevano anche chiamata Victoria come la regina d'Inghilterra perché le assomigliava. Quando si divertiva a ripetere questa cosa, Christine ridacchiava. Voleva bene a sua figlia, ma il grande amore della sua vita era sempre stato il marito, e continuava a esserlo. Diversamente da certe donne che finiscono per concentrarsi totalmente sui figli, per lei il punto focale del suo mondo era Jim e soltanto Jim. Poi veniva la bambina. Del resto, lei era la compagna perfetta per un tale narcisista.

Sebbene lui continuasse a dichiarare di desiderare un figlio maschio, in realtà non avevano alcuna fretta di mettere al mondo un secondo bambino. Victoria era entrata nella loro vita con facilità, senza provocare scompiglio; e loro temevano che due bambini, soprattutto se troppo vicini d'età, sarebbero stati difficili da gestire, perciò per il momento si accontentavano di lei. Mamma Dawson rigirava il coltello nella piaga ripetendo a Jim che se avessero avuto un maschietto non sarebbe stato necessario pensare a un secondo bambino, poiché i figli unici di sesso maschile erano i più intelligenti e brillanti. Come il suo, del resto.

Victoria era una bambina molto sveglia e chiacchierona, e a tre anni era buffissima perché parlava quasi come un'adulta. Era attenta e interessata a ciò che accadeva intorno a lei, e a quattro anni Christine le insegnò a leggere. Ne aveva più o meno cinque quando suo padre le spiegò che le era stato dato il nome di una regina. Victoria sorrise deliziata: le regine erano creature bellissime che indossavano vestiti magnifici, e qualche volta avevano perfino poteri magici. L'aveva letto nei suoi libri di fiabe. Papà le diceva sempre che assomigliava alla regina Victoria, e lei si domandava che faccia potesse avere. Tutti dicevano che era molto simile anche alla nonna del suo papà, ma non aveva mai visto una sua fotografia. Anche lei era stata una regina? si domandava la bimba.

A sei anni, Victoria era ancora paffutella. Aveva due belle gambe sode ed era molto alta per la sua età. Era la più alta dei suoi compagni di prima elementare, e più robusta di parecchi di loro. La gente la chiamava «bambinona», e lei lo prendeva come un complimento. Un giorno, guardando un libro con Christine, le capitò di vedere il ritratto della regina di cui portava il nome.

Nella fotografia, la sovrana, molto anziana, teneva in braccio un cagnolino dal pelo corto, la coda riccia, il muso schiacciato e gli occhi tondi, che le somigliava in modo straordinario. Victoria fissò a lungo la pagina del libro senza dire niente.

«Questa sarebbe lei?» domandò alla mamma guardandola con gli occhioni azzurri sgranati. Christine annuì con un sorriso. In fondo quel nome era derivato da uno scherzo, una battuta di spirito; la sua bambina assomigliava alla nonna di Jim e a nessun altro.

«È stata una regina d'Inghilterra molto importante, tanto, tanto tempo fa», le spiegò.

«Ma non ha un bel vestito, e non porta la corona... e perfino il suo cagnolino è brutto!» esclamò Victoria sconvolta.

«Era molto vecchia, in questa fotografia», osservò sua madre, cercando di mitigare la pessima impressione che la bambina doveva averne avuto. Aveva colto al volo il suo turbamento, aveva capito fino a che punto fosse rimasta frustrata e delusa, e si era sentita stringere il cuore. Il piccolo scherzo di Jim si stava rivelando controproducente. Victoria era sconvolta; mentre guardava la fotografia le scendevano due lacrimoni sulle guance. Christine voltò pagina e non

9

disse più niente, augurandosi in segreto che la bambina cancellasse dalla sua mente quell'immagine.

Invece non se la dimenticò mai.

E l'illusione che il suo papà la considerasse bella come una regina si dileguò per sempre.

2

Un anno dopo aver visto la fotografia della regina Victoria –
avvenimento che aveva cambiato per sempre l'immagine che
si era fatta di se stessa –, suo padre e sua madre le annunciarono che aspettavano un bambino. Lei era emozionata
e felice. Ormai, parecchi dei suoi compagni della scuola
elementare avevano fratellini o sorelline: i figli unici erano
pochi. Le piaceva infinitamente l'idea di un piccolino con cui
giocare: era un po' come avere una bambola viva. Una sera
sul tardi, mentre mamma e papà credevano che dormisse,
lei sentì certe strane parole che la spaventarono moltissimo,
anche se non capiva esattamente cosa significassero: infatti i
suoi genitori stavano dicendo che questa nuova creatura era
un incidente. Aveva paura che si fosse fatta male in qualche
modo, e che potesse addirittura nascere senza braccia o senza gambe, che non potesse camminare. Si chiese fino a che
punto l'incidente fosse stato grave, ma non osava dire niente
alla mamma. Lei piangeva, quando ne aveva parlato con il
papà, e anche lui le aveva dato l'idea di essere preoccupato.
E pensare che fino a quel momento avevano ripetuto che
andava bene così, che erano contenti di avere soltanto lei,

Victoria, perché era una bambina brava e buona, sempre contenta, ubbidiva sempre e non dava problemi.

Durante tutto il tempo della gravidanza Jim aveva ripetuto che sperava sarebbe stato maschio, ma a ogni buon conto Christine, sebbene lo desiderasse anche lei, allestì una cameretta bianca anziché azzurra. Aveva imparato la lezione.

Mamma Dawson si dichiarava convintissima che sarebbe stata un'altra femmina. Victoria lo sperava tanto! Comunque anche questa volta la coppia preferì non essere informata in anticipo sul sesso del nascituro.

Victoria non capiva perché, ma il suo papà e la sua mamma non sembravano emozionati come lei per il bimbo in arrivo. La mamma si lamentava perché era diventata una balena e il papà canzonava Victoria e le ripeteva che si augurava che il neonato non somigliasse a lei. Tutte le volte le ricordava che lei somigliava alla nonna di lui: un donnone sempre con il grembiule addosso, dai fianchi enormi, con un naso imponente. Non sapeva se era peggio assomigliare a lei o alla brutta regina che teneva in braccio il cagnolino. E poi, dopo aver visto le fotografie della bisnonna, con quel suo nasone, si era convinta che anche il suo, piccolo e a patata, fosse enorme. Si augurava che il fratellino o la sorellina non ereditasse quello stesso naso, ma poiché papà e mamma avevano parlato di un «incidente», le sembrava che ci fossero cose ben più gravi e importanti di cui preoccuparsi, piuttosto che del naso. I suoi non le avevano mai spiegato niente di questo incidente, però lei non era mai riuscita a dimenticare quella conversazione e aveva giurato che avrebbe fatto di tutto per aiutare il bambino. Sperava che il danno che aveva riportato non fosse troppo grave;

chissà, forse si trattava soltanto di un braccio rotto o di un bernoccolo sulla testa.

Il taglio cesareo era già stato programmato, di conseguenza avevano spiegato a Victoria che la mamma sarebbe rimasta in ospedale una settimana e lei non avrebbe potuto andare a trovarla, e neanche vedere il fratellino fino a quando non fossero stati di nuovo a casa. Erano i regolamenti del reparto, le avevano spiegato. Victoria non poté fare a meno di chiedersi se quel periodo fosse necessario per sistemare il danno che il bambino aveva subìto nell'avvenimento misterioso sul quale sembrava che nessuno volesse parlare né tanto meno dare spiegazioni.

Il giorno della nascita, Jim era tornato a casa alle sei mentre la nonna stava preparando la cena per Victoria. Lo avevano guardato piene di aspettativa, ma lui annunciò deluso che era nata un'altra femminuccia. Poi però aveva sorriso e aggiunto che era bellissima: somigliava come una goccia d'acqua a lui e a Christine. Anche se non era un maschietto, questo lo consolava. L'avrebbero chiamata Grace perché era così graziosa! Allora anche nonna Dawson sorrise, e si sentì tutta orgogliosa per la sua abilità di prevedere il sesso del nascituro. L'aveva detto, lei, che sarebbe stata una bambina anche stavolta! Jim disse che era una morettina, con la stessa pelle candida della mamma, e aveva una piccola bocca rosa a cuore che attirava i baci. Era talmente bella che avrebbero potuto farla posare per la pubblicità. Non aveva accennato ad alcun danno che la sua sorellina poteva avere riportato in seguito al famoso incidente per il quale lei si era tanto preoccupata. Che sollievo! Doveva essere proprio molto carina, a sentire come la descrivevano.

Il giorno dopo telefonarono a Christine, all'ospedale,

13

e a Victoria parve tanto stanca. La sua determinazione a prodigarsi per la mamma e la sorellina al loro ritorno a casa crebbe a dismisura.

Quando Victoria la vide per la prima volta, trovò che Grace fosse ancora più carina di quanto avevano detto. Era bellissima, somigliava ai bambini che c'erano sui libri illustrati, e anche a uno che aveva visto in un cartellone pubblicitario, proprio come aveva commentato il papà. Nonna Dawson si mise immediatamente a coccolarla, dopo averla tolta con delicatezza dalle braccia di Christine, che si era accomodata in poltrona. Victoria si alzò in punta di piedi cercando di vederla meglio. Moriva dalla voglia di tenerla in braccio anche lei, di baciarle il faccino, di accarezzarle i minuscoli piedi. Non provò un briciolo di gelosia nei suoi confronti; si sentiva soltanto felice e orgogliosa.

«È veramente splendida, non trovi?» disse Jim tutto fiero a sua madre, la quale annuì con decisione. Niente allusioni alla nonna di lui, stavolta. La piccola Grace sembrava una bambola di porcellana, e tutti si trovarono d'accordo nel dichiarare che era la neonata più bella che avessero mai visto. Non somigliava affatto alla sorella maggiore, anzi, non parevano nemmeno sorelle. L'elemento estraneo in realtà sembrava Victoria, così bionda in mezzo a tutti quei bruni, e così grassottella e un po' tozza a differenza dei suoi snelli famigliari. Nessuno si azzardò a confrontare la creaturina con la regina Victoria o a dire che aveva il naso a patata, perché aveva un nasino delicato, da fatina dei boschi. Era chiaro che Grace, fin dalla nascita, era una Dawson dalla testa ai piedi, mentre Victoria poteva sembrare un'orfanella abbandonata davanti alla porta della loro casa da chissà chi.

Victoria, contemplando adorante la sorellina in braccio

alla nonna, sentiva un infinito amore crescerle nel cuore. Non vedeva l'ora che qualcuno dei grandi la rimettesse nella culla perché allora avrebbe potuto guardarla con calma e farle una carezza. Quanto l'aveva aspettata! Le voleva bene da molto prima che nascesse, e adesso finalmente eccola lì.

Jim non riusciva a resistere alla tentazione di prendere in giro la sua primogenita, del resto aveva la pessima abitudine di fare scherzi e dire battute pungenti a spese del prossimo, e poiché gli amici lo consideravano brillante e divertente non si faceva alcuno scrupolo nei confronti di chi aveva la disgrazia di essere il bersaglio delle sue spiritosaggini, nemmeno se si trattava della sua bambina di sette anni. Si voltò verso Victoria con un sorrisetto acido mentre lei contemplava la neonata con occhi colmi di affetto.

«Sto cominciando a pensare che tu, invece, sei stata la nostra piccola 'torta di prova'», disse, arruffandole affettuosamente i capelli. «Ma stavolta abbiamo seguito la ricetta in modo perfetto», continuò tutto felice, mentre nonna Dawson spiegava che una «torta di prova» era quella che si faceva per controllare che la combinazione degli ingredienti fosse giusta, così come la temperatura del forno in cui la si cuoceva. E aggiunse che la prima volta non veniva mai bene, così la torta di prova, o di collaudo, veniva buttata via e si provava a rifarla. Victoria fu colta dal panico: visto che Grace era venuta fuori tanto perfetta, magari adesso buttavano via lei! Nessuno disse niente in proposito mentre la mamma, la nonna e la sorellina andavano di sopra. Le seguì con aria perplessa e stralunata mantenendosi a una certa distanza, pur continuando a osservare tutto ciò che facevano. Voleva imparare subito a fare quello che era necessario per Grace, ed era sicura che la mamma, una volta che la nonna fosse tornata a casa sua, le avrebbe permesso di aiutarla. Anzi, gliel'aveva già chiesto prima che Grace nascesse, e lei le aveva risposto di sì, che glielo avrebbe lasciato fare!

Cambiarono la piccolina e le infilarono una minuscola tutina rosa, poi l'avvolsero in una coperta e Christine si accinse ad allattarla con il biberon, poi le fece fare il ruttino e la rimise nella culla. Quella fu la prima volta che Victoria ebbe la possibilità di osservare bene e a lungo la nuova arrivata. Era la bambina più bella che avesse mai visto ma, anche se non fosse stato così, anche se avesse avuto il nasone della loro bisnonna o fosse somigliata anche lei alla regina Victoria, le avrebbe voluto bene ugualmente. Gliene voleva già un sacco. La sua bellezza per lei non aveva alcuna importanza, mentre sembrava una cosa fondamentale per tutta la famiglia.

Mentre la nonna e la mamma parlavano, Victoria allungò cautamente una mano nella culla e infilò un dito nella mano della bambina, che ci strinse intorno i minuscoli ditini. Fu un momento molto emozionante, e Victoria intuì subito che esisteva un legame fra loro: un legame che si sarebbe rafforzato con il passare del tempo e sarebbe durato per sempre. Fece in cuor suo il voto di proteggere la sorellina e di non permettere mai a nessuno di farla soffrire. Si ripromise di far sì che la vita della piccola Grace fosse perfetta. La neonata si addormentò mentre la sorella maggiore rimaneva a guardarla. Com'era contenta che non avesse riportato nessun danno a causa del famoso incidente, e che finalmente fosse lì!

Si domandò se fosse vero quello che il suo papà aveva detto, che lei era una specie di torta di prova. Magari l'avevano avuta soltanto per assicurarsi che poi con Grace tutto andasse per il meglio. Se era così... be', ci erano indiscutibilmente riusciti, perché sua sorella era la cosa più bella e dolce al mondo. Del resto, lo dicevano anche il papà, la mamma e la nonna. Per un attimo, ma soltanto un attimo, Victoria desiderò che a fare da torta di prova fosse stato qualcun altro, e che i suoi genitori sentissero anche nei suoi confronti quello che provavano per la secondogenita. Si domandò se lei era la torta venuta male perché qualcuno aveva sbagliato la ricetta o aveva alzato troppo la temperatura del forno... In ogni caso, qualunque fossero state le loro intenzioni quando era nata lei, sperava che non la buttassero via, perché altrimenti non avrebbe mai potuto dividere il resto della sua vita con Grace, essere la migliore «sorella grande» del mondo.

Scese al pianterreno a pranzare con la mamma e la nonna mentre la bambina dormiva pacificamente di sopra, dopo essere stata cambiata e nutrita. La mamma le aveva detto che nelle prime settimane la neonata avrebbe dormito moltissimo.

A pranzo Christine disse che non vedeva l'ora di riacquistare la propria figuretta snella, mentre Jim versava coppe di champagne per gli adulti sorridendo alla primogenita. C'era sempre qualcosa di vagamente ironico nel modo in cui la guardava, come se condividessero il divertimento per uno scherzo... oppure come se quello scherzo fosse Victoria stessa. Comunque, le piaceva che il papà le sorridesse, indipendentemente dal motivo per cui lo faceva.

3

La mamma le aveva insegnato tutto quello che c'era da fare
con la sorellina, così quando Grace compì tre mesi ormai
Victoria era capace di cambiarle il pannolino, di farle il
bagnetto e vestirla, di giocare con lei per ore e ore e di darle
la pappa. Erano inseparabili. E questo offriva a Christine la
possibilità di godersi gli spazi di cui aveva bisogno nelle sue
giornate piene di impegni, che consistevano più che altro nel
bridge con le amiche, in lezioni di golf e di ginnastica quattro
volte la settimana e cose del genere. Si era dimenticata che
i bambini davano un gran da fare. Ma Victoria era felice
di aiutarla. Appena tornata a casa da scuola si lavava le
mani, prendeva in braccio la sorellina e provvedeva alle sue
necessità. Era stata lei a ricevere il primo sorriso di Grace,
e adesso era evidente che la piccolina la adorava.

Grace era perfetta, adorabile. Quando aveva un anno,
ogni volta che Christine andava a fare la spesa al supermercato con le sue figlie c'era qualche talent scout che
la fermava – a Los Angeles non era un evento raro in-
contrarne – e insisteva affinché le facesse fare degli spot
pubblicitari, o qualcosa di simile. A Jim i pubblicitari che

18

lavoravano per la sua agenzia avevano fatto di frequente le stesse proposte. Victoria rimaneva a guardare incantata le persone che si presentavano alla mamma e cercavano di persuaderla a permettere che Grace facesse pubblicità, anche se Christine rispondeva sempre garbatamente di no. Né lei né Jim avevano intenzione di sfruttare la loro bambina, però erano lusingati da quelle offerte e lo raccontavano sempre agli amici. Assistere a quegli incontri e a quelle proposte, e riascoltarle in seguito, faceva sentire Victoria invisibile, come se non esistesse neanche: avevano occhi solo per Grace. Però li capiva: era così carina, quella piccolina! A Victoria piaceva moltissimo metterla in ghingheri come una bambola, intrecciarle nastri colorati nei capelli scuri e ricci, farle indossare dei bei vestitini. Aveva cominciato a muovere i primi passi, e caracollava in giro per la casa, perciò Victoria la seguiva da vicino affinché non combinasse disastri. La prima volta che la sorellina aveva pronunciato il suo nome, aveva pianto per la commozione; se la vedeva, Grace faceva dei versetti felici, rivelando un fortissimo attaccamento nei suoi confronti.

Quando Grace aveva due anni e Victoria nove, nonna Dawson morì dopo una breve malattia, di conseguenza Christine si ritrovò senza alcun aiuto per la piccina a parte quello che poteva darle la sua bambina più grande. L'unica babysitter di cui si fossero mai serviti era stata la mamma di Jim, e dopo la sua morte Christine fu costretta a cercare qualcuno cui affidare le bambine quando lei e il marito uscivano di sera. A casa loro c'era stata una vera e propria processione di ragazze adolescenti o poco più che maggiorenni che passavano tutto il tempo al telefono con il fidanzato e con le amiche o a guardare la televisione, lasciando che fosse Victoria a occuparsi della sorellina, cosa che comunque tutte e due le bambine preferivano.

Crescendo, Victoria diventava sempre più consapevole della responsabilità che le veniva affidata. Quanto a Grace, ogni anno che passava si faceva più bella. Aveva un carattere solare, sorrideva di continuo, soprattutto quando era con la sorella maggiore, l'unica della famiglia che riuscisse a farla tornare a ridere quando piangeva, oppure a distrarla durante un capriccio. Quanto a capacità di accudimento, Christine era molto meno abile della sua primogenita, perciò era fin troppo felice di lasciare che a occuparsi di Grace fosse lei.

Suo padre non aveva mai smesso di chiamarla «torta di prova». Victoria adesso aveva capito perfettamente cosa intendesse, cioè che Grace era bellissima e lei no, e che avevano ottenuto il meglio soltanto al secondo tentativo. Una volta lo aveva spiegato a una sua amica, che ne era rimasta inorridita. Ma lei ormai ci aveva fatto l'abitudine, dato che suo padre lo ripeteva spessissimo. Christine un paio di volte aveva sollevato qualche obiezione, ma Jim l'aveva rassicurata sostenendo che Victoria sapeva perfettamente che lui lo diceva soltanto per prenderla un po' in giro, per scherzo. Invece Victoria gli credeva: ormai si era convinta di essere stata l'errore, quella venuta male, mentre Grace era il capolavoro, idea che riceveva conferma dall'ammirazione generale di cui godeva la sorella.

La sensazione di essere invisibile si radicò sempre più in Victoria perché la gente prima guardava Grace facendo un mucchio di complimenti, poi osservava lei e pronunciava qualche imbarazzata frase di circostanza non sapendo cosa dire, ma molti preferivano tacere o addirittura ignorarla.

Victoria non era brutta, ma insignificante. Era una bambina bionda come ce ne sono tante, con i capelli lisci che la mamma raccoglieva in due trecce; non erano belli come quella massa di riccioli neri che circondava il faccino di Grace. I grandi occhi innocenti del colore del cielo estivo non le sembravano particolari come quelli scuri di Grace, di Jim e Christine, che avevano un qualcosa di esotico e sicuramente facevano più colpo dei suoi. Del resto, i suoi genitori e la sorella non avevano in comune soltanto il colore degli occhi e dei capelli, ma anche la corporatura: il papà era alto e la mamma aveva un corpo snello e slanciato – che si era impegnata a mantenere anche dopo le gravidanze con grandi sacrifici e lunghe sedute di ginnastica – e Grace sin da piccolissima prometteva di crescere come loro. Victoria era diversa, con il suo fisico un po' tozzo e le spalle belle larghe. Aveva però delle gambe lunghe e snelle, da puledra, che la corporatura robusta faceva sembrare per contrasto ancora più slanciate ed eleganti. Nonostante tutto era agile e aggraziata; ben piantata, sì, ma non grassa, anche se non c'era niente di esile o fragile in lei.

Il padre sosteneva che era troppo pesante per poterla prendere in braccio, mentre invece giocava con Grace buttandola in aria e riprendendola al volo, come se fosse stata una piuma.

Insomma, Victoria era così diversa dai suoi famigliari che più di qualcuno, credendo che lei non ascoltasse, aveva chiesto se fosse stata adottata. Lei si sentiva un po' come l'elemento estraneo in uno di quegli insiemi su cui la maestra faceva esercitare gli alunni: una mela, un'arancia, una banana... e un paio di ciabatte di plastica. Qual è l'intruso? Ecco, Victoria in famiglia era considerata come le ciabatte di plastica. La *diversa*. Aveva sempre avuto la sensazione di essere qualcosa che non si abbinava al resto, qualcosa di stonato. Se almeno fosse somigliata un pochino a uno dei suoi genitori forse avrebbe potuto sentirsi parte integrante della famiglia.

Oltretutto il suo sano appetito cospirava contro di lei. Ai pasti spazzolava tutto, non lasciava mai niente nel piatto; adorava i dolci, i gelati e il pane, in particolare quello appena sfornato. Alla mensa scolastica non faceva certo la schizzinosa, e davanti a un piatto di patatine fritte, a un sandwich con il würstel o a un gelato con la panna montata non resisteva. Anche Jim era una buona forchetta, ma lui era un uomo alto e robusto senza un filo di grasso. Christine viveva soprattutto di pesce alla griglia, verdure al vapore e insalate, tutte cose che Victoria detestava; lei preferiva di gran lunga gli hamburger al formaggio e gli spaghetti al sugo di carne; spesso faceva il bis, anche se il padre la guardava male o la prendeva in giro. Insomma, sembrava che in quella famiglia l'unica che avesse la tendenza a ingrassare fosse Victoria. Ma lei non se ne curava e non saltava mai un pasto: saziarsi le dava conforto.

«Un giorno o l'altro rimpiangerai questo appetito, cara la mia signorina», l'ammoniva sempre Jim. «Non vorrai mica diventare una cicciona per quando andrai al college, vero?» Ma il college sembrava lontano, lontanissimo, in un futuro che non riusciva neanche a immaginare, mentre il purè di patate era lì davanti a lei, nel piatto insieme con il pollo fritto.

Christine stava sempre attenta, quando c'era da preparare i pasti per la piccola, perché Grace aveva una struttura fisica più simile alla sua, però Victoria di tanto in tanto le portava di nascosto un lecca-lecca o delle caramelle, che alla bambina piacevano da matti: strillava di gioia quando vedeva uscire dalla tasca della sorella, che arrivava a privarsene per darle a lei, una di quelle dolci delizie!

A scuola Victoria non era mai stata popolare, e di rado aveva il permesso di invitare a casa le sue amiche, perciò la sua vita sociale era molto limitata. Christine sosteneva che era già abbastanza avere due bambine che mettevano tutto in disordine: non voleva altre mocciose in giro, senza considerare il fatto che quando le era capitato di conoscerle non aveva provato alcuna simpatia per le compagne di Victoria. Trovava ogni volta un motivo per criticarle e aveva sempre da ridire sul loro conto, e quindi la figlia aveva smesso di invitarle, con il risultato che adesso dopo la scuola nessuna di loro cercava più Victoria perché non ricambiava mai gli inviti. Comunque lei era contenta di tornare a casa per aiutare la mamma con la sorellina. Aveva fatto qualche amicizia, ma rimaneva confinata all'interno della scuola: al termine delle lezioni finiva. In quarta elementare era stata l'unica a non ricevere neanche un regalino il giorno di San Valentino. Era tornata a casa in lacrime, disperata, e la mamma le aveva detto di non fare la sciocca: il suo regalo di San Valentino era stata Grace. Così l'anno successivo Victoria si era convinta che non le importasse niente, pronta a ricevere un'altra delusione. Invece proprio quell'anno aveva ricevuto un regalino da una sua compagna, una spilungona più alta di lei, anche se più magra. Tutti i maschi della loro classe erano più bassi.

A undici anni, con sua grande costernazione, aveva cominciato a crescerle il seno. Aveva fatto di tutto per nasconderlo: portava felpe sformate, camicie sportive di due taglie più grandi della sua, ma quelle due protuberanze continuavano ad aumentare. Quando andò alle medie ormai aveva il corpo di una donna. Le capitava spesso di pensare a quella sua bisnonna dai fianchi enormi, il seno pesante, la figura massiccia, e pregava in cuor suo di non diventare come lei. La sua àncora di salvezza erano quelle gambe lunghe e sottili che sembravano non smettere mai di crescere e, anche se lei non lo sapeva, rappresentavano la cosa più bella del suo corpo. Gli amici dei suoi genitori facevano spesso commenti su quanto lei fosse grande, e lei non era mai riuscita a rendersi conto se erano le gambe lunghe, il seno abbondante oppure la robusta e massiccia figura a renderla tale. Del resto, prima di riuscire a capire quale parte del suo fisico stavano osservando, loro avevano già spostato l'attenzione su Grace, che era delicata come una fatina. In confronto a lei, Victoria si sentiva una mostruosa gigantessa.

Con quella statura, quel corpo già da donna, sembrava più grande di quel che era. Il suo professore di arte nell'ultimo anno delle medie l'aveva definita «rubensiana». Chissà cosa significava... Meglio non saperlo, tanto era sicura che si trattava solo di un modo più artistico di definire la sua figura. Quanto avrebbe voluto essere esile e snella come la mamma e la sorellina! Alla fine delle medie era sul metro e sessantacinque, la più alta della classe, inclusi i maschi. Le sembrava di essere un fenomeno da baraccone.

Quando lei era alle medie, Grace cominciò la scuola materna. La mamma, il primo giorno, le aveva lasciate tutte e due davanti alla scuola, così era stata Victoria a condurre Grace dalla sua maestra, e poi era rimasta sulla soglia dell'aula a seguirla con gli occhi, un po' guardinga, mentre sua sorella continuava a voltarsi e a mandarle bacini.

Passava le ricreazioni in cortile a sorvegliare Grace, e nel pomeriggio andava a prenderla. Ma quando in autunno cominciò le superiori in una zona diversa non poté più fare tutto questo. Grace ne soffrì molto, perché la sorella era il suo punto di riferimento per ogni cosa; in realtà era più una mamma che una sorella. L'ultimo giorno di scuola di Victoria piansero tutte e due disperate, e Grace dichiarò che non voleva più andare alla scuola materna, senza la sua sorellona! La ragazzina fu costretta a spiegarle che anche a lei dispiaceva, ma che *doveva* continuare gli studi in un'altra scuola. Finiva un'epoca felice, perché le aveva sempre dato una grande gioia sapere che Grace era lì con lei, sebbene fosse in un'altra aula.

L'estate prima dell'inizio delle superiori Victoria decise di provare a mettersi a dieta per la prima volta in vita sua. Su una rivista femminile aveva visto la pubblicità di un tè dimagrante alle erbe che in teoria avrebbe dovuto farle perdere cinque chili; aveva messo da parte dei risparmi e l'aveva ordinato. Ci teneva a entrare nella nuova scuola con un'aria più sofisticata e una figura più snella; anche il medico di famiglia le aveva detto che era un po' sovrappeso. Il famoso tè alle erbe, però, funzionò fin troppo! Per parecchie settimane stette malissimo. Grace diceva che aveva la faccia verde e sembrava malata, e insisteva a chiederle perché bevesse un tè che puzzava in quel modo! Suo padre e sua madre non avevano idea di che cosa poteva esserle successo, poiché lei si era ben guardata dal raccontare la sua impresa. Ma quell'intruglio ripugnante le aveva provocato una dissenteria violentissima, che l'aveva prostrata. Per parecchio tempo non era stata neanche in grado di uscire di casa... Per spiegare il suo stato diceva che aveva preso

25

una brutta influenza. Sua madre, invece, lo spiegava come il tipico attacco di nervi che viene sempre a chi comincia le superiori. Tutto sommato, comunque, proprio per averla fatta stare tanto male, il tè alle erbe le aveva fatto perdere quattro chili. Victoria era molto soddisfatta.

I Dawson abitavano ai margini di Beverly Hills, in un bel quartiere residenziale, nella casa in cui vivevano dal giorno in cui Christine e Jim si erano sposati. Lui era diventato il direttore dell'agenzia pubblicitaria. Aveva fatto una brillante carriera, mentre Christine faceva la mamma. A loro sembrava la famiglia perfetta, e non volevano altri figli. Ormai avevano quarantadue anni, erano sposati da venti ed erano soddisfatti della loro vita. A Jim piaceva ripetere che Grace era la bella della famiglia, mentre Victoria era quella intelligente, e che al mondo c'era posto per l'una e per l'altra. Voleva che Victoria frequentasse un buon college e facesse un lavoro interessante. «Devi contare sul tuo cervello», le ripeteva, come se lei non avesse nient'altro da offrire al mondo.

«No, tesoro, avrai bisogno di ben altro, oltre a quello», ribatteva invece Christine. Il fatto che Victoria fosse così capace e intelligente la inquietava. «Non a tutti gli uomini piacciono le ragazze sveglie», sosteneva, senza nasconderle di essere preoccupata. «Devi avere anche un aspetto attraente.» La rimproverava di continuo perché era goffa e pesante, e dimostrò un minimo di soddisfazione solo quando perse quei quattro chili, senza immaginare neanche lontanamente quanto avesse sofferto la figlia in quell'ultimo mese per ottenere un simile risultato. Lei avrebbe tanto voluto che anche la sua primogenita fosse snella come lei, oltre che brillante. Grace invece, con la sua bellezza che risaltava perfino a sette anni, avrebbe senz'altro conquistato il mondo, e la preoccupava meno. Jim la adorava e faceva tutto quello che lei voleva.

Alla fine dell'estate l'intera famiglia andò a Santa Barbara per una quindicina di giorni prima che Victoria cominciasse le superiori, e si divertirono un sacco. Jim aveva affittato una casa a Montecito. Siccome erano sempre in spiaggia, lui non aveva potuto trattenersi dal fare i soliti commenti sulla figura della figlia maggiore, tanto che lei decise di mettersi un camicione sopra il costume da bagno e di non toglierselo più. Il padre si era lasciato sfuggire una critica sul suo seno prosperoso, cercando poi, accorgendosi di aver fatto una gaffe, di mitigare quel commento poco lusinghiero sostenendo che però aveva due gambe da favola; in ogni caso, alludeva molto più spesso al suo corpo che ai suoi ottimi voti. Perché quelli, in fondo, se li era sempre aspettati, mentre non aveva mai nascosto il disappunto per il suo aspetto, come se Victoria in qualche modo non fosse stata all'altezza di ciò che ci si aspettava da lei, e come se questo si riflettesse negativamente su di lui. Erano discorsi che Victoria aveva sentito fin troppe volte.

Christine e Jim andavano a fare lunghe passeggiate sulla spiaggia ogni giorno, mentre lei aiutava Grace a costruire castelli di sabbia e a decorarli con fiori, sassolini e gli stecchini di legno dei ghiaccioli. Grace era entusiasta di giocare con la sorella maggiore, che però era sempre triste a causa dei commenti del padre sul suo aspetto. La madre fingeva di non sentirli, e si guardava bene dal prendere le sue difese. Victoria ne deduceva che anche lei era delusa dal suo fisico.

Quell'estate a Montecito c'era un ragazzo che le piaceva; abitava proprio nella casa di fronte. Si chiamava Jake, aveva la sua età e in autunno sarebbe andato a studiare a Cait, nella California del Sud. Un giorno le chiese se poteva scriverle dal pensionato studentesco dove aveva deciso di prendere alloggio; lei rispose di sì e gli diede il suo indirizzo di Los Angeles. Chiacchieravano fino a tardi la sera, ed entrambi si dichiararono molto preoccupati all'idea delle superiori. Victoria, lì al buio, aveva trovato il coraggio di confidargli, complice una bottiglia di birra rubata dal frigobar dei genitori di Jake e di una sigaretta, che lei non era mai stata molto popolare a scuola. Jake le aveva risposto che non ne capiva la ragione, dato che era una ragazza veramente intelligente e simpatica. Gli piaceva chiacchierare con lei, e la trovava carina e divertente. Victoria, però, che non aveva mai bevuto un goccio di birra in vita sua né tanto meno fumato, appena tornata a casa corse a vomitare. Per fortuna non se ne accorse nessuno: i suoi erano a letto, e Grace era profondamente addormentata nella camera vicina. Jake partì il giorno seguente: prima dell'inizio della scuola doveva andare con la famiglia a trovare i nonni sul lago Tahoe.

Invece Victoria non aveva più nonni; a volte lo considerava una vera fortuna, perché in questo modo c'erano soltanto i genitori a fare commenti poco lusinghieri sul suo aspetto fisico. Christine, poi, era così insistente! Secondo lei avrebbe dovuto tagliarsi i capelli e cominciare un severo programma di ginnastica, in autunno, magari anche un corso di danza, senza rendersi conto che la figlia si sentiva morire al solo pensiero di presentarsi davanti alle altre ragazze in calzamaglia. Preferiva rimanere così, piuttosto che cambiare a poco a poco a prezzo di cocenti umiliazioni. Era meglio ingurgitare quel disgustoso tè di erbe, che comunque, anche se l'aveva fatta star male da morire, aveva già dimostrato la sua efficacia.

Dopo la partenza di Jake, Montecito diventò per lei un posto noioso; cominciò a chiedersi se avrebbe mai ricevuto sue notizie, appena fosse cominciata la scuola. Per il resto del tempo che passarono al mare si accontentò di giocare con Grace. Non le importava che avesse sette anni meno di lei: si divertiva ugualmente; anche i suoi genitori dicevano agli amici che la differenza di età non era un handicap ma un vantaggio. Victoria non era mai stata gelosa nei confronti di Grace, e adesso che aveva quattordici anni poteva essere considerata una babysitter totalmente affidabile. Così Jim e Christine lasciavano Grace con la sorella maggiore ogni volta che uscivano, cosa che facevano sempre più spesso a mano a mano che le loro figlie crescevano.

Durante quella vacanza presero soltanto un grosso spavento quando Grace, un pomeriggio, con la bassa marea, si azzardò ad andare un po' troppo al largo. Victoria, che era sempre rimasta con lei, l'aveva lasciata un attimo per tornare dove avevano disteso gli asciugamani sulla sabbia per prendere la crema solare da metterle. All'improvviso si era alzata la marea e un'onda aveva fatto cadere Grace trascinandola al largo. Per un momento scomparve come se fosse stata risucchiata dal mare, poi tornò a galla solo per trovarsi in balìa di un'altra grossa ondata. Victoria, che aveva visto tutto, si precipitò in mare urlando, si tuffò e tornò a galla dopo aver bevuto abbondantemente; con il fiatone, riuscì ad afferrare la bambina per un braccio. Ma un'altra ondata le colse in pieno. I loro genitori a quel punto si erano accorti di quello che stava succedendo; Jim cominciò a correre verso il mare seguito da Christine. Si buttò anche lui, e con qualche potente bracciata raggiunse le bambine, le afferrò e le tirò fuori. Christine era rimasta ad assistere alla scena inorridita, ammutolita. Jim rimproverò Grace: «Guai a te se lo fai un'altra volta! Non devi mai entrare in acqua da sola, hai capito?»

Poi si voltò verso Victoria inferocito. «Come hai fatto a perderla di vista? Cosa ti è venuto in mente?» Victoria piangeva, sconvolta per quello che era successo.

«Ero andata a prendere la crema solare perché non si scottasse», spiegò fra i singhiozzi. Intanto Christine, senza dire una parola, si stava affannando ad asciugare Grace con un asciugamano, perché aveva le labbra livide dal freddo. Era in acqua da molto prima che la marea cominciasse a salire.

«C'è mancato poco che annegasse!» continuò a gridare suo padre, tremante di rabbia e paura. Gli capitava di rado di arrabbiarsi con le bambine, ma stavolta il rischio era stato grosso, ed era fuori di sé. Non disse una parola di lode a Victoria perché si era precipitata in acqua prima di lui e aveva già acchiappato la sorellina. Era troppo agitato e lo era anche Victoria. Grace si era rifugiata fra le braccia della mamma, che la teneva stretta, sempre avvolta nella spugna, i ricci fradici incollati sulla testa.

«Non so dirti come mi dispiace, papà», mormorò Victoria.

Lui le voltò le spalle e se ne andò, mentre Christine consolava la piccola. Victoria si asciugò gli occhi pieni di lacrime con il dorso della mano e mormorò ancora: «Come mi dispiace, mamma!» Christine annuì e passò anche a lei un asciugamano affinché si coprisse. Comunque il messaggio che le aveva rivolto con quel gesto era stato chiaro.

* * *

30

Victoria non vedeva l'ora di cominciare le superiori perché le materie erano senz'altro più interessanti di quelle delle medie. Lei era una ragazzina studiosa ed era motivata e felice alla prospettiva di impegnarsi nello studio. Dal punto di vista sociale, però, si sentiva sempre un pesce fuor d'acqua, ed era rimasta traumatizzata quando il primo giorno di scuola aveva visto le sue compagne. Sembravano molto più smaliziate di lei; qualcuna era vestita in maniera provocante e pareva parecchio più grande della sua età. Molte erano truccate e fin troppo magre. Evidentemente erano adolescenti problematiche affette da anoressia e bulimia, ma Victoria davanti a loro si sentì inadeguata, la classica cicciona di fronte a delle bellezze mozzafiato. Quanto avrebbe voluto possedere la loro aria disinvolta! Dedicò parecchio tempo ad analizzare il loro modo di vestirsi, anche se si rendeva conto che molti dei capi che indossavano, per esempio le minigonne, avrebbero fatto un effetto spaventoso su di lei. Victoria invece aveva scelto un paio di jeans e un camicione dalla linea sciolta che le nascondessero il più possibile il corpo, e ai piedi portava le Converse che la mamma le aveva comprato il giorno precedente. I lunghi capelli biondi le scendevano lisci sulle spalle e le incorniciavano il viso acqua e sapone, fresco e pulito. Si sentì fuori posto: aveva sbagliato in pieno l'abbigliamento ed era diversa dalle altre, che sembravano pronte a partecipare a un concorso di bellezza. Dimostravano almeno diciotto anni. Il colpo d'occhio, insomma, era quello di un gruppo di ragazze magre come acciughe, snelle, sottili... e sexy. Victoria aveva una gran voglia di piangere.

«Buona fortuna», le aveva augurato sorridendo sua

madre che l'aveva accompagnata in macchina, facendola scendere davanti all'entrata. «Buon primo giorno di scuola!»

Victoria invece desiderava solo non scendere e rimanersene nascosta. Teneva stretti nella mano tremante l'orario delle lezioni e una piantina con l'ubicazione delle varie classi, e sperò ardentemente di trovare la sua senza dover chiedere informazioni a nessuno. Aveva paura di scoppiare in lacrime, tale era il terrore che le attanagliava il cuore. «Andrà tutto bene, vedrai», gridò Christine alla figlia che saliva in fretta le scale passando davanti alle altre ragazze, stando bene attenta a non incrociare i loro sguardi. Non voleva sentirsi costretta a fermarsi per salutare quell'esercito di sofisticate creature.

Quando scese in mensa all'ora di pranzo incontrò qualcuna delle ragazze che aveva già visto davanti all'entrata, ma si tenne alla larga. Al banco si servì di un sacchetto di patatine, un grosso panino, uno yogurt e una confezione di pasticcini al cioccolato da sgranocchiare durante la giornata, e andò a sedersi tutta sola. Dopo un po' arrivò una ragazza e le chiese il permesso di sedersi al suo tavolo. Era più alta di Victoria – avrebbe potuto giocare a pallacanestro – e magra come un manico di scopa. «Ti spiace se mi accomodo qui?»

«No, per me va bene», rispose Victoria, aprendo il sacchetto di patatine. L'altra aveva sul vassoio due panini, ma evidentemente riusciva a smaltire tutto quello che mangiava. Se non fosse stato per i lunghi capelli castani sciolti sulle spalle, sarebbe sembrata un maschio. Non era truccata e, come Victoria, indossava un paio di Converse.

«Sei di prima?» le domandò scartando il primo panino. Victoria, paralizzata dalla timidezza, si limitò ad annuire. «Io mi chiamo Connie. E sono il capitano della squadra di pallacanestro femminile, come forse avrai già intuito. Sono alta un metro e ottantaquattro. E sono in terza: sono un'"anziana'. Benvenuta alle superiori. Come ti è andata finora?» «Bene», rispose Victoria, cercando di assumere un'aria disinvolta. Non aveva nessuna voglia di raccontarle che aveva una paura matta e si sentiva un mostro, uno scherzo della natura. Si chiese se anche Connie a quattordici anni si fosse sentita come lei. Sembrava una che si trovava a suo agio con chiunque. Però, per quale motivo era seduta al tavolo di un'allieva di prima? Victoria si domandò se Connie avesse delle amiche. E, in tal caso, dov'erano? La osservò meglio, e si rese conto che era la più alta fra i presenti. Maschi compresi.

«A dodici anni ero già alta così», riprese Connie, come se avesse piacere di conversare con lei. «Mio fratello sfiora i due metri e gioca per la UCLA con una borsa di studio di pallacanestro. Tu non fai nessuno sport?»

«Gioco un po' a pallavolo.» Lei aveva sempre preferito studiare piuttosto che dedicarsi allo sport.

«Qui abbiamo qualche squadra davvero super. Magari può venire voglia anche a te di tentare con la pallacanestro. Abbiamo molte ragazze della tua statura.»

Victoria dovette controllarsi per non ribattere: Ma non del mio peso. Senza farsi notare aveva osservato le sue compagne, e si era accorta di essere grande e grossa almeno il doppio di tutte loro. Ma con Connie si sentiva un po' meno a disagio perché, se non altro, benché fosse magra non era anoressica, visto come sbafava tutto quello che aveva sul vassoio, né tanto meno era vestita come se dovesse andare a una festa con il suo ragazzo. Inoltre le sembrava cordiale, amichevole e gentile. «Certo che ci vuole un bel po', prima di impratichirsi e fare l'abitudine alle superiori», cercò di rassicurarla Connie. «Il mio primo giorno mi sentivo così strana! I maschi che vedevo erano alti la metà di me... e le ragazze erano tutte molto più carine. Ma qui troverai senz'altro qualcosa che fa per te tra le tante attività: c'è chi fa atletica, chi si interessa di moda, e poi si eleggono le reginette di bellezza... c'è persino un club per gay e lesbiche. Vedrai, fra un po' riuscirai a decidere quello che ti piace e farai un mucchio di amicizie.»

A un tratto Victoria si scoprì felice che Connie si fosse seduta al suo tavolo, perché se non altro le sembrò di essersi fatta un'amica. Connie aveva già divorato i suoi due panini, mentre Victoria, imbarazzata, si accorse di non avere ancora toccato il proprio. Decise di mangiare soltanto lo yogurt e lasciar perdere il resto.

«Dove abiti?» le chiese Connie con interesse.

«A Los Angeles.»

«Io vengo in macchina dall'Orange County ogni giorno. Vivo con mio padre. La mamma è morta l'anno scorso.»

«Mi spiace», sussurrò Victoria, provando un moto di empatia. Quando Connie si alzò in piedi, lei si sentì una nana, al confronto. La ragazza le allungò un pezzo di carta sul quale c'era scritto il suo numero di telefono. Lei la ringraziò e lo mise in tasca.

«Telefonami, se hai bisogno di qualcosa: cercherò di aiutarti il più possibile. I primissimi giorni sono sempre i più duri; dopo le cose vanno meglio. Intanto rifletti sulla mia proposta di entrare nella squadra.»

Victoria non riusciva a immaginare come avrebbe trovato il coraggio per fare una mossa del genere, ma fu grata a Connie per la sua accoglienza gentile e amichevole: si era preoccupata per lei e aveva cercato di farla sentire a suo agio. Adesso non credeva più che fosse venuta a sedersi al suo tavolo per caso. Era stata una precisa scelta. Mentre chiacchieravano, un bel ragazzo dall'aria simpatica era passato di fianco a loro e aveva sorriso a Connie.

«Ehi, Connie», la apostrofò, superandola in fretta e furia con un pacco di libri in mano, «stai cercando reclute per la squadra?»

«Puoi scommetterci», gli rispose Connie con una risata. «È il capitano della squadra di nuoto», spiegò poi a Victoria quando lui si allontanò. «Magari potrebbe piacerti fare anche quello sport. Ti può interessare?»

«Probabilmente finirei per annegare», ribatté Victoria un po' imbarazzata. «Come nuotatrice non valgo granché.»

«Be', puoi sempre imparare. Gli istruttori sono lì per quello, sai? Durante il primo anno io ho fatto parte della squadra di nuoto, ma poi ho rinunciato perché bisognava alzarsi troppo presto: quei pazzi cominciano ad allenarsi alle sei del mattino, a volte anche alle cinque, prima di una gara!»

«No, direi proprio che non fa per me», replicò Victoria con una risata, scoprendosi felice di avere diverse possibilità di scelta. Era un mondo tutto nuovo, un mondo che cominciava a piacerle. Gli studenti le davano l'impressione di trovarsi bene, di essere contenti di studiare in quella scuola, come se ognuno di loro avesse individuato la propria nicchia. Sperava con tutto il cuore di riuscirci anche lei.

Connie la informò che sui tabelloni all'esterno della mensa erano appesi i fogli di iscrizione ai vari club scolastici: bastava sceglierne uno, o più di uno se si preferiva, e segnare il proprio nome e cognome per essere iscritti. Uscendo glieli mostrò, e Victoria si fermò a studiarli. C'erano club di ogni sorta: scacchi, poker, cinema, lingue straniere, gothic, film horror, scrittura creativa, latino, romanzi rosa, archeologia, sci, tennis, viaggi. Insomma, era un elenco che non finiva più.

A Victoria potevano interessare quello del cinema e quello di latino, ma era troppo timida per mettere il proprio nome su una delle due liste. L'ultimo anno delle medie aveva cominciato a studiare latino, e le era piaciuto. E pensava che il club del cinema potesse essere divertente. Inoltre, nessuna delle due attività richiedeva di mettersi in costume da bagno o di portare un'uniforme che l'avrebbe fatta sembrare troppo grassa. Ecco perché non si sarebbe mai iscritta al club del nuoto, anche se, in realtà, contrariamente a quello che aveva detto a Connie, era una brava nuotatrice. D'altra parte non la allettava molto neanche l'idea di giocare con la squadra di pallacanestro perché avrebbe dovuto indossare i calzoncini corti. Forse il club di sci poteva fare al caso suo. Lei andava a sciare ogni anno con i suoi; il suo papà da giovane era bravissimo, e anche la mamma non era male. Quanto a Grace, sciava da quando aveva tre anni.

«Allora ci vediamo», la salutò Connie allontanandosi rapidamente con quelle sue gambe da giraffa.

«Grazie!» le gridò dietro Victoria, poi si precipitò in aula per la lezione successiva.

Quando Christine andò a prenderla alle tre, la trovò di buon umore.

«Allora, com'è andata?» le domandò affettuosamente, provando un gran sollievo perché le sembrava che Victoria fosse abbastanza contenta. «Bene», rispose la ragazza. «Le lezioni mi piacciono. È molto meglio che alle medie! Stamattina ho avuto biologia e chimica, e nel pomeriggio letteratura inglese e spagnolo. Il professore di spagnolo è un tipo un po' strano, non ti permette di parlare nella nostra lingua durante la sua ora, ma gli altri mi sono sembrati piuttosto simpatici. E poi ho controllato anche tutti i club che ci sono, e penso che potrei iscrivermi a quello di sci e a quello del cinema, e magari anche a quello di latino.»

«Mi sembra niente male, come inizio», commentò Christine mentre ripartivano dirette alla sua vecchia scuola per andare a prendere Grace che ci rimaneva anche per una parte del pomeriggio. Rivedendo l'edificio, a Victoria sembrò che dal mese di giugno, quando l'aveva lasciato definitivamente, fosse passato un secolo, e scoprì con orgoglio di sentirsi un'adulta, adesso che era alle superiori. Ma quando entrò per recuperare Grace la trovò in lacrime.

«Cos'è successo?» le domandò prendendola in braccio. Era così piccola, a sette anni, che Victoria riusciva ancora a sollevarla senza fatica.

«Che brutta giornata! David mi ha buttato addosso una lucertola, Lizzie mi ha rubato il panino al burro di arachidi e Jamie mi ha picchiato!» le rispose la bambina indignata. «Ho pianto tutto il giorno», rincarò.

«Avrei pianto anch'io, se tutte quelle brutte cose fossero successe a me», le assicurò Victoria mentre la accompagnava alla macchina tenendola per mano.

«Io voglio che tu torni qui», disse Grace alla sorella maggiore, mettendo il broncio. «Non mi diverto, senza di te.»

«Vorrei poterlo fare, sai?» rispose Victoria. Ma scoprì di non esserne più tanto sicura. Era troppo contenta della nuova scuola; era meglio di quanto si aspettasse. Le piaceva il fatto di poter scegliere tra molte possibilità, che adesso aveva una gran voglia di esplorare. Cominciava a credere che si sarebbe trovata bene. «Anche tu sei mancata a me», disse comunque alla sorellina consolandola.

Victoria la sistemò sul sedile posteriore, e Grace snocciolò l'elenco di tutte le sue disgrazie anche alla mamma, che l'ascoltò piena di comprensione. Victoria anche stavolta non poté fare a meno di notare che con lei non era mai stata tanto tenera e affettuosa. Era evidente che il fatto che Grace somigliasse ai genitori rendeva più facile per loro rapportarsi con lei. Grace era «una di loro», mentre Victoria veniva sempre considerata una sorta di estranea. Si domandò se forse Christine non avesse ancora imparato a fare la mamma, quando era nata lei. Certo la madre si era sempre mostrata più distaccata nei suoi confronti, e non le aveva mai risparmiato le critiche. Sia lei sia suo padre avevano preteso di più dalla primogenita, mentre erano fin troppo indulgenti con la piccola. Secondo Jim, Grace non faceva mai niente di male, non sbagliava mai. Forse questo si poteva spiegare con il fatto che con il passare degli anni il loro carattere si era addolcito. Quando era nata Victoria non avevano neanche trent'anni, e adesso avevano superato la quarantina... O semplicemente a lei volevano meno bene che a Grace. In fondo, alla sua sorellina non avevano dato il nome di una brutta regina!

Quella sera suo padre le chiese notizie della nuova scuola, e lei gli parlò delle lezioni e dei club. Secondo Jim, le sue scelte erano tutte molto buone, in particolare quella del club di latino; il club sciistico doveva essere divertente e un buon mezzo per fare amicizia. Secondo la mamma invece il club di latino era troppo da intellettuali; era meglio iscriversi a uno frequentato da compagni meno colti ma più socievoli. Entrambi speravano che Victoria si facesse degli amici, alle superiori, perché alle medie non ne aveva. E poi in terza avrebbe preso la patente, così sarebbe andata a scuola con la propria macchina e loro non sarebbero stati costretti ad accompagnarla. Sembrava che aspettassero con ansia quel momento, e anche Victoria trovava allettante l'idea, anche perché le poche volte che suo padre aveva portato lei e le sue compagne delle medie in qualche posto non aveva mai evitato di fare le sue osservazioni pungenti, convintissimo che fossero spassose, mentre Victoria le giudicava solo umilianti. Il giorno dopo si iscrisse ai club che le interessavano, che comprendevano quello di sci, ma rinunciò a nuoto e pallacanestro. Le lezioni di educazione fisica potevano bastare. Il professore provò a suggerirle danza classica, ma lei rabbrividì alla sola idea di muoversi per la palestra in calzamaglia e tutù.

Ci volle un po' di tempo, ma un bel giorno anche Victoria cominciò a fare qualche amicizia. Presto, comunque, rinunciò al club del cinema perché i film che sceglievano gli organizzatori non le piacevano. Partecipò a una gita del club sciistico a Bear Valley, ma gli altri ragazzi della comitiva si mostrarono presuntuosi e scostanti, e nessuno di loro si prese la briga di includerla nel gruppo. Allora si iscrisse al club dei viaggi. La interessava molto anche il club di latino, sebbene le iscritte fossero tutte ragazze.

Adesso conosceva un po' di gente, però si stava accorgendo che anche alle superiori non era per niente facile stringere amicizia. Le ragazze, che sembravano reginette di bellezza dalla prima all'ultima, erano divise in gruppetti. Le più studiose, invece, erano timide come lei, e quindi era difficile entrare in rapporto con loro. Connie invece si dimostrò un'ottima amica per due anni, finché andò a studiare alla Duke con una borsa di studio. Ma a quel punto ormai Victoria si era ambientata e si trovava a suo agio con compagni e professori. Di tanto in tanto riceveva anche notizie da Jake, che studiava a Cait, però non si videro più. Si ripromettevano sempre di rincontrarsi, ma non lo fecero mai.

In seconda ebbe il suo primo appuntamento con un ragazzo della classe di spagnolo che la invitò al ballo di fine anno dei diplomandi, una serata importante e impegnativa. Connie aveva detto che era un ragazzo straordinario, e in effetti anche a lei era sembrato che lo fosse fino a quando non fu buttato fuori dalla festa perché era ubriaco fradicio. Victoria si era vista costretta a telefonare al padre perché andasse a prenderla per riportarla a casa.

Durante le vacanze fra la seconda e la terza le regalarono la sua prima automobile, una vecchia Honda. Era emozionatissima; aveva già la patente, quindi poteva guidare e raggiungere la scuola da sola.

In terza era diventata ancora più pesante e corpulenta. D'estate aveva messo su cinque chili perché aveva trovato un lavoretto in una gelateria. Tutti i momenti c'era una scusa per abbuffarsi. Christine era rimasta sconvolta, quando se n'era accorta, e le aveva consigliato di cercare un altro lavoro: quello era fonte di troppe tentazioni.

«Ogni giorno che passa diventi sempre più simile alla tua bisnonna», fu il commento del padre, che la punse sul vivo. Quotidianamente portava a casa per Grace torte gelato divertenti, a forma di pagliaccio o di animali, ma lei non ingrassava per quante ne mangiasse. All'epoca aveva nove anni, e Victoria ne aveva già compiuti sedici.

Ma quel lavoretto estivo in gelateria le aveva permesso

di raggranellare i soldi sufficienti per fare una gita a New York con il club dei viaggi durante le vacanze natalizie. Fu un'esperienza che le cambiò la vita. Quella città la entusiasmò, e si accorse che le piaceva molto più di Los Angeles. Avevano preso le camere al *Marriott Hotel*, nelle vicinanze di Times Square, e per tutta la durata del soggiorno non fecero che camminare. Andarono a teatro, all'opera, a vedere il balletto, presero la metropolitana, salirono fino in cima all'Empire State Building e visitarono il Metropolitan Museum, il Museum of Modern Art e la sede delle Nazioni Unite. Victoria non si era mai divertita tanto in vita sua. Durante quel soggiorno ci fu perfino una favolosa nevicata... Insomma, per lei New York era il posto più bello del mondo, e un giorno avrebbe voluto andare a viverci. Si spinse a pensare di poter fare lì il college, se fosse riuscita a entrare alla New York University oppure alla Barnard, sogno che però, malgrado i suoi buoni voti, sembrava praticamente irrealizzabile.

Subito dopo Capodanno ebbe la sua prima vera storia d'amore. Mike era iscritto al club dei viaggi, ma non aveva fatto la gita a New York. Invece stava meditando di andare in Europa, a Londra, Atene, Roma, sempre con il club dei viaggi, durante l'estate. I genitori di Victoria avevano già detto che non le avrebbero dato il permesso: era troppo giovane, anche se aveva già compiuto diciassette anni. Mike era uno studente dell'ultimo anno, i suoi avevano divorziato e quindi era stato suo padre a firmare il modulo di autorizzazione. Victoria lo considerava ormai un adulto, un uomo di mondo, e si era innamorata follemente di lui. Per la prima volta in vita sua si sentiva bella, perché Mike le faceva sempre un mucchio di complimenti. In autunno avrebbe cominciato a frequentare la Southern Methodist University, ma adesso passavano moltissimo tempo insieme, benché i genitori di Victoria non approvassero perché a loro giudizio Mike non era abbastanza intelligente e brillante per lei. Victoria però era felice perché a lui piaceva, e questo le bastava. Passavano molto tempo ad amoreggiare nella macchina di lui, sebbene lei non avesse mai voluto andare fino in fondo: era troppo impaurita e non si sentiva pronta. Così andò a finire che in aprile Mike la mollò per un'altra, più intraprendente! Si presentò con lei al gran ballo degli studenti dell'ultimo anno mentre Victoria rimase a casa a piangere, con il cuore spezzato. Mike era stato l'unico ragazzo con il quale era uscita quell'anno.

Mai nessuno le aveva fatto la corte, e oltretutto non aveva molti amici. Passò l'estate seguendo diligentemente la dieta di South Beach, e riuscì a perdere tre chili e mezzo, ma appena la interruppe recuperò tutto con gli interessi. Voleva a ogni costo dimagrire prima di andare al college, perché il suo insegnante di educazione fisica le aveva detto che era in sovrappeso di circa otto chili. Riducendo le porzioni era già dimagrita di due o tre chili, e voleva perderne altrettanti prima del diploma. Ci sarebbe senz'altro riuscita, se in novembre non si fosse ammalata di mononucleosi. Rimase a casa venti giorni, e fu costretta a mangiare decine di gelati per calmare l'atroce mal di gola. A quanto pareva, il destino cospirava contro di lei, infatti era l'unica ragazza nella sua classe che fosse riuscita a ingrassare quattro chili mentre era a letto con la mononucleosi. Sembrava che quella del sovrappeso fosse una battaglia persa in partenza, ma lei non si arrese: durante le vacanze di Natale andò a nuotare ogni giorno e continuò a farlo per un po' anche quando la scuola era ricominciata. Inoltre ogni mattina prima delle lezioni faceva una mezz'ora di jogging; riuscì a perdere cinque chili, e sua madre era orgogliosa di lei.

Era decisa a perderne altri quattro, finché un giorno suo padre, dopo averla squadrata da capo a piedi, non le domandò quando pensava di cominciare a mettersi un po' d'impegno a dimagrire. Non si era neanche accorto dei cinque chili persi! A quel punto lei rinunciò al nuoto e al jogging e ricominciò a ingozzarsi di gelati, dolciumi, patatine e tutto il cibo ipercalorico che riusciva a ingurgitare. Le porzioni dei pasti divennero sempre più sostanziose, tanto che differenza faceva? Nessuno se ne accorgeva, nessun ragazzo la invitava a uscire! Suo padre le propose di iscriversi alla palestra dove andava lui, ma lei gli rispose che aveva troppo da studiare, ed era vero.

Stava lavorando sodo per mantenere la sua ottima media, nella speranza di essere accettata nei sette prestigiosi college presso cui aveva fatto domanda: New York University, Barnard, Boston University, Northwestern, George Washington, University of New Hampshire e Trinity. Tutte università del Midwest o dell'Est. Non aveva presentato domande presso alcun istituto californiano. I suoi ci erano rimasti molto male. Victoria non avrebbe saputo spiegare perché, ma capiva che doveva andarsene. Si era sentita diversa per troppo tempo, e anche se sapeva che la sua famiglia le sarebbe mancata – soprattutto Grace – voleva una nuova vita; le si offriva un'opportunità per ottenerla e non intendeva farsela sfuggire. Era stanca di doversi sempre confrontare con ragazze che somigliavano tutte a star del cinema o a top model, cosa che un giorno speravano di diventare davvero. Suo padre avrebbe voluto che lei facesse domanda d'iscrizione alla USC, University of Southern California, o alla UCLA, University of California di Los Angeles, ma Victoria gli aveva risposto di no perché temeva di ritrovarsi più o meno nella stessa situazione in cui era alle superiori, mentre lei voleva studiare con persone vere, che non fossero ossessionate dalla bellezza o dalla moda, ma che considerassero importante pensare, riflettere, usare il cervello. Come lei.

Non ottenne l'ammissione a nessuno degli istituti new-yorkesi che erano stati la sua prima scelta, né alla Boston University, che le sarebbe molto piaciuta, e neanche alla George Washington. Quindi, alla fine, le scelte che le rimanevano furono la Northwestern, la University of New Hampshire oppure la Trinity. Dopo aver molto riflettuto, optò per la Northwestern. Le parve la scelta giusta: non era molto lontana da casa e aveva un'ottima reputazione. I genitori le dissero che erano orgogliosi di lei, per quanto delusi e dispiaciuti che volesse lasciare la California. Non riuscivano a spiegarsene il motivo. Non si erano mai resi conto che Victoria si era sentita fuori posto, se non addirittura male accetta o sgradita, per troppo tempo. Sembrava che Grace fosse una figlia unica, mentre lei aveva sempre la sensazione di essere un cagnolino randagio che suo padre e sua madre avevano accolto per pietà. Davano troppa importanza al fatto che non somigliava a nessuno dei due; lei era stata sempre umiliata, e adesso non sopportava più questa situazione. Chissà, forse terminati gli studi sarebbe tornata a Los Angeles, ma adesso era giunto il momento di cambiare aria.

All'esame di maturità prese il massimo dei voti, perciò doveva tenere un discorso alla cerimonia per la consegna dei diplomi. Il pubblico rimase molto impressionato dalla sua profondità e maturità. Aveva deciso di parlare con il cuore, di dire come si fosse sempre sentita diversa, come avesse sofferto perché si considerava inadeguata, come si fosse impegnata per adattarsi all'ambiente in cui viveva. Non era mai stata un'atleta, disse, e neanche voleva esserlo; non era «sofisticata», non era popolare, non si era mai vestita come le sue compagne, e soltanto in seconda aveva cominciato a truccarsi un po', e neanche tutti i giorni, come continuava a fare ancora adesso. Aveva studiato con grande passione il latino, anche se tutti la consideravano la classica secchiona. Insomma, snocciolò tutte le cose che l'avevano messa in imbarazzo, senza però arrivare a confessare che il vero problema era in casa sua.

Poi aveva ringraziato la scuola per averla aiutata a crescere e a trovare la sua strada. D'ora in poi lei e i suoi compagni avrebbero vissuto in un mondo dove sarebbero stati *tutti* diversi, dove nessuno avrebbe trovato subito il posto adatto, dove avrebbero dovuto dimostrare di essere veramente in gamba, per avere successo e realizzare i propri sogni. Augurò buona fortuna ai suoi compagni di classe che stavano per affrontare come lei il viaggio alla ricerca di se stessi, alla fine del quale avrebbero capito chi erano, quale fosse il loro destino, e disse che sperava di incontrarli di nuovo. «Per il momento, fino a quel giorno, amici miei», concluse, «buon viaggio. E buona fortuna.» Ragazzi e genitori la applaudirono, visibilmente commossi.

Il suo discorso fece rimpiangere a molti dei suoi compagni di non averla conosciuta meglio, e colpì profondamente suo padre e sua madre: non immaginavano che fosse capace di esprimersi con tanta eloquenza. Solo adesso si resero conto che presto li avrebbe lasciati, che stavano per perderla e forse non sarebbe mai più tornata a vivere con loro, e quando andarono a congratularsi con lei avevano le lacrime agli occhi. Alla conclusione della cerimonia, dopo il lancio del tocco e dopo aver tagliato il fiocco che sarebbe stato conservato insieme con il diploma, Victoria si ritrovò vicino a suo padre, diventato improvvisamente silenzioso. Le assestò un colpetto affettuoso sulla spalla complimentandosi con lei.

«Bellissimo discorso! Sono sicuro che contribuirà a far sentire bravi e buoni tutti quei pazzoidi che hai avuto in classe con te», soggiunse in tono sincero, mentre lei si voltava a guardarlo allibita. A volte si chiedeva se fosse semplicemente uno sciocco oppure se facesse tutte quelle battute perfide e pungenti e si divertisse a mostrarsi così maligno e meschino con lei per puro divertimento. Come al solito, non aveva capito qual era la cosa più importante.

«Papà», gli disse senza perdere la calma, «anch'io sono una di quei pazzoidi, una di quei ragazzi strampalati, di quei balordi. Il concetto al quale io alludevo era che essere diversi va benissimo, e che d'ora in avanti sarà meglio se continuiamo a esserlo, perché questo servirà a farci ottenere qualcosa, a diventare qualcuno. La cosa più importante che ho imparato a scuola è che essere differenti è un vantaggio.»

«Non troppo, mi auguro», ribatté lui piccato. Jim Dawson era sempre stato un conformista, e per lui il giudizio degli altri era importante. Non aveva mai avuto un pensiero originale. Non poteva essere d'accordo con la filosofia di sua figlia, per quanto gli fosse piaciuto il suo discorso e il modo elegante e intelligente con cui l'aveva esposto. Riusciva comunque a trovare un motivo per autoincensarsi anche in questo, perché riteneva che Victoria avesse ereditato da lui la capacità di parlare in pubblico. Però non amava essere diverso dagli altri, né spiccare in modo particolare in un gruppo. Secondo lui non andava bene. Victoria adesso ne era pienamente consapevole, e si accorgeva di essere troppo diversa dai suoi genitori, ecco perché non vedeva l'ora di lasciare la sua casa. Era felice di dire addio alla vita facile e comoda che aveva sempre fatto, se significava trovare finalmente se stessa e il posto che le era più congeniale.

Quanto a Grace, a mano a mano che cresceva somigliava sempre di più ai genitori, perciò era facile capire che quella casa e quella famiglia fossero in piena armonia con la sua personalità. Lei e i genitori erano un po' come dei cloni. Victoria si augurava che un giorno anche la sorella minore avrebbe trovato il coraggio di aprire le ali, proprio come lei.

Non vedeva l'ora che arrivasse il giorno della partenza, anche se a volte quel pensiero la spaventava. Ma poi ripensava al futuro che le si prospettava davanti e si sentiva di nuovo cogliere dall'entusiasmo. La ragazza che una volta somigliava alla regina Victoria stava spiccando il volo.

Uscendo dalla sua scuola per l'ultima volta sorrise, e bisbigliò a se stessa: «Mondo, sta' in guardia! Eccomi!»

4

L'ESTATE che Victoria passò a casa prima di cominciare il college fu dolceamara. I suoi si mostrarono molto più disponibili e solleciti con lei di quanto non lo fossero mai stati, anche se il padre non riusciva a evitare di chiamarla torta di prova se la presentava a un conoscente. Aggiungendo però quasi sempre che era molto orgoglioso di lei. Questa piacevole novità la meravigliò tanto. Anche la mamma sembrava triste al pensiero che partisse, sebbene non gliel'avesse mai detto apertamente.

Victoria pensò che i suoi genitori avevano perso un'opportunità, con lei. La sua infanzia e gli anni in cui aveva frequentato la scuola ormai erano finiti, e tutto il tempo che avevano sprecato concentrandosi su particolari fuori luogo non sarebbe tornato indietro.

Il suo aspetto fisico, gli amici che aveva o non aveva, il peso, la sua somiglianza alla bisnonna, della quale non importava niente a nessuno ma che era un ottimo pretesto per criticarla, erano stati per anni al centro del loro interesse. Per quale motivo si occupavano delle cose sbagliate? Perché ci tenevano tanto? Perché non le erano stati più vicini, non le avevano dimostrato più affetto e amore, non le avevano dato maggiore appoggio? Adesso era difficile se non impossibile costruire un ponte che li unisse, quel ponte che doveva esistere fin dal principio e invece non c'era mai stato. Erano praticamente degli estranei l'uno per l'altro e lei non immaginava come la situazione potesse cambiare, anche perché stava per lasciare la sua casa e forse non sarebbe mai più tornata a vivere con i genitori.

Il suo più grande desiderio, il suo sogno, continuava a essere quello di trasferirsi a New York dopo gli studi. Sarebbe tornata dai suoi per le vacanze, li avrebbe visti di nuovo per il Ringraziamento o a Natale e quando loro fossero andati a trovarla, se mai si fossero decisi a farlo, ma ormai era tardi per creare quel clima di affetto e condivisione che dovrebbe esistere in tutte le famiglie.

Era convinta che il padre e la madre in fondo le fossero affezionati – dopotutto aveva vissuto con loro diciott'anni – ma nel modo sbagliato: suo padre la prendeva in giro da quando era nata, e la mamma si era sempre mostrata fredda nei suoi confronti, e delusa perché non era più carina; si era sempre lamentata perché era una ragazza troppo seria e intelligente, e non si stancava mai di ripeterle che agli uomini non piacevano le donne con troppo cervello. La sua infanzia era stata un disastro per colpa loro, e adesso che stava per andarsene sostenevano che avrebbero sofferto per la sua mancanza!

Lei continuava a domandarsi per quale motivo non le avessero prestato più attenzione quando vivevano insieme. Ormai era troppo tardi. Non poté fare a meno di chiedersi se le volevano bene sul serio; non ne era mai stata sicura.

Avevano riversato tutto il loro amore su Grace, ma a lei ne avevano dato?

L'unico rammarico era il pensiero di lasciare la sorellina, l'angioletto sceso dal cielo che l'aveva sempre amata incondizionatamente. La sola idea di non vederla più tutti i giorni la angosciava, ma capiva di non avere scelta. Grace adesso aveva undici anni, e cominciava a comprendere che Victoria era una ragazza con una personalità particolare, e anche che a volte il loro padre era maligno e cattivo nei suoi confronti. Le dava fastidio sentirgli dire a Victoria delle cose che potevano ferirla, oppure che la prendesse in giro o le facesse notare che non somigliava a nessuno di loro. Agli occhi di Grace sua sorella era bellissima, e non le importava un bel niente se era grassa o magra. Era la ragazza più carina del mondo e lei le voleva un bene dell'anima.

Per Victoria tutti i momenti che passava con lei erano preziosi, sapendo che presto l'avrebbe lasciata. La portava a pranzo fuori, andavano in spiaggia, facevano dei picnic, l'accompagnava a Disneyland e passava con lei più tempo possibile. Un pomeriggio erano sdraiate vicine in riva al mare, a Malibu, quando Grace fece a Victoria una domanda che anche lei da bambina si era fatta molte volte.

«Non pensi che forse sei stata adottata e loro non te l'hanno mai rivelato?» le chiese guardandola con occhi innocenti. La sorella maggiore, che come sempre portava sul costume da bagno un camicione ampio e comodo in modo da nascondere le forme esuberanti, sorrise.

«Da piccola ne ero convinta», ammise, «perché ho un aspetto così diverso da tutti voi. Ma non credo proprio. Assomiglio a qualche antenato, tipo la nonna del papà o qualcun altro... non so. Ma sono figlia loro anche se non abbiamo molto in comune.»

Per quanto fisicamente non somigliasse per nulla a Grace, loro due erano anime gemelle. Victoria sperava soltanto che la sua sorellina minore crescendo non diventasse troppo simile ai genitori, nonostante esercitassero su di lei una fortissima influenza, considerato che dopo la partenza della figlia grande si sarebbero aggrappati a lei ancora di più.

«Sono felice che tu sia mia sorella», disse Grace con aria triste. «Vorrei che non dovessi partire per il college, che fossi costretta a rimanere qui.»

«Anch'io, quando penso che sto per lasciarti. Però tornerò a casa per il Ringraziamento o per Natale, e tu puoi sempre venire a trovarmi.»

«Ma non sarà la stessa cosa», rispose la bambina mentre una lacrima le scendeva sulla guancia. Tutte e due sapevano che era la verità.

Quando Victoria cominciò a preparare i bagagli sembrò che l'intera famiglia fosse in lutto. La sera prima della partenza Jim portò la famiglia fuori a cena al *Beverly Hills Hotel*. Fu una bellissima serata per tutti; nessuno fece battute di spirito fuori luogo o scherzetti stupidi, e il giorno dopo tutti e tre l'accompagnarono all'aeroporto. Nel momento in cui scesero dalla macchina Grace scoppiò in lacrime e si aggrappò a Victoria.

Jim andò a consegnare il bagaglio mentre le due ragazze, strette l'una all'altra sul marciapiede, piangevano disperate sotto lo sguardo triste e avvilito della madre.

«Vorrei che tu non partissi», mormorò Christine. Se avesse potuto, avrebbe fatto ogni cosa in modo diverso.

Adesso aveva la sensazione che Victoria le sfuggisse come sabbia tra le dita. Per sempre. Non aveva mai pensato che una giornata come quella sarebbe davvero arrivata, e il dolore che provava la coglieva di sorpresa.

«Tornerò presto a casa», disse Victoria abbracciandola stretta, sempre piangendo. Poi abbracciò di nuovo la sorellina. «Ti telefono stasera», le promise, «appena entro nella mia camera.» Grace annuì. I singhiozzi le impedivano di parlare. Perfino gli occhi di Jim erano lucidi quando salutò la figlia con voce strozzata dalla commozione.

«Riguardati. Abbi cura di te. Telefona, se hai bisogno di qualcosa. E se ti accorgi che detesti quel college puoi sempre trasferirti in una università dalle nostre parti.» Quella era la sua speranza. Gli sembrava che lasciando la California Victoria manifestasse apertamente un sentimento di ripulsa nei suoi confronti. Nessuno dei due si rendeva conto che Victoria aveva un reale bisogno di allontanarsi da loro.

Dopo averli baciati tutti di nuovo, Victoria passò oltre il servizio di sicurezza, ma continuò a sbracciarsi salutandoli fino a quando poterono vederla. E soltanto quando lei scomparve dalla loro vista si decisero a lasciare l'aeroporto. Victoria invece riusciva ancora a intravederli, e guardandoli da lontano non poté fare a meno di notare la loro somiglianza. Stessi capelli scuri, stessa figura slanciata! La mamma teneva per mano Grace, che non aveva smesso di piangere.

Si imbarcò sull'aereo che l'avrebbe portata a Chicago continuando a pensare alla sua famiglia, e durante il decollo contemplò la città nella quale era sempre vissuta cercando dentro di sé la forza necessaria per iniziare una nuova vita in tutt'altro posto. Non sapeva che cosa le riservasse il destino, ma di una cosa era sicura: la sua vita non era lì con loro.

* * *

Gli anni che Victoria trascorse al college furono come si era augurata che fossero; anzi, ancora meglio. Lei studiava con impegno, perché sapeva che solo in questo modo poteva conquistare la sua libertà. Voleva trovarsi un impiego e farsi una vita in qualche posto che non fosse Los Angeles. Grace le mancava, e a volte le mancavano perfino suo padre e sua madre, ma al pensiero di ritornare a vivere con i genitori ogni fibra del suo essere le diceva: «Mai più!»

Adorava Chicago. Era una città piena di vita, molto sofisticata, e le piaceva esplorarla in lungo e in largo. L'unico lato negativo era che d'inverno faceva un freddo spaventoso.

Il primo anno tornò a casa per il Ringraziamento, e trovò che Grace fosse cresciuta e si stesse facendo sempre più carina. La mamma, alla fine, si era rassegnata, e le aveva dato il permesso di fare uno spot pubblicitario per una famosa casa di abbigliamento per bambini, così di punto in bianco la faccia di Grace apparve dappertutto, e Christine pensò che avesse la stoffa della top model. Invece suo padre avrebbe voluto che facesse una vita migliore, e giurò e spergiurò che non le avrebbe permesso di partire per andare a frequentare un college lontano da casa come aveva fatto la sua primogenita. A Grace disse chiaro e tondo che poteva andare alla UCLA, a Pepperdine, Pomona, Scripps, Pitzer oppure alla USC, la University of Southern California. Non le avrebbe mai permesso di lasciare Los Angeles. A modo suo anche lui sentiva terribilmente la mancanza di Victoria. Quando lei telefonava non aveva mai molto da dirle, salvo che sperava di vederla tornare a casa presto, e poi passava il telefono a sua madre, che le domandava come andava e le faceva l'immancabile, odiata domanda: «Sei un po' dimagrita?»

Era sempre grassa come prima, ma ogni volta che doveva partire per ritornare a casa si sottoponeva per quindici giorni a una dieta rigorosissima. Infatti quando tornò a Los Angeles per le vacanze di Natale sua madre si accorse che aveva perso un po' di peso, grazie anche all'allenamento regolare in palestra, però era rammaricata perché non usciva ancora con nessun ragazzo. Ma a Victoria non importava, dato che era troppo impegnata con lo studio.

Aveva deciso di dedicarsi all'insegnamento, e lo comunicò ai genitori, ma suo padre disapprovò immediatamente. Adesso c'era un nuovo argomento sul quale trovarsi in disaccordo, che sviava l'attenzione dal suo peso e dal fatto che non aveva ancora nessun innamorato al college.

«Gli insegnanti guadagnano troppo poco. Dovresti piuttosto laurearti in scienze della comunicazione e trovare un lavoro nel campo delle relazioni pubbliche. Ti potrei aiutare a trovare un buon impiego.» Victoria capiva che era animato dalle migliori intenzioni, ma lei aveva tutt'altri progetti. Le piaceva immensamente l'idea di insegnare, di lavorare con i ragazzi, e niente l'avrebbe dissuasa dal suo proposito. Allora cambiava argomento e cominciava a parlare del gran freddo che faceva nel Midwest: solo se ci vivi te ne puoi rendere conto. La settimana prima del suo ritorno a casa il termometro era sempre stato sotto lo zero. Doveva ammettere che adesso che aveva provato che cosa vuol dire vivere in una città fredda apprezzava come non mai il clima di Los Angeles.

Parlava del più e del meno per intrattenere i genitori e sviarli dagli argomenti spinosi: le piaceva andare alle partite di hockey. La sua compagna di camera non le stava simpaticissima, però si adattava, tanto si era fatta delle altre amiche fra le ragazze del pensionato. Ma soprattutto cercava di abituarsi alla scuola e al fatto di essere lontana da casa. Sentiva terribilmente la mancanza di tante cose buone da mangiare... Almeno stavolta nessuno si azzardò a fare commenti, quando si servì per ben tre volte dell'arrosto! Lei non lo disse, ma il fatto di non dover andare in palestra durante le vacanze la rendeva felice.

Suo padre per Natale le regalò un computer, e la mamma un piumino. Grace aveva incollato tutte le loro fotografie, a partire da quando era nata lei, su un grande tabellone da poter attaccare nella sua camera del pensionato universitario.

Il giorno della partenza, dopo Natale, Victoria disse ai suoi che non sapeva se sarebbe tornata a casa per le vacanze di primavera, perché aveva in programma un viaggetto con degli amici. In realtà voleva andare a New York a cercarsi un lavoro per l'estate, ma preferì evitare di parlarne. Jim disse che se non fosse tornata a casa in marzo sarebbero andati loro a trovarla e avrebbero passato un weekend insieme a Chicago.

Victoria si accorse che lasciare Grace era più difficile e doloroso del solito: lei era l'unica di cui sentisse davvero la mancanza.

Il secondo semestre del primo anno di college fu duro e difficile. L'inverno del Midwest era triste, gelido e deprimente. Lei soffriva di solitudine, non aveva ancora stretto delle reali amicizie, e per di più in gennaio si buscò una brutta influenza e dovette mettersi a letto. Naturalmente fu costretta a rinunciare alla palestra, che da un po' di tempo si imponeva di frequentare con regolarità, e dovette limitarsi ai pasti pronti, comodi ma ipercalorici, che si faceva portare in camera. E fu così che alla fine del semestre era aumentata di quei famosi sei o sette chili che erano il terrore di ogni matricola all'inizio dell'anno scolastico. Non riusciva più a entrare in nessuno dei vestiti che aveva portato. Si sentiva enorme.

Una mattina trovò il coraggio di pesarsi, e scoprì con orrore di essere aumentata addirittura di dodici chili! Doveva perderli il più presto possibile. Andò in piscina tutti i giorni, e smaltì abbastanza in fretta cinque chili, anche perché si era imposta una dieta disintossicante e assumeva certe pastiglie che una compagna del pensionato le aveva dato e che l'avevano fatta stare malissimo. Per fortuna, però, poteva indossare almeno qualcuno dei vestiti che aveva nell'armadio. Si riprometteva di seguire una dieta per perdere gli altri sei o sette chili di troppo, ma trovava sempre qualche scusa per rimandare: o era impegnata, o faceva freddo, oppure doveva finire di scrivere una tesina. In ogni caso tutti i santi giorni ingaggiava la sua battaglia con il peso. Si rese conto che anche senza la madre che la ossessionava e il padre che la prendeva in giro, essere così pesante e corpulenta la rendeva molto infelice, dato che i ragazzi non invitano fuori le ciccione.

Comunque andò a New York durante le vacanze di primavera, come si era ripromessa, e trovò un lavoro come receptionist in un ufficio legale per tutta l'estate. Lo stipendio era decente, e non vedeva l'ora di cominciare. Si guardò bene dal parlarne ai suoi fino a maggio, ma quando si decise a farlo ricevette una telefonata da Grace. Aveva appena compiuto dodici anni; Victoria ne aveva diciannove.

«Io voglio che torni a casa! Non andare a New York», la implorò piangendo.

«Verrò a casa in agosto, Gracie, prima di ricominciare le lezioni», le promise. Ma la sorella minore non si rassegnava al pensiero di dover aspettare tanto tempo per vederla. Aveva appena lavorato in un altro spot pubblicitario per una campagna a livello nazionale. I genitori mettevano da parte i suoi guadagni in un piccolo fondo intestato a lei. Le piaceva fare la modella, lo trovava divertente, ma soffriva per la mancanza di sua sorella: senza di lei la vita in casa era di una noia mortale!

Jim e Christine avevano deciso di andare a trovarla a Chicago per trascorrere insieme un lungo weekend di aprile, ma c'era stata una intensa nevicata. Sembrava che quell'inverno non finisse mai, e così l'occasione di riunire la famiglia sfumò.

Victoria decise di andare a New York a fine maggio, dopo aver dato tutti gli esami, e di partire per il weekend del Memorial Day. Avrebbe cominciato a lavorare subito dopo il lunedì festivo. Era elettrizzata.

Si era comprata gonne, camicette e qualche vestito estivo adatto al lavoro che stava per cominciare nello studio legale. Era anche riuscita a tenere sotto controllo il peso rinunciando ai dessert, al pane e alla pasta, adottando una dieta a basso contenuto di carboidrati, che sembrava funzionare. Le pareva di avere finalmente imboccato la strada giusta, e non assaggiava un gelato da un mese. Sua madre sarebbe stata orgogliosa di lei. Victoria però pensò ai messaggi ambigui che Christine le mandava: da un lato la biasimava perché mangiava troppo, dall'altro riempiva il freezer di gelati, e in genere durante i pasti serviva alimenti molto calorici, che Victoria adorava. Era come se volesse sottoporla a una continua tentazione per vedere se era capace di resistere. Adesso la ragazza si rendeva conto che l'unica responsabile di quello che mangiava era lei, e doveva cercare di essere diligente e assennata nell'affrontare il problema, senza ricadere di nuovo nell'abitudine di fare diete assurde o di ingollare pastiglie dimagranti per poi abbuffarsi più di prima!

Non aveva ancora trovato il tempo di scegliere quale vera dieta seguire, ma a New York sarebbe andata tutti i giorni in ufficio a piedi. La sede dello studio legale era all'angolo di Park Avenue con la Cinquantatreesima Strada; aveva trovato un alloggio in un piccolo residence a parecchi isolati di distanza. Più di due chilometri, che diventavano quattro se avesse fatto a piedi anche il ritorno.

Il lavoro le piaceva. Tutti erano gentili e pieni di riguardo nei suoi confronti, e lei si stava rivelando competente, capace di affrontare le proprie responsabilità ed efficiente. I suoi compiti consistevano più che altro nel rispondere alle chiamate che riceveva al centralino, nel ritirare buste o altro materiale e distribuirli agli avvocati, nel dare indicazioni ai clienti su come raggiungere lo studio. Riceveva messaggi e accoglieva con gentilezza le persone che si presentavano al banco della reception dietro il quale era seduta. Non doveva fare niente di complicato, ma quasi sempre rimaneva fino a tardi, oltre l'orario d'ufficio, e quando usciva, nel caldo soffocante di quell'estate torrida, era troppo stanca per tornare a casa a piedi e decideva di prendere la metropolitana. Anche al mattino spesso, se era in ritardo, usava qualche mezzo pubblico.

Era di gran lunga più giovane della maggior parte delle segretarie, quindi non era riuscita a fare amicizie; del resto erano tutti così indaffarati che lasciavano chiaramente capire di non avere tempo per socializzare. Durante l'ora del pranzo scambiava quattro chiacchiere con qualcuno, che nel momento stesso in cui finiva di mangiare si alzava dal tavolo perché aveva un mucchio di faccende da sbrigare.

A New York non conosceva anima viva, però non se ne faceva un cruccio: durante il weekend andava a Central Park a passeggiare o ad ascoltare i concerti sdraiata su una coperta stesa sul prato. Aveva visitato tutti i musei, e girato in lungo e in largo The Cloisters, SoHo, Chelsea e il Village. Aveva persino fatto un giro intorno al campus della University of New York. Le sarebbe piaciuto molto trasferirsi lì, ma avrebbe perso tutto il lavoro già fatto e gli esami già dati, e non era sicura che i suoi voti fossero all'altezza di una scuola tanto impegnativa, perciò concluse che le conveniva rimanere alla Northwestern per i tre anni successivi, oppure frequentare i corsi estivi in modo da finire prima il ciclo di studi e trasferirsi definitivamente. Dopo aver vissuto a New York per un mese aveva capito che voleva abitare e lavorare lì. Su questo era molto determinata.

A volte, durante l'intervallo del pranzo si metteva a esaminare gli elenchi delle scuole newyorkesi; aveva la vocazione dell'insegnante e le sarebbe piaciuto trovare un posto in qualche istituto privato. Victoria aveva un progetto, un sogno, e niente le avrebbe impedito di realizzarlo.

Quando finì il lavoro all'ufficio legale prese un aereo per Los Angeles per trascorrere le ultime tre settimane delle vacanze estive con i suoi. Non fece in tempo a varcare la soglia che Grace le si buttò fra le braccia. Fu stupita nel constatare che la casa le sembrava più piccola, suo padre e sua madre più vecchi, e Grace cresciuta, non solo di statura ma anche nella personalità. Non somigliava certo a lei alla sua età: Victoria era sempre apparsa più grande, mentre lei era magra e slanciata come la mamma, con la stessa figura snella e un faccino da bambina, eppure pareva più matura. La prima sera confessò a Victoria di essersi presa una cotta formidabile per un ragazzo di quattordici anni che aveva conosciuto al club del tennis dove andava anche a nuotare e dove la mamma la accompagnava ogni giorno.

Victoria invece non sapeva come avrebbe fatto a confessare che non usciva con un ragazzo da un anno. Quando loro avevano cercato di approfondire l'argomento si erano insospettiti, e allora era stata costretta a inventarsi l'esistenza di un fidanzato. Raccontò che studiava anche lui alla Northwestern, alla facoltà di ingegneria, e giocava a hockey. Suo padre come al solito non riuscì a tenere la bocca chiusa e disse che secondo lui gli ingegneri erano dei grandi scocciatori, ma almeno pensavano che avesse un ragazzo fisso. Per rendere la storia più convincente aveva aggiunto che il suo innamorato immaginario passava l'estate nel Maine con la famiglia.

Christine e Jim furono visibilmente sollevati al pensiero che la loro figlia maggiore avesse cominciato a uscire con un giovanotto, e cominciavano anche a ficcare il naso un po' troppo, tanto che alla fine Victoria, esasperata, confessò la verità, e cioè che non usciva con nessuno e passava le serate chiusa in camera a studiare.

La mamma a un certo punto la prese da parte e, cercando

di usare il massimo tatto, le disse che, secondo lei, a New York doveva essere ingrassata ancora; quando andarono tutte insieme al club in modo che Grace potesse vedersi con il suo fidanzatino, Victoria rimase in camicia e calzoncini, invece di mettersi in costume da bagno, come faceva sempre quando sapeva di aver messo su qualche chilo. Tornando a casa, lei e Grace si prendevano quasi sempre un gelato, ma si guardò bene dal toccare quelli che sua madre aveva messo in freezer. Non voleva che i genitori la cogliessero sul fatto!

Le settimane di vacanza in California trascorsero in un baleno. Grace, che nel giro di un paio d'anni avrebbe cominciato le superiori, quella volta riuscì a controllarsi di più, ma tutti e tre erano tristi nel salutare Victoria perché sapevano che non l'avrebbero rivista per tre mesi, fino al Giorno del Ringraziamento.

Il secondo anno di università Victoria si ritrovò come compagna di stanza una ragazza di New York. Sembrava molto nervosa ed era paurosamente magra; era evidente che soffrisse di qualche disturbo alimentare. Dopo pochi giorni confessò di essere stata in ospedale tutta l'estate. Victoria era preoccupata perché giorno dopo giorno diventava sempre più scheletrica, e il padre e la madre le telefonavano costantemente per informarsi sulle sue condizioni di salute. Aveva detto di avere un ragazzo a New York, ma sembrava molto infelice e creava senza volerlo nella loro vita comune un'atmosfera pesante difficile da ignorare perché bastava guardarla per rendersi conto della sua sofferenza.

Purtroppo, lo stress in cui Victoria era sempre immersa, anche se non la riguardava direttamente, le faceva venire voglia di mangiare di continuo! Per fortuna prima del Ringraziamento la compagna di stanza decise di tornare a New

York. Per lei fu un grande sollievo sapere che non l'avrebbe più ritrovata al ritorno dalle vacanze.

Tra il Giorno del Ringraziamento e Natale Victoria incontrò il primo ragazzo che suscitasse in lei un certo interesse da quando era arrivata alla Northwestern. Faceva il terzo anno di giurisprudenza e frequentava letteratura inglese con lei. Era un bel tipo, alto, con gli occhi verdi, le lentiggini e i capelli rossi, originario di Louisville, nel Kentucky. Si chiamava Beau, e a Victoria piaceva moltissimo il suo accento del Sud. Si ritrovavano spesso nello stesso gruppo di studio, e un giorno lui la invitò a prendere un caffè insieme. Veniva da una famiglia piuttosto facoltosa: il padre era proprietario di parecchi cavalli da corsa e la madre viveva a Parigi; si proponeva di raggiungerla per passare le vacanze natalizie con lei. Parlava con scioltezza il francese e aveva vissuto a Londra e Hong Kong. Oltre che simpatico e gentile, lei trovava che fosse anche un tipo brillante e originale.

Lui le raccontò che la sua vita era cambiata radicalmente, da un giorno all'altro, quando i suoi avevano divorziato, anche perché da quel momento la madre aveva cominciato a viaggiare ed era sempre in giro per il mondo. Si era risposata dopo aver lasciato il padre, ma aveva divorziato una seconda volta. Invidiava Victoria per la stabilità della sua famiglia. Lei gli confidò i suoi problemi in casa, consigliandolo di non giudicare dalle apparenze, ma effettivamente dovette riconoscere che la situazione di lui era molto più precaria della propria. Ovunque si trovasse si sentiva sempre l'ultimo arrivato. Dopo le elementari aveva cambiato cinque scuole, e suo padre si era appena sposato con una ragazza di ventitré anni. Lui ne aveva ventuno. Un giorno la moglie del padre gli era praticamente saltata addosso e c'era mancato poco che finissero a letto insieme. Erano entrambi sbronzi, ma per miracolo Beau era riuscito a non cedere alla tentazione. Però si sentiva molto nervoso al pensiero di rivederla, così aveva deciso che era meglio passare il Natale a Parigi con la madre, la quale aveva un nuovo amico francese, un tipo odioso.

Aveva un modo molto divertente di raccontare le sue disgrazie, ma in realtà soffriva tanto. Certi genitori incoscienti e irresponsabili sembra che abbiano un solo scopo: rovinare la vita dei figli. Lui andava dallo strizzacervelli da quando aveva dodici anni.

C'era stato qualche momento d'intimità fra loro, si erano spinti un po' in là alla vigilia della partenza di Victoria per le vacanze di Natale, ma non erano ancora andati a letto insieme. Lui le aveva promesso di telefonarle da Parigi.

Victoria era molto affascinata da quel ragazzo romantico, così diverso dagli altri. Stavolta, quando i genitori le chiesero se usciva con qualcuno rispose di sì con sincerità. Sapeva che l'avrebbero giudicato un buon partito, anche se, anticonformista com'era, probabilmente non avrebbero approvato la loro relazione.

Beau le telefonò durante le vacanze da Gstaad, dove si trovava con la madre e il suo amico, ma sembrava che si annoiasse e si sentisse sperduto. Di tanto in tanto le mandava dei messaggi che la facevano ridere. Grace voleva sapere se era bello, anche se dichiarò che a lei i ragazzi con i capelli rossi non piacevano.

Adesso che aveva un innamorato, Victoria aveva un buon motivo per mettersi d'impegno a dimagrire. Rifiutava sempre il dessert, provocando invariabilmente qualche commento sarcastico da parte di Jim. Lui non riusciva a concepire che lei finalmente avesse dichiarato guerra al sovrappeso. Era fermamente convinto che non avesse la forza di smettere di mangiare in modo compulsivo; invece, nei dieci giorni trascorsi in famiglia a Los Angeles perse più di due chili.

Lei e Beau tornarono alla Northwestern quasi contemporaneamente, a poche ore di distanza l'uno dall'altro. Non aveva fatto che pensare a lui, e cominciava a domandarsi quanto tempo sarebbe passato prima che facessero l'amore. Era contenta di non avere sprecato la sua prima volta, di non essersi buttata via con altri ragazzi. Beau sarebbe stato il primo, e immaginava che sarebbe stato gentile e sensuale. Quando venne a cercarla in camera sua, cominciarono subito a baciarsi, a ridere e a coccolarsi, scambiandosi tenerezze, ma poi lui disse che era ancora scombussolato per il jet-lag, perciò quella sera non successe niente.

Continuò a non succedere niente anche le settimane successive. Erano sempre insieme, e dal momento che Victoria non aveva più una compagna di stanza a volte Beau finiva per addormentarsi sull'altro letto. Passavano un mucchio di tempo a baciarsi e coccolarsi, e a Beau piaceva il suo seno, però non andavano mai più in là. Lui le diceva che avrebbe dovuto portare sempre la mini, perché aveva le gambe più belle che avesse mai visto. Insomma, sembrava ammaliato da lei, e per la prima volta in vita sua Victoria stava seriamente dimagrendo. Voleva apparirgli sempre più affascinante, anzi favolosa. Cominciava finalmente a sentirsi in pace con se stessa.

Facevano battaglie di palle di neve, andavano a pattinare e a vedere le partite di hockey, frequentavano bar e ristoranti di tendenza. Beau la presentò ai suoi amici. Si divertivano un mondo... ma per quanto ci andassero sempre vicino, non erano mai arrivati a fare l'amore. Victoria non capiva il motivo, e aveva paura di chiederlo. Forse Beau la trovava ancora troppo grassa, oppure la rispettava troppo, o magari era stato traumatizzato dalla moglie ventitreenne del padre. Oppure il divorzio dei suoi era stato un colpo più duro di quanto lui volesse ammettere. In ogni caso c'era qualcosa che lo tratteneva, e Victoria non comprendeva. Era evidente che Beau la desiderava, e che i loro incontri amorosi diventavano sempre più ardenti e appassionati, ma era come una fame che non bisognava saziare.

Questa situazione la stava esasperando. Una notte erano insieme, seminudi, nella camera di Victoria; Beau la teneva fra le braccia. Rimase lì, in silenzio e senza muoversi, a lungo. Poi si alzò dal letto.

«Cosa c'è che non va?» gli domandò a voce bassa, ormai convinta che il problema dipendesse da lei. Di sicuro si trattava del suo peso. Beau si sedette sul bordo del letto e Victoria si sentì travolgere dalla ben nota sensazione di non essere all'altezza.

«Mi sto innamorando di te», mormorò Beau con aria afflitta, prendendosi la testa fra le mani.

«E io di te. Allora, cosa c'è di male?» Adesso gli stava sorridendo.

«Non posso farti una cosa simile!» esclamò lui, mentre Victoria gli accarezzava i capelli rossi tutti arruffati che gli ricadevano sugli occhi. Sembrava Huckleberry Finn o Tom Sawyer. Un ragazzino.

«Sì, che puoi. È tutto a posto», cercò di rassicurarlo lei sedendogli accanto.

«No, non è vero. Non posso... non capisci. Questa è la

prima volta che mi succede... Non è mai accaduto... con una donna. Io sono gay! E per quanto sia convinto di amarti adesso, presto o tardi finirò di nuovo con un uomo. E io non voglio ferirti, anche se adesso ti desidero. Non durerebbe.»

Victoria rimase senza parole. Le cose erano molto più complicate di quello che aveva immaginato. D'altra parte Beau si stava comportando correttamente; in cuor suo lo ringraziò per la sua sincerità.

«Ho sbagliato. Non avrei mai dovuto cominciare, ma mi sono innamorato di te il giorno che ti ho conosciuta.»

«E allora perché non potrebbe funzionare?» gli domandò piano, grata per la sua onestà, anche se la verità era crudele e dolorosa.

«Perché io non sono così. Questa è soltanto una deliziosa fantasia; una fantasia pazza, sbagliata. Non è la cosa giusta, per me, non potrebbe mai esserlo. Ho sbagliato a credere che fosse possibile. Se continuassimo, a soffrire sarai tu, e io non voglio farti del male. Dobbiamo smettere», sentenziò, guardandola con quei suoi grandi occhi verdi. «Cerchiamo almeno di essere amici.»

Ma Victoria non voleva la sua amicizia. Si stava innamorando perdutamente di lui, desiderava il suo corpo.

Beau sembrava confuso, addolorato, in preda ai sensi di colpa per quello che aveva rischiato di fare. Aveva recitato una farsa troppo a lungo: bisognava farla finita. «Pensavo potesse funzionare, ma in realtà so che se dovessi incontrare qualche ragazzo che mi piace non esiterei a scomparire dalla tua vita. Victoria, credimi: tu meriti molto, molto di più.»

«Ma perché tutto deve essere così complicato? Se tu ti stai innamorando di me, allora... per quale motivo non dovrebbe andare?» replicò lei, piangendo di disappunto e frustrazione.

«Perché tu non sei un uomo. Quando penso a una donna, penso a te, con il tuo corpo sensuale e formoso, il tuo seno... Tu sei quello che *credo* di desiderare, mentre in realtà non è vero. Io voglio *un uomo*.» Più onesto di così non poteva essere, e l'allusione che aveva fatto al corpo di Victoria, sensuale, formoso, era la frase più bella che le avessero mai detto.

Ma la cruda verità era che Beau non la desiderava. Il suo era un rifiuto; presentato con la massima eleganza, ma pur sempre un rifiuto. «Farò meglio ad andarmene», disse lui, vestendosi in fretta mentre Victoria stava lì a guardarlo.

Fu velocissimo. Prima di uscire si avvicinò al letto dove lei era rimasta seduta immobile, muta. «Ti telefono domani», le disse, e lei si domandò se l'avrebbe fatto davvero; e comunque cosa poteva aggiungere a quello che aveva già detto? Non voleva solo la sua amicizia. Era convinta che fra loro due avrebbe potuto esserci ben altro, anche perché Beau sembrava così infatuato di lei!

«Lo so, avrei dovuto dirtelo fin dal principio, ma non volevo spaventarti, non volevo rischiare che ti allontanassi.»

Lei si limitò ad annuire, come se non fosse capace di trovare le parole adatte, perché sapeva che se avesse tentato di parlare sarebbe scoppiata in lacrime. Sarebbe stato così umiliante, adesso, mentre indossava solo reggiseno e mutandine! Dalla soglia dove si era fermato, Beau la guardò per un momento, poi sparì. Victoria si infilò sotto le coperte e diede libero sfogo al pianto. Era frustrante, ma capiva che Beau aveva ragione: se avessero fatto l'amore sarebbe stato peggio, perché lei avrebbe scoperto di desiderare qualcosa che non avrebbe più potuto avere. Lasciarsi era la soluzione migliore, ma nonostante questo non poteva fare a meno di sentirsi respinta, abbandonata, e di soffrire atrocemente.

Rimase sveglia per ore a ripercorrere con la mente tutte le volte che erano stati insieme, le confidenze che si erano fatti, i baci e le coccole che si erano scambiati e che non avevano portato mai a niente. Adesso le sembrò solo un gioco inutile e crudele. All'alba finalmente riuscì ad appisolarsi. La mattina seguente Beau non le telefonò. Invece fu Grace a chiamarla. A Victoria sembrava di avere una pietra nel petto, al posto del cuore.

«Come sta Beau?» le domandò la sorella con la sua voce allegra e serena da dodicenne.

«Ci siamo lasciati», rispose Victoria, triste e desolata.

«Oh... che peccato... sembrava un ragazzo così carino!»

«Lo era. Lo è.»

«Avete litigato? Magari torna.» Voleva dare un briciolo di speranza alla sorella perché non sopportava di sentirla tanto triste.

«No, non tornerà. Va bene così. E a te come vanno le cose?» rispose Victoria affrettandosi a cambiare argomento. Grace non si fece pregare e le fornì un rapporto completo sui suoi compagni di scuola.

Quando si salutarono Victoria poté ricominciare a piangere l'abbandono di Beau in pace. Lui non la chiamò né quel giorno né quelli seguenti, ma Victoria disse a se stessa che molto probabilmente l'avrebbe rivisto in aula. La prospettiva la gettò nel panico, ma poi raccolse tutto il suo coraggio e andò alla lezione di letteratura inglese, dove l'insegnante accennò brevemente al fatto che Beau lo aveva informato che non avrebbe più seguito il corso.

Victoria ebbe un tuffo al cuore. Lo conosceva da poco tempo, ma era ugualmente una perdita per lei. Si chiese se un giorno l'avrebbe rivisto, e ne dubitò... Invece alzando gli occhi lo scorse fermo in fondo al corridoio che la osservava; poi le si avvicinò, le accarezzò delicatamente una guancia e la guardò come se volesse baciarla. Ma non lo fece.

«Perdonami», disse. Sembrava sincero. «Mi dispiace di essere stato così stupido ed egoista. Ma ho pensato che se non venivo più al corso di inglese era meno difficile per tutti e due. Se può consolarti, sappi che non è facile neanche per me, però non si poteva continuare in quel modo.»

«Va bene così», mormorò Victoria con un sorriso. «Non preoccuparti. Io ti amo lo stesso, anche se non so cosa significhi questo per te.»

«Significa moltissimo», le rispose, sfiorandole la guancia con le labbra, dopodiché scappò via.

Victoria tornò da sola in camera. Stava nevicando e faceva un gran freddo. Camminando sulla strada ghiacciata pensava a Beau, e si augurava di non incontrarlo mai più. Il gelo le rendeva insensibile la pelle delle guance, e non si accorgeva nemmeno delle lacrime che le scendevano a fiotti. Doveva toglierselo dalla testa, dimenticarsi di lui e sforzarsi di non sentirsi una fallita, perché, indipendentemente dai motivi, Beau non l'aveva desiderata. E la sensazione di non essere desiderata, di non essere amata, le era fin troppo familiare. L'esperienza con Beau era l'ennesima conferma delle sue peggiori paure.

5

Gli ultimi due anni di college passarono tanto veloci che Victoria quasi non se ne accorse. Alla fine del secondo anno trovò un altro lavoro estivo a New York come receptionist in un'agenzia per modelle. Non era un ambiente tranquillo come quello dell'ufficio legale, e certe volte le giornate avevano un ritmo frenetico, ma le piaceva da matti. Era diventata amica di qualche modella, più o meno della sua età, e scoprì di divertirsi nel mondo frivolo della moda. Lì dentro tutti le dicevano che era una matta perché voleva fare l'insegnante, e anche a lei cominciava a venire qualche dubbio: lavorare in quell'agenzia era molto più emozionante; non faceva nessuna fatica e il tempo volava.

Due delle ragazze le proposero di andare a vivere con loro, così rinunciò senza rimpianti alla sua triste e squallida stanza d'albergo. E poi si rese conto di come le modelle vengano mal giudicate, perché in realtà, malgrado le feste, il modo in cui si vestivano e gli uomini con i quali uscivano, mettevano un grande impegno nella loro professione. Almeno le più serie facevano una vita massacrante, con orari assurdi, che richiedeva serietà e disciplina. Certo, non tutte erano all'altezza. Non avevano orari, ma quelle brave, quelle che volevano sfondare, erano sempre puntuali agli appuntamenti con i fotografi e lavoravano senza sosta fino al termine del servizio, a volte per dodici, quattordici ore di fila. Non erano di sicuro lì per divertirsi.

Erano di una magrezza impressionante. Le due ragazze con le quali era andata ad abitare a Tribeca non mangiavano quasi niente. Guardandole si sentiva colpevole perché lei non resisteva alla tentazione di abbuffarsi di continuo; a poco a poco però cercò di seguire il loro esempio, anche se arrivava all'ora di cena morta di fame. Le modelle o saltavano il pasto oppure mangiavano soltanto cibi dietetici, e anche questi in quantità ridottissime. Sembrava che vivessero d'aria, eppure anche loro le tentavano tutte, dai purganti ai diuretici, pur di non ingrassare. Ma Victoria aveva una costituzione completamente diversa e non sarebbe mai riuscita a sopravvivere con le modestissime quantità di cibo che assumevano loro. Tuttavia alcune diete le sembravano più ragionevoli, e quindi le tentò, evitando come meglio poteva i carboidrati e riducendo moltissimo le porzioni, tanto che al suo ritorno a Los Angeles, dove rimase per un mese prima di rientrare al college, aveva un aspetto molto migliore.

Le era dispiaciuto infinitamente lasciare New York e l'agenzia di moda. Il proprietario le aveva detto che in qualsiasi momento avesse deciso di tornare da loro, lui l'avrebbe assunta.

Grace rimaneva incantata ad ascoltare le storie che la sorella le raccontava. Avrebbe cominciato l'ultimo anno delle medie, mentre Victoria era a metà del suo programma di studi, e continuava ad avere l'obiettivo dell'insegnamento in una scuola di New York, più che mai decisa a trasferirsi lì.

Jim e Christine avevano perso ogni speranza di convincerla a tornare a vivere a casa o almeno nelle vicinanze. E anche Grace l'aveva capito.

Le due sorelle passarono insieme un mese meraviglioso, fino a quando Victoria dovette tornare al college. Grace si stava facendo più carina che mai, e non aveva l'aspetto goffo della maggior parte delle ragazzine nell'età ingrata dell'adolescenza. Era snella, slanciata, si muoveva con grazia; studiava balletto classico e aveva una pelle perfetta, senza il minimo difetto. Papà e mamma ogni tanto le permettevano di fare qualche lavoretto come modella, e lei si entusiasmava, anche perché non le piaceva per niente la scuola. Aveva un'intensissima vita sociale, era piena di amici e di corteggiatori e il cellulare che papà e mamma le avevano regalato dopo molte insistenze squillava di continuo. La sua vita, insomma, prometteva di diventare totalmente diversa da quella monastica che Victoria conduceva al college, anche se le cose stavano cominciando a migliorare.

Adesso faceva gite quasi tutti i weekend, ed era uscita con due ragazzi; con uno di loro aveva fatto l'amore per la prima volta. Non era una storia seria, ma era servita a infonderle un po' di fiducia in se stessa. Una bella differenza, rispetto ai primi due anni! Quanto a Beau, non le era più capitato di incontrarlo; non era neanche sicura che frequentasse ancora la Northwestern. Ogni tanto vedeva da lontano qualcuno dei suoi amici, però non li avvicinava per far loro delle domande sul suo conto. Era stata un'esperienza strana e sconvolgente, e talvolta si chiedeva se l'aveva davvero vissuta o era stata solo un sogno.

I ragazzi con i quali era uscita in seguito erano molto diversi da lui: uno era di Boston e giocava a hockey, come il fantomatico ragazzo che lei si era inventata di avere durante il primo anno di college, e si era preso una bella cotta per Victoria, che però era un po' titubante nei suoi confronti perché aveva la tendenza a ubriacarsi e a scatenare risse. Dopo un po' decise di smettere di vederlo. Quello con il quale era andata finalmente a letto era un bravo ragazzo ma un po' noioso. Studiava biochimica e fisica nucleare, e a parte il sesso non avevano molti argomenti di cui parlare. Dopo qualche mese decise che era meglio concentrarsi sullo studio e ruppe anche con lui.

Alla fine del terzo anno rimase alla Northwestern per seguire i corsi estivi in modo da portarsi avanti con gli esami. Il tempo era volato, al college; le mancava solo un anno alla laurea, e cominciò a preparare il terreno per andare a insegnare a New York. In autunno spedì delle domande alle scuole private dove sperava di poter lavorare una volta ottenute le credenziali necessarie. Lo stipendio non era buono come quello delle scuole pubbliche, ma si accontentava ugualmente. Per Natale aveva già presentato domanda a nove istituti, e stava perfino pensando di proporsi come supplente in attesa di trovare una cattedra fissa.

Le risposte arrivarono a raffica. Otto scuole respinsero la sua domanda; solo una non le aveva fatto sapere niente, ma lei non era ottimista perché quando giunsero le vacanze di primavera non aveva ancora saputo niente. Pensò che forse era meglio rifarsi viva con l'agenzia di modelle e lavorare lì per un anno finché non avesse trovato un posto d'insegnante. Sicuramente l'avrebbero pagata di più della volta precedente, e per risparmiare poteva coabitare con qualcuno.

Quando ormai non ci pensava più, arrivò l'ultima risposta. Prima di aprire la busta rimase a fissarla come aveva fatto quando aspettava le lettere dai college. Era convinta che fosse un rifiuto perché si trattava di una delle scuole private più prestigiose di New York, e difficilmente avrebbero assunto una novellina fresca di laurea come lei. Cominciò a sgranocchiare una barretta di cioccolato... infine si decise ad aprire la busta. Allargò sulla scrivania il foglio che conteneva e si fece forza, preparandosi a ricevere un'altra risposta negativa.

E invece constatò incredula che, sebbene non le stessero offrendo un impiego nel vero senso della parola, la invitavano a recarsi a New York per un colloquio, possibilmente entro due settimane, spiegandole che una delle loro insegnanti d'inglese l'autunno seguente sarebbe rimasta a casa in aspettativa dopo il congedo per maternità; pertanto, anche se non potevano assumerla a tempo indeterminato le avrebbero fatto un contratto per un anno, se il colloquio fosse stato giudicato soddisfacente. Quando, dopo essersi stropicciata gli occhi e avere riletto la lettera, si rese conto del suo significato, proruppe in un urlo di gioia e si mise a ballare per la camera... sempre con la barretta di cioccolato stretta in mano.

Si precipitò al computer e scrisse una risposta con i suoi recapiti telefonici e l'indirizzo e-mail in cui diceva che sarebbe stata felice di presentarsi. La stampò, la firmò, la infilò in una busta, si mise il cappotto e corse a imbucarla. Non vedeva l'ora di fare quel colloquio; se avesse avuto buon esito il suo sogno sarebbe diventato realtà.

Ringraziò in cuor suo l'insegnante che aveva chiesto un prolungamento del congedo per maternità. Il solo fatto di aver finalmente ricevuto una notizia che aspettava da tanto tempo le pareva un valido motivo per festeggiare, perciò andò a comprarsi una pizza. Si chiese se non sarebbe stato meglio fare direttamente una telefonata... comunque adesso alla scuola avevano il suo numero e quindi potevano combinare l'incontro: lei era disposta a prendere un aereo per New York l'indomani stesso. Si portò la pizza in camera e si godette la vista della lettera che aveva sulla scrivania. Era una delle giornate più belle della sua vita.

La richiamarono al cellulare tre giorni più tardi e le fissarono un appuntamento per il lunedì successivo. Lei promise di presentarsi puntuale all'incontro e decise di andare a New York durante il weekend. D'un tratto le balenò nella mente che aveva preso l'appuntamento proprio per il giorno di San Valentino, che lei aveva considerato sfortunato fin da quando andava alle elementari. Ma non le importava: se avesse ottenuto quel lavoro sarebbe diventato il suo giorno fortunato. Prenotò subito il volo, dopodiché andò a sdraiarsi sul letto, sorridente, rimuginando su quale fosse l'abbigliamento più adatto per presentarsi al colloquio. Gonna, maglioncino e scarpe con i tacchi alti o pantaloni, maglioncino e scarpe basse? Non sapendo a chi chiedere consiglio, non le restava che improvvisare, sperando di fare la scelta giusta.

Era elettrizzata e aveva una voglia matta di saltare giù dal letto e mettersi a correre avanti e indietro per il corridoio strillando di gioia. Invece si contenne e rimase sdraiata con un sorriso smagliante.

6

La Madison School, situata sulla Settantaseiesima Strada
Est, nelle vicinanze dell'East River, era uno dei più esclusivi
licei privati di New York, e offriva un'eccellente preparazione per il college. Era molto costosa, aveva un'ottima
fama e gli studenti, maschi e femmine, provenivano dalle
famiglie più in vista e agiate della città, a parte un piccolo
gruppo che aveva vinto una borsa di studio e si considerava
fortunatissimo, perché l'istituto offriva grandi opportunità
accademiche ed extracurricolari, oltre all'accesso alle migliori università del Paese.

Aveva laboratori scientifici e informatici di altissimo
livello, che potevano competere con quelli di qualsiasi college. Anche la sezione linguistica era notevole e offriva la
possibilità di studiare il russo, il mandarino, cioè il cinese
letterario, e il giapponese oltre a tutte le lingue europee.
L'inglese veniva insegnato in modo approfondito, tanto che
dai suoi banchi erano usciti molti famosi scrittori. Il corpo
docente era di grande levatura, e gli insegnanti venivano
selezionati tra coloro che si erano laureati con il massimo
dei voti nelle università più importanti del Paese, sebbene

76

non fossero retribuiti in modo adeguato. In realtà si consideravano baciati dalla sorte per poter lavorare lì, tanto che Victoria era felicissima e incredula per il solo fatto di avere ottenuto un colloquio; vedersi offrire un impiego, sia pure per la durata di un anno, era qualcosa che andava al di là dei suoi sogni più audaci. Del resto, se avesse potuto scegliere una scuola in cui insegnare, sarebbe stata proprio quella.

Dopo aver seguito l'ultima lezione, il venerdì pomeriggio prese un aereo che la portò a New York in tarda serata. Nevicava, pertanto tutti i voli avevano subìto ritardi anche di parecchie ore, e l'aeroporto era stato chiuso subito dopo l'atterraggio del suo aereo; si sentì infinitamente grata che non l'avessero dirottata chissà dove. Fuori, la gente litigava per trovare un taxi. Lei aveva prenotato una camera nell'albergo in cui aveva alloggiato l'estate precedente, e quando finalmente ci arrivò erano le due del mattino. Gliene avevano riservata una squallidissima, ma con il suo budget era l'unica che potesse permettersi. Si mise in pigiama senza disfare la valigia, si lavò i denti, si infilò sotto le coperte e si svegliò l'indomani a mezzogiorno.

Appena in piedi corse alla finestra. Il sole faceva brillare la neve scesa durante la notte – ne era caduta mezzo metro –, che conferiva al paesaggio un tocco fiabesco. I bambini piccoli strillavano di gioia sugli slittini trainati dalle mamme; i più grandi facevano a palle di neve e cercavano riparo dai colpi degli amici dietro le automobili sepolte sotto il manto bianco. Gli spazzaneve tentavano di ripulire le strade e le cospargevano di sale. Victoria era capitata in una perfetta giornata invernale di New York; per fortuna si era portata delle robuste polacchine che indossava quasi ogni giorno alla Northwestern, comodissime. All'una si incamminò verso la stazione della metropolitana. Scese alla Settantasettesima Strada Est e raggiunse il fiume. Prima di tutto voleva dare un'occhiata alla scuola dall'esterno.

Era un edificio grande e ben tenuto, ristrutturato di recente, con parecchi ingressi, che poteva sembrare un'ambasciata o la casa di qualche personaggio altolocato. Una piccola targa di bronzo sull'ingresso diceva soltanto THE MADISON SCHOOL. Un giardino pensile offriva spazio all'aria aperta durante le pause; sull'area di un vasto parcheggio sul lato opposto della strada di recente era stata costruita una modernissima palestra per tutte le attività sportive. La scuola silenziosa le parve imponente, sotto il sole del pomeriggio invernale. Un bidello stava sgombrando un vialetto dalla neve. Victoria gli sorrise, e lui ricambiò. Continuava a non credere di poter essere tanto fortunata da lavorare lì dentro, nella sua città preferita! Contemplava estasiata la scuola con addosso il voluminoso piumino bianco che le aveva regalato la mamma; non le donava affatto, la rendeva ancora più goffa, ma le faceva molto comodo, considerate le temperature artiche del college. Si era anche messa un berretto di lana bianca, dal quale sfuggiva una ciocca di capelli biondi.

Rimase a lungo davanti alla scuola immobile, immersa nei suoi pensieri, poi tornò a prendere la metropolitana in direzione del centro. Voleva fare un po' di shopping perché non aveva ancora deciso cosa indossare il lunedì per il colloquio. Non era soddisfatta dei capi di vestiario che aveva portato; qualcuno era anche un po' troppo stretto. Voleva apparire il più possibile perfetta perché sapeva che la prima impressione è fondamentale, ma non si faceva illusioni: era molto difficile che l'assumessero, visto che era appena uscita

78

dal college, anche se aveva buoni voti e ottime referenze. Chissà quanti candidati più qualificati di lei erano in lizza.

Comunque, nonostante l'emozione e l'entusiasmo della gioventù per il suo primo lavoro come insegnante, non aveva detto niente ai suoi, anche perché il padre non le nascondeva che avrebbe preferito si cercasse un impiego in tutt'altro campo, meglio pagato e con più concrete possibilità di carriera. Secondo i criteri dei genitori quella dell'insegnante era una professione di modesto livello, e li infastidiva il fatto di non potersene vantare con gli amici o servirsene per dare maggior lustro alla propria immagine. «Mia figlia fa l'insegnante», per loro non era motivo di orgoglio, non era qualcosa che permetteva di pavoneggiarsi, mentre lavorare alla Madison School di New York per Victoria significava tutto. Quell'istituto era stato la sua prima scelta, quando si era informata sulle migliori scuole private della città. Certo, lo stipendio sarebbe stato modesto, e può darsi che in futuro si sarebbe sentita sottopagata, ma per ora prevaleva l'entusiasmo. Se avesse davvero ottenuto quel posto se la sarebbe comunque cavata con i suoi guadagni.

Camminando in mezzo alla neve arrivò alla stazione della metropolitana senza accorgersene, la prese e scese alla Cinquantanovesima Strada Est, dove un ascensore la portò direttamente nell'interno del grande magazzino Bloomingdale's, dove avrebbe comprato qualcosa di decente da mettersi addosso. Purtroppo per i vestiti che le piacevano non era disponibile quasi mai la sua taglia. Durante l'estate era arrivata ad avere una media, ma d'inverno si appesantiva sempre di qualche chilo e adesso portava una large. Nella bella stagione riusciva a dimagrire perché doveva mettersi in calzoncini corti o in costume da bagno, mentre d'inverno si lasciava un po' andare perché tanto poteva nascondere tutto sotto il piumino o un cappotto ampio. Adesso si pentiva di non essere stata più disciplinata, negli ultimi tempi. Si era ripromessa di perdere peso per il giorno della laurea, e così avrebbe cominciato il suo lavoro di insegnante a New York con un aspetto accettabile.

Dopo infinite, scoraggianti ricerche e prove frustranti, quasi in preda alla disperazione riuscì a trovare un paio di pantaloni grigi e un blazer blu scuro abbastanza lungo, da abbinare a un maglioncino dolcevita dello stesso celeste chiaro dei suoi occhi. Si comprò anche un paio di stivali con il tacco alto per dare un look più giovanile all'insieme. Le parve un abbigliamento dignitoso, rispettabile, di un'eleganza sobria che ben si adattava al lavoro di insegnante di una scuola di alto livello.

Mentre tornava in albergo si sentiva molto soddisfatta. Ai lati delle strade si stavano accumulando i mucchi di neve, le macchine erano bloccate e la città era un disastro, ma lei era di ottimo umore. Avrebbe indossato gli orecchini di perle che le aveva regalato la mamma, decise, e quell'ampio blazer avrebbe nascosto tutte le magagne.

La mattina del colloquio si svegliò con lo stomaco stretto da una morsa. Dopo essersi lavata e asciugata i capelli, li spazzolò a lungo e li raccolse in una liscia e lucente coda di cavallo che annodò con un nastro di raso nero. Si vestì con cura, infilò il voluminoso piumino e uscì sotto il sole di febbraio. Faceva più caldo, e la neve si stava trasformando in una poltiglia nerastra; stette attenta a non farsi inzaccherare dalle automobili mentre si avviava verso la metropolitana. Aveva pensato di prendere un taxi, ma con i mezzi pubblici avrebbe fatto prima, infatti alle nove meno dieci era già arrivata; il colloquio era fissato per le nove in punto. Fece in tempo a vedere i ragazzi, quasi tutti in jeans, che entravano a frotte; le ragazze che portavano la mini infischiandosene del tempo gelido erano poche. Tutti chiacchieravano e ridevano, con i libri sottobraccio. Le misero allegria. Erano uguali a tutti gli altri studenti di scuola superiore, e niente nel loro aspetto e nel loro abbigliamento lasciava pensare che fossero i rampolli dell'élite cittadina.

I due insegnanti, un uomo e una donna, che ai lati del portone principale sorvegliavano l'ingresso degli studenti erano vestiti in modo altrettanto informale, in jeans, piumino e scarpe da ginnastica. La donna portava i capelli lunghi raccolti in una treccia; la testa del professore era completamente rasata, ma Victoria si accorse che aveva un uccellino tatuato sulla nuca. Chiacchieravano animatamente mentre seguivano con gli occhi gli ultimi arrivati che entravano alla spicciolata. Victoria si augurò di fare una buona impressione.

Avrebbe parlato con il preside, Eric Walker, ma l'avevano già avvertita che le avrebbero fatto conoscere anche il docente responsabile della disciplina. Diede alla receptionist il suo nome e andò a sedersi nell'atrio. Cinque minuti più tardi un uomo sui quarantacinque in jeans, maglione nero, giacca di tweed e scarpe sportive venne ad accoglierla. Le sorrise calorosamente e la invitò a seguirlo nel suo ufficio, dove la pregò di accomodarsi in una vecchia ma comoda poltrona di cuoio di fronte alla scrivania.

«Brava, è riuscita ad arrivare dalla Northwestern!» si congratulò il preside, mentre lei si toglieva il piumino. Si augurò di non apparire troppo ingessata e conformista per quella scuola che si stava rivelando molto più informale di quanto si aspettasse. «Temevo che non ci sarebbe riuscita, con una nevicata simile!» le disse garbatamente. «A proposito, buon San Valentino. Avevamo organizzato un ballo per sabato, ma abbiamo dovuto annullarlo perché i ragazzi che vengono dai sobborghi e dal Connecticut non ce l'avrebbero fatta ad arrivare. Sa, almeno un quinto dei nostri allievi vive fuori città. Abbiamo rimandato la festa al prossimo weekend.»

Il professore aveva sulla scrivania il suo curriculum, nel quale aveva riportato i suoi voti, e doveva averlo studiato alla perfezione.

Lei, da parte sua, aveva cercato notizie sul conto del preside su Google, e sapeva che aveva studiato a Yale e conseguito il dottorato in filosofia ad Harvard. Aveva pubblicato due libri a carattere divulgativo sull'insegnamento nelle scuole superiori e una guida per genitori e studenti sulle procedure da seguire per la domanda di iscrizione al college. Insomma, il professor Walker era una persona di grande levatura intellettuale, ma colpiva per la sua modestia e la sua disponibilità. Victoria in sua presenza si sentì intimidita, ma lui aveva un modo di fare cordiale e pieno di calore umano e le diede un'attenzione completa.

«Allora, Victoria», disse, abbandonandosi contro la spalliera della sedia vintage dietro un bellissimo scrittoio antico inglese, che le spiegò di aver avuto in regalo da suo padre. Tutto quello che c'era nel suo ufficio appariva costoso e vissuto, e le pareti erano foderate di scaffali traboccanti di libri. «Perché vuole diventare insegnante? E perché proprio qui? Per lei non sarebbe meglio lavorare a Los Angeles così non sarebbe costretta a spalare la neve davanti a casa per poter andare a scuola?» le domandò sorridendo.

Quell'uomo le piaceva e voleva fargli una buona impressione, ma non era del tutto sicura di riuscirci. In fondo, aveva solo l'entusiasmo e la sincerità.

«Amo i ragazzi. Desidero fare l'insegnante da quando ero piccola; ho sempre saputo che era la mia vera inclinazione. Non sono interessata al mondo degli affari, né tantomeno a una carriera in un'azienda o in un ente pubblico, anche se i miei genitori sono convinti che dovrei lavorare in quel settore perché guadagnerei di più. Ma io mi entusiasmo all'idea di dare un impulso positivo alla vita di un giovane; questo per me avrebbe un enorme significato.» Dall'espressione con cui il preside la guardò Victoria comprese che quella era la risposta giusta, e ne fu molto contenta. Era proprio quello che sperava.

«Anche se significa che può lavorare molto ed essere sottopagata?»

«Sì. Non mi importa. Mi basta poco per vivere.»

Lui non le chiese se suo padre e sua madre avessero intenzione di aiutarla; non era un suo problema.

«Guadagnerebbe molto di più lavorando nel sistema della scuola pubblica», le disse con grande franchezza.

«Lo so, ma non è quello che voglio fare», rispose Victoria. «E non ho nessuna intenzione di tornare a Los Angeles. Fin da quando frequentavo le superiori il mio più grande desiderio è sempre stato quello di vivere qui. Avrei anche studiato qui al college, se mi avessero accettato alla New York University oppure alla Barnard. So che questo è il posto giusto per me. E la Madison è stata la mia prima scelta.»

«Perché? Non creda che sia più facile insegnare ai ragazzi

ricchi, sa? Spesso sono intelligenti, ma anche loro possono avere grossi problemi. E comunque gli adolescenti di oggi la sanno lunga, sono smaliziati, non li si può raggirare. Capiscono al volo se non conosci bene la tua materia, e te lo fanno capire. Certo, i ragazzi che provengono da famiglie altolocate sono più sicuri di sé, e, se vogliamo, anche più sfacciati dei loro coetanei meno fortunati, di conseguenza per un insegnante possono essere un osso duro. Lo sono anche i loro genitori, mi creda, perché pretendono molto, e vogliono il meglio per i loro figli. Quindi in questa scuola ci impegniamo al massimo per ottenere buoni risultati. Non la infastidisce l'idea di essere soltanto quattro o cinque anni maggiore di qualcuno dei nostri allievi? Lei dovrebbe insegnare a studenti del terzo e del quarto anno, e probabilmente anche a una classe di inglese della seconda. Possono essere indisciplinati e difficili da tenere a freno, specialmente se qualcuno di loro è già molto maturo per la sua età. Questi ragazzi vivono in ambienti molto sofisticati e competitivi e ciò influisce enormemente sul loro carattere e il loro comportamento. Ritiene di essere all'altezza di un compito così complesso?» le domandò onestamente. Victoria gli rispose annuendo con vigore, uno sguardo serio e determinato negli occhi azzurri.

«Credo di sì, dottor Walker. Penso che saprei trattare con loro. Anzi, ne sono sicura, sempre che lei mi dia l'opportunità di provarglielo, naturalmente.»

«L'insegnante che dovrà sostituire rimarrà assente soltanto un anno; dopo, non posso prometterle nulla, indipendentemente dalle capacità che dimostrerà e se si rivelerà adatta per il posto che le offriamo. Però non si sa mai: magari qualcuno va via o deve stare assente per un periodo... Quindi, se vuole una cattedra fissa dovrebbe cercare da qualche altra parte.»

Victoria preferì evitare di dirgli che le altre scuole presso cui aveva fatto domanda non le avevano proposto nemmeno un colloquio.

«Sarei felice e onorata di lavorare qui anche per un anno solo», replicò. Lei non poteva saperlo, ma la presidenza aveva già controllato le sue referenze presso l'agenzia di moda e lo studio legale ed erano state ottime: i suoi ex datori di lavoro la lodarono e dissero che il suo comportamento era improntato a scrupolosità, professionalità e onestà. Anche i suoi docenti del corso di preparazione all'insegnamento presso la sua università parlarono un gran bene di lei. Adesso Eric Walker doveva decidere se Victoria era l'insegnante giusta per la loro scuola. Sembrava una ragazza dolce, intelligente e brillante, e il modo in cui gli aveva fatto capire che desiderava quel posto l'aveva commosso.

Dopo aver passato tre quarti d'ora con lei Eric Walker la affidò alla sua assistente che le fece fare un giro completo della scuola. Victoria ammirò le classi tenute in perfetto ordine, dove studenti vivaci e attenti usavano attrezzature nuove di zecca ed estremamente costose. Qualsiasi insegnante avrebbe fatto i salti di gioia per poter lavorare lì, e gli allievi le fecero nel complesso un'ottima impressione. Il professore responsabile della disciplina le fornì qualche informazione sulla scolaresca in generale e sul tipo di situazioni che avrebbe dovuto affrontare. Erano le stesse che s'incontrano nelle altre scuole superiori, salvo che questi studenti avevano più soldi e più possibilità e, in molti casi, anche situazioni famigliari molto complicate. Ma una vita difficile in famiglia non è un'esclusiva né dei ricchi né dei poveri.

Alla fine della visita la ringraziarono e le spiegarono che dovevano esaminare anche parecchi altri candidati e le avrebbero fatto sapere qualcosa. Quando Victoria fu in strada alzò gli occhi a guardare un'ultima volta la scuola, pregando in cuor suo di essere la prescelta. Erano stati talmente simpatici e gentili con lei! Ma adesso si chiese se si fossero comportati così per pura formalità o se fosse davvero piaciuta alle persone che l'avevano conosciuta. Non poteva saperlo.

Si diresse a ovest e continuò a camminare fino alla Quinta Avenue, poi risalì a nord per altri cinque isolati fino al Metropolitan Museum, dove visitò la nuova ala dedicata all'antico Egitto; alla fine pranzò sola soletta al self-service del museo prima di concedersi un taxi per tornare in albergo.

Seduta comodamente in macchina, guardò New York che sfrecciava al di là del finestrino e i suoi abitanti che affollavano le strade. Che formicaio! Un formicaio di cui lei sperava di entrare a far parte.

Si aspettava una risposta dalla Madison School entro qualche settimana. Se non avesse ottenuto l'incarico avrebbe dovuto contattare altre scuole, a Chicago, e magari perfino a Los Angeles, benché l'ultima cosa al mondo che desiderasse fosse tornare a casa. D'altra parte, se non si presentava qualche occasione interessante di lavoro non avrebbe avuto scelta. Pensava con orrore all'eventualità di tornare nella sua città natale e, peggio ancora, a casa dei suoi, e affrontare gli stessi problemi che l'avevano tormentata durante l'infanzia e l'adolescenza. Sarebbe stato troppo deprimente.

Mise la sua roba nella sacca da viaggio e prese un taxi per andare all'aeroporto. Mancava un'ora al suo volo; era talmente in ansia dopo il colloquio e continuava a chiedersi se avesse fatto una buona impressione o no, che finì per andare al ristorante più vicino al suo gate e ordinare un hamburger al formaggio con patatine fritte e una enorme macedonia con gelato e panna montata. Divorò tutto con ingordigia. Quando ebbe finito, si giudicò una vera sciocca. Non aveva alcun bisogno di ingozzarsi di tutta quella roba! Ma si sentiva così nervosa, aveva fame, e il cibo era l'unica cosa che le offrisse un po' di consolazione e sollievo, facendole dimenticare le sue paure. E se non avesse ottenuto quel posto? si domandava ossessivamente. Provò a ripetersi che in tal caso avrebbe trovato qualcos'altro, ma il pensiero non la tranquillizzava. D'altra parte si rendeva perfettamente conto che difficilmente la scelta sarebbe caduta su di lei, perché era una neolaureata senza nessuna esperienza di insegnamento.

Quando chiamarono il suo volo, si alzò, afferrò la sacca che portava come bagaglio a mano e si avviò al suo imbarco. Adesso poteva solo tornare alla Northwestern e aspettare. Comunque quello non era stato un brutto giorno di San Valentino, e se alla fine l'avessero davvero presa sarebbe stato il più bello della sua vita. Ma quando salì a bordo era nervosissima nonostante l'abbuffata: non era servita a niente. Mentre si allacciava la cintura di sicurezza decise che avrebbe ricominciato sul serio a mettersi a dieta e avrebbe ripreso a fare jogging, dato che mancavano solo tre mesi alla laurea. Ma quando le offrirono un sacchetto di noccioline e uno di salatini non ebbe la forza di rifiutarli. Mangiò distrattamente, assorta nei suoi pensieri, augurandosi di non aver fatto fiasco durante l'incontro e pregando ardentemente in cuor suo di essere scelta.

7

La prima settimana di marzo Victoria ricevette una telefonata dal preside della Madison School, Eric Walker. Le disse che la scelta del nuovo insegnante era stata molto difficile, perché oltre a lei avevano vagliato parecchi altri candidati, però dopo un'attenta valutazione si era deciso che la docente di cui avevano bisogno fosse lei; le avevano già spedito il contratto per posta. Victoria era emozionatissima.

Sarebbe stata l'insegnante d'inglese più giovane della scuola e le sarebbero state assegnate quattro classi. Avrebbe dovuto presentarsi per il consiglio docenti del 1° settembre, e l'inizio delle lezioni era previsto per la settimana successiva. Non riusciva a credere che nel giro di sei mesi sarebbe andata a insegnare alla Madison School di New York! Accorgendosi di non essere più in grado di tenere per sé la buona notizia, quella sera stessa telefonò ai genitori.

«Me lo sentivo, che finivi per fare qualcosa del genere», commentò il padre in tono di disapprovazione. Sembrava deluso e amareggiato nei suoi confronti, come se l'avessero sbattuta in prigione perché si era spogliata al supermercato o cose del genere. «Non riuscirai mai a mettere da parte un soldo, così, Victoria. A te occorre un impiego vero. Te l'ho già detto: potrei aiutarti a trovare un buon posto nell'ufficio pubbliche relazioni di una grossa società. Comunque anche se andassi a lavorare da McDonald's avresti uno stipendio più alto. È una perdita di tempo totale. E poi, perché a New York? Perché non qui?»

Non le fece i complimenti perché aveva ottenuto con tanta facilità il suo primo impiego, e nemmeno le chiese quale scuola fosse, perché si sarebbe reso conto che si trattava di un istituto di prim'ordine, dove la concorrenza era spietata. A parte rimproverarla dicendole che era il lavoro sbagliato nella città sbagliata e che sarebbe sempre rimasta una poveraccia, non aveva altro da dirle.

«Mi dispiace, papà», gli rispose Victoria in tono di scusa, come se avesse fatto qualcosa di sbagliato, un passo falso. «Ma è un'ottima scuola, sai?»

«Davvero? E quanto ti pagano?» le domandò lui andando subito al sodo, spietatamente. Victoria non voleva raccontargli bugie, e quindi decise di dirgli la verità; sapeva benissimo anche lei che sarebbe stato difficile campare con lo stipendio da insegnante, ma avrebbe fatto volentieri tutti i sacrifici necessari, anche perché non aveva la minima intenzione di farsi mantenere, sia pure parzialmente, da lui. Quando gli rivelò la sua paga mensile lui replicò indignato e deluso: «No... ma è patetico!» Poi passò il telefono a Christine, che si dimostrò preoccupata.

«Cos'è successo, cara?» le domandò.

«Niente. Ho appena ottenuto uno splendido lavoro: vado a insegnare in una prestigiosa scuola di New York. Papà però giudica che non mi paghino abbastanza. Tutto qui.

Invece io mi sento strafortunata per il solo fatto di essere stata assunta, anche se soltanto per un anno.»

«Che peccato che tu voglia fare l'insegnante!» rincarò sua madre adeguandosi in tutto e per tutto alle convinzioni e al giudizio del marito, e trasmettendo a Victoria, come del resto aveva sempre fatto, il convincimento di essere una fallita, una delusione per tutta la famiglia, togliendole la gioia di sentirsi finalmente realizzata con ciò che era riuscita a conquistare per proprio merito. «Potresti guadagnare tanto di più facendo qualcos'altro, ti rendi conto?»

«Ma, mamma... a me piace insegnare. Io voglio fare questo», ribatté. Era così speranzosa, piena di entusiasmo e di orgoglio, prima di quella telefonata!

«Mi rendo conto che sia bello, cara. Ma non puoi fare l'insegnante in eterno. Prima o poi dovrai pur trovarti un vero lavoro, ti pare?»

E da quando insegnare non è un «vero» lavoro? si domandò Victoria. Certo che l'unica cosa che contava per quei due erano i soldi!

«Tua sorella ha appena finito un servizio pubblicitario e ha guadagnato cinquantamila dollari per due giorni di riprese», la informò Christine. Era più di quello che Victoria avrebbe guadagnato in un anno. E Grace lo faceva soltanto per divertirsi. Per lei fare la modella era un gioco, anche se veniva pagata profumatamente. Victoria, invece, avrebbe dovuto lavorare sodo per guadagnarsi lo stipendio; del resto l'aveva sempre saputo che chi vuole diventare ricco non fa l'insegnante, eppure aveva ugualmente scelto quella professione perché era la sua vocazione. E poi per lei fare la modella era fuori questione: non aveva il fisico.

«E dove andresti a vivere?» le domandò la madre in tono

ansioso. «Come fai a permetterti l'affitto di un appartamento a New York?»

«Troverò qualcosa in condivisione. Quando ci torno in agosto mi cerco qualcosa prima che cominci la scuola.»

«Non vieni a casa per un po'?»

«Sì, subito dopo la laurea. Passo l'estate con voi.» Per quell'anno non si sarebbe trovata nessun lavoro estivo. Voleva fare qualche viaggetto con Grace e stare un po' in famiglia prima di trasferirsi. Comunque insegnare ha un lato positivo: nei mesi estivi non si lavora. In seguito magari si sarebbe trovata un'occupazione per le vacanze, in modo da arrotondare, ma per ora voleva godersi un periodo senza pensieri, e suo padre e sua madre non trovarono così niente da ridire.

Durante le vacanze di primavera invece fece la cameriera in una tavola calda vicino all'università in modo da guadagnare qualcosa: ogni centesimo che fosse riuscita a mettere via sarebbe stato prezioso, a New York.

L'unico lato negativo era che aveva diritto ai pasti gratis, e così la sua dieta andò a farsi benedire. Per quindici giorni si ingozzò di polpettone e purè, torte e altre leccornie. Lì dentro cucinavano divinamente, e non era possibile resistere alla tentazione. Quando soprattutto cominciava alle sei del mattino per il primo turno, si abbuffava di pancake ai mirtilli e poi continuava a mangiare tutto il giorno. Il sogno di perdere peso per la cerimonia della laurea stava svanendo rapidamente.

Finito il lavoretto però tentò di salvare il salvabile. In aprile si sottopose a un programma ferreo che consisteva in un controllo scrupoloso delle calorie e in un programma di esercizi specifici, e riuscì a perdere cinque chili. Era molto orgogliosa di sé. Il 1° maggio andò a prendere a nolo tocco e toga per la festa di laurea. Fece un'ora di coda, e quando finalmente arrivò il suo turno l'uomo che li distribuiva la guardò ben bene per valutare la sua taglia.

«Sei una bella ragazzona, eh!» commentò con un largo sorriso. Lei non rispose quando lui gli consegnò una toga extralarge, che in realtà le stava grande, ma le vennero le lacrime agli occhi. Per fortuna era abbastanza alta, e quindi pensò che quasi quasi era meglio indossare qualcosa che le stava largo. Sotto, per la festa di laurea, stava pensando a una gonna rossa corta, che avrebbe messo in risalto le sue splendide gambe, con camicetta bianca e sandali dorati a tacco alto.

Imballò tutta la sua roba e la spedì a casa due giorni prima della laurea.

I suoi e Grace arrivarono il giorno dopo. Sua sorella era un amore, in maglietta bianca e shorts. Adesso aveva quindici anni, ma ne dimostrava diciotto, nonostante fosse snella e minuta. Non avrebbe potuto continuare a lungo a fare servizi pubblicitari per ragazzini. Victoria vicino a lei si sentiva un elefante, ma era ugualmente felice che fosse venuta, e quando si videro si abbracciarono forte forte.

Quella sera andarono a mangiare in un ristorante molto grazioso dove c'erano parecchi altri laureandi con le loro famiglie. Victoria aveva chiesto se sarebbe stato possibile invitare anche qualcuno dei suoi amici, ma Jim rispose che preferivano cenare in famiglia, soli con lei. Anche per il giorno seguente, quando avrebbero festeggiato la laurea, non volle nessuno. Disse che lui e la mamma la volevano soltanto per loro, ma in realtà voleva farle intendere, come sempre, che non gli importava niente di conoscere chi frequentava.

Decise di godersi almeno la compagnia di Grace. Appena potevano, loro due diventavano inseparabili. Fra l'altro anche Grace stava cominciando a pensare al college, ma lei voleva andare in un'università della California, e i suoi erano contenti perché almeno sarebbe stata vicino a casa. Jim le diceva che lei sì che era una vera ragazza californiana, dando a intendere che Victoria era una specie di traditrice perché era andata a studiare in un college del Midwest, invece di congratularsi con lei per il suo spirito d'indipendenza e perché aveva scelto un corso di studi difficile e impegnativo.

La cerimonia della laurea al Weinberg College of Arts and Sciences, alla Northwestern, fu sfarzosa e commovente. Christine pianse tutto il tempo, e Jim, insolitamente orgoglioso, aveva gli occhi umidi quando la figlia gli si avvicinò in tocco e toga. Grace scattò una fotografia e Victoria le sorrise, cercando di mantenere un'aria austera e solenne.

Quel giorno si laurearono un migliaio di studenti, che furono chiamati in ordine alfabetico. Quando arrivò il suo turno, anche Victoria strinse la mano al preside della facoltà che le consegnò il diploma di laurea. Alla fine della cerimonia tutti emisero un urlo di gioia liberatorio, lanciarono il tocco in aria e si abbracciarono. Alla Northwestern, Victoria era stata per molto tempo una creatura solitaria, ma negli ultimi tempi si era fatta degli amici. Si scambiarono gli indirizzi e-mail e il numero dei cellulari e si ripromisero di rimanere in contatto. Adesso avevano una laurea in mano, ed erano pronti a crearsi un posto nel mondo. Le loro strade stavano per dividersi; chissà se un giorno si sarebbero rincontrati, pensarono con un pizzico di malinconia.

Quella sera Victoria festeggiò con la famiglia al *Jilly's Café* insieme con tanti altri laureati che occupavano i tavoli vicini. La mattina successiva tornarono tutti in aereo a Los Angeles dopo aver passato la notte in un bell'hotel. Victoria divise la camera con Grace perché il giorno stesso della laurea aveva dovuto lasciare il pensionato universitario. Le due sorelle chiacchierarono fino a notte fonda, e poi si addormentarono vicine; erano piene di aspettative per i tre mesi che avrebbero passato insieme. Victoria non l'aveva ancora detto a nessuno, ma stava meditando di seguire durante l'estate un programma di dimagrimento molto serio, in modo da potersi presentare in forma alla Madison School a settembre.

Nel momento stesso in cui si era tolta la cappa dopo la festa di laurea, Jim – con il suo solito sorriso – aveva commentato che gli sembrava più enorme che mai, aggiungendo che per fortuna aveva delle gran belle gambe, ma ovviamente il primo commento aveva colpito nel segno con molta più forza del secondo. Victoria non riusciva ad apprezzare i suoi complimenti perché venivano regolarmente fatti dopo una dura critica.

Durante il volo di ritorno a casa era seduta fra sua madre e Grace. La mamma aveva il posto sul corridoio e leggeva una rivista; le due ragazze avevano voluto sedere vicine. Non sembravano neanche sorelle. A mano a mano che diventava grande Grace assomigliava sempre di più alla madre; Victoria invece, a qualsiasi età, non aveva mai somigliato a nessuno.

Subito dopo la partenza, Jim si sporse verso Victoria e le propose: «Senti un po', hai tutto il tempo che vuoi per cercarti un lavoro decente, quando torni a Los Angeles. Puoi sempre dire a quella scuola di New York che hai cambiato idea. Pensaci», le consigliò con aria cospiratoria.

«Ma a me quel lavoro piace», insistette Victoria. «È un'ottima scuola. Se mi tiro indietro adesso ci faccio una brutta figura, e poi sarebbe molto difficile trovare un altro posto da insegnante. Papà: io lo voglio, quell'incarico.»

«Ma perché devi sacrificarti quando io posso procurarti qualche colloquio di lavoro fin dalla settimana prossima?» disse, facendo chiaramente capire, ancora una volta, che ciò che sua figlia considerava una grande conquista per lui non era neanche un vero lavoro.

«Ti ringrazio dell'offerta», gli rispose Victoria educatamente, «ma non ho intenzione di mollare quello che ho ottenuto, almeno per ora. Se proprio non riuscirò a vivere con quello che guadagno te lo farò sapere. Per il momento posso trovarmi un lavoretto estivo e mettere da parte un po' di soldi.»

«Non dire sciocchezze! Queste cose sembrano fantastiche a ventidue anni, ma credimi, lo saranno un po' meno a trenta o quaranta. Puoi anche chiedere un colloquio di lavoro alla mia agenzia pubblicitaria, se vuoi. Ci hai mai pensato?»

«Non m'interessa lavorare nella pubblicità», tagliò corto lei. «Voglio fare l'insegnante», gli ripeté per l'ennesima volta.

Lui fece un gesto d'impazienza, ma Victoria a quel punto si mise le cuffie e lei e Grace cominciarono a guardare un film.

Finalmente non era più costretta a chiacchierare con suo padre! Sembrava che i suoi genitori pensassero solo al suo peso e ai suoi futuri guadagni. Il terzo tormentone, che però era una diretta conseguenza del primo, era la sua deludente vita amorosa. Ogni volta che si affrontava l'argomento suo padre sosteneva che se fosse dimagrita un po' si sarebbe trovata anche un fidanzato. Lei sapeva che non era vero, perché moltissime ragazze, pur avendo una figura perfetta e una corporatura metà della sua, non riuscivano a trovare uno straccio di uomo, mentre certe, pur essendo sovrappeso, erano felicemente sposate o fidanzate o comunque avevano qualcuno accanto. L'amore romantico, e lei lo sapeva benissimo, non era legato tanto al peso, quanto ad altri fattori difficili da valutare.

Per quanto riguardava lei, la mancanza di autostima e le costanti punzecchiature e critiche che riceveva non contribuivano certo ad aiutarla a risolvere il problema. Sembrava che suo padre e sua madre non fossero mai fieri di lei né soddisfatti di quello che faceva; anche se si erano dichiarati molto orgogliosi quando si era laureata, poi però avevano ricominciato con la solita cantilena, per concludere che non faceva mai la scelta giusta.

Non era mai abbastanza, per loro. Come facevano a non rendersi conto che quelle continue critiche le risultavano insopportabili? Possibile che non avessero mai pensato che non volesse più vivere a Los Angeles proprio per quel motivo? Ormai desiderava solo allontanarsi da loro il più possibile. Per il momento voleva stare con Grace, ma una volta che se ne fosse andata anche lei Victoria non era neppure sicura se ci sarebbe mai più ritornata, a casa, o se si sarebbe fatta vedere dai genitori di tanto in tanto.

Usciti dall'aeroporto di Los Angeles si diressero al parcheggio dove Jim e Christine avevano lasciato la macchina. I genitori, seduti davanti, cominciarono a parlare della cena. Jim si offrì di cucinare alla griglia qualche bistecca nel cortile dietro casa, e voltandosi verso le ragazze strizzò l'occhio alla figlia maggiore. «Non c'è bisogno che te lo domandi: so benissimo che sei affamata. Quindi lo chiedo a te, Gracie: cosa ne dici di qualche buona bistecca?» Victoria voltò la testa e finse di guardare fuori dal finestrino, ma era molto turbata perché qualunque cosa lei facesse, in qualunque situazione si trovasse, i suoi la consideravano solo una che aveva sempre fame, e basta.

«Le bistecche vanno bene, papà», disse Grace con aria distratta. «Se non ti senti di metterti alla griglia, però, possiamo ordinare qualcosa al ristorante cinese, oppure, se tu e la mamma siete stanchi, Victoria e io andiamo fuori a cena.» Le due sorelle avrebbero senz'altro preferito questa opzione, ma non lo dissero per non offendere i genitori. Jim invece si dichiarò felicissimo di fare una bella grigliata in giardino, a patto di lasciare qualche bistecca anche per Christine e Grace. Era la seconda stoccata che lanciava alla figlia maggiore nel giro di cinque minuti. L'estate era lunga, e se questo era soltanto l'inizio... Niente era cambiato. Dopo quattro anni al college e una laurea, continuavano a trattarla come un'ingorda incapace di controllarsi.

Così quella sera cenarono seduti all'aperto. Christine decise di rinunciare alla bistecca e si accontentò di un po' di insalata, sostenendo di aver mangiato troppo in aereo. Grace e Victoria presero la bistecca ma mentre la figlia minore si servì di una patata al forno, la maggiore vi rinunciò.

«Ti senti male?» le domandò suo padre guardandola serio. «Non ti ho mai vista rinunciare a una patata!»

«Sto benissimo, papà», rispose Victoria a bassa voce. Dal preciso momento in cui era arrivata a casa aveva deciso di cominciare l'ennesima dieta, e non mollò neppure quando le offrirono un gelato, anche perché sapeva quali sarebbero stati i commenti se l'avesse accettato.

Dopo cena le due ragazze salirono in camera di Grace a sentire un po' di musica. Nonostante la differenza d'età le due sorelle avevano moltissimi gusti in comune. Per fortuna c'era lei, pensò Victoria, altrimenti non avrebbe resistito un minuto di più, lì dentro.

Quando Grace finì la scuola poche settimane dopo la laurea di Victoria loro due diventarono inseparabili. Per il lungo weekend del Memorial Day tutta la famiglia andò a Santa Barbara e poi, quando tornarono a casa, Victoria scarrozzò Grace in macchina dappertutto, come se fosse la sua autista personale. Ritrovò anche qualche vecchio compagno di scuola. Non aveva molti amici intimi, ma era simpatico rivedere delle facce familiari prima di andarsene per sempre. Due avevano intenzione di fare un corso di specializzazione post-laurea, e lei pensò che le sarebbe piaciuto, un giorno, fare qualcosa del genere, ma alla New York University o alla Columbia.

Però, anche se riprese i contatti con parecchi ragazzi, nessuno di loro le dedicò un'attenzione particolare. Per la verità una sera uno di loro la invitò fuori a cena e poi al cinema, ma non avevano granché da dirsi e lasciarono perdere. Lui si era messo a lavorare in campo immobiliare e sembrava ossessionato dai soldi, e come molte altre persone non pareva particolarmente colpito dalla sua vocazione di insegnare. A quanto pareva l'unica a essere orgogliosa di lei era la sua sorellina, che la considerava una nobile professione, ma tutti gli altri la giudicavano una povera sciocca destinata alla miseria perenne.

Quell'estate Victoria accumulò ricordi preziosi, che avrebbe racchiuso per sempre nel cuore. Lei e Grace condividevano sogni, timori e speranze, e anche il senso di disagio con i genitori, sebbene per motivi diversi. Grace era troppo coccolata e si lamentava perché la trattavano da bambinetta, e poi non sopportava il modo in cui si vantavano di lei e delle sue grandi qualità, mentre Victoria era scontenta per il motivo contrario. Esperienze diametralmente opposte in seno alla stessa famiglia: sembrava difficile credere che avessero gli stessi genitori. Ma Victoria non ce l'aveva con Grace e si rendeva conto che non era colpa sua. Anzi, continuava a volerle bene come quando era arrivata nella sua vita come un angioletto caduto dal cielo.

Anche Grace apprezzò il fatto di poter passare l'estate con Victoria; si rendeva conto che per molto tempo non avrebbe avuto la sorella con sé. Facevano colazione insieme ogni mattina, ridevano per ogni sciocchezza. Victoria accompagnava Grace e le sue amiche al club dove nuotavano in piscina e giocavano a tennis, e la battevano regolarmente perché erano più veloci di lei. Andavano a fare shopping, leggevano insieme le riviste, guardavano i servizi di moda e facevano commenti sulle nuove tendenze. Andavano a Malibu o in altre spiagge, e a volte rimanevano nel giardino di casa, in silenzio perché a tutte e due bastava essere vicine, e apprezzavano ogni minuto della reciproca compagnia.

Per Christine era una pacchia che Victoria pensasse a ogni necessità di Grace, perché così lei poteva andare a giocare a bridge con le amiche, il suo passatempo preferito, come faceva prima di avere figli. Jim invece si intestardiva a occuparsi del lavoro della figlia maggiore e, nonostante le sue proteste, le fissò un certo numero di colloqui affinché trovasse un impiego a suo giudizio migliore di quello che la aspettava a New York. Lei lo ringraziava e poi, con molta discrezione, li annullava tutti, uno dopo l'altro. Non aveva intenzione di far perdere tempo a nessuno, e non voleva perderne neanche lei. Suo padre andava su tutte le furie e le ripeteva in maniera ossessiva che stava prendendo le decisioni sbagliate per il suo futuro, e che gli insegnanti hanno una posizione molto bassa nella scala sociale, ma ormai Victoria ci aveva fatto il callo e non si scomponeva. Tanto era la figlia di serie B, quella che avevano sempre ignorato o preso crudelmente in giro, e le cose non sarebbero mai cambiate.

Un giorno confessò a Grace che se avesse avuto i soldi le sarebbe piaciuto farsi ritoccare il naso, e chissà che un giorno non ci sarebbe riuscita! Ne avrebbe voluto uno simile a quello di Grace, oppure poteva farsi fare uno di quei nasini dispettosi che piacciono tanto. Grace si commosse e le rispose che lei era bella così com'era, con il suo naso e tutto! Non gliene occorreva uno nuovo: era perfetta.

L'amore incondizionato che avrebbe dovuto avere dai genitori Victoria lo riceveva dalla sorella. Loro due si erano dedicate l'una all'altra, si erano aiutate reciprocamente a sviluppare la propria personalità e a far sbocciare la propria bellezza. Invece l'affetto di Jim e Christine era sempre condizionato dal fatto che le figlie seguissero i loro criteri e le loro regole, in modo da poterne esibire il successo come merito proprio. Grace veniva considerata un accessorio che contribuiva a valorizzarli e a rilanciare la loro posizione sociale, perciò la ricoprivano di mille attenzioni, invece Victoria era diversa e non quadrava con i loro valori di riferimento, perciò era stata abbandonata a se stessa e privata del sostegno emotivo e di quell'affetto che ogni bravo genitore dà ai figli.

Invece loro due si erano sempre amate tantissimo. Grace ammirava la sorella maggiore, era il suo punto di riferimento, il suo modello, e Victoria aveva sviluppato nei suoi confronti un grande senso di protezione e si augurava che, crescendo, non finisse per assomigliare al padre e alla madre. Oh, quanto avrebbe voluto portarsela via con sé! Tutte e due pensavano con angoscia al giorno della partenza di Victoria per New York.

Grace aiutò la sorella a scegliere qualche capo di vestiario adatto alla professione di insegnante in una scuola superiore. Victoria si era impegnata a fondo per perdere peso, e per i primi di agosto era riuscita a scendere fino alla taglia quarantaquattro; le stava un po' strettina ma era accettabile. Durante tutta l'estate suo padre l'aveva ossessionata con il suo sovrappeso, e non si era neanche accorto che aveva perso parecchi chili. Anche Christine, ignorando gli sforzi che la figlia faceva per dimagrire, ripeteva senza sosta che doveva darsi da fare per acquistare una linea decente. Ormai le avevano appiccicato addosso l'etichetta di cicciona e niente li smuoveva. Non tenevano mai in nessun conto le sue vittorie, e si concentravano solo sulle sue supposte manchevolezze. Purtroppo erano fatti così.

Prima che Victoria partisse, tutta la famiglia trascorse una settimana sul lago Tahoe, dove Jim aveva affittato una deliziosa casetta. Le ragazze vollero fare subito un po' di sci d'acqua sul lago gelido, con Jim al volante del motoscafo. Grace si consolava per la partenza di Victoria perché per fortuna gli insegnanti d'estate non lavorano. Victoria le promise che l'avrebbe ospitata a New York. Se il direttore

101

gliel'avesse permesso le avrebbe fatto visitare la sua scuola, e chissà, magari avrebbe anche potuto assistere a una delle sue lezioni.

Quando finalmente arrivò il giorno della partenza le due sorelle diventarono silenziose. Non parlarono per l'intero tragitto fino all'aeroporto. Erano state sveglie a chiacchierare tutta la notte abbracciate sul letto di Victoria. La maggiore aveva proposto alla più piccola di trasferirsi in camera sua, ma lei aveva rifiutato perché voleva che mantenesse un posto tutto suo in famiglia, un posto dove poter tornare. All'aeroporto rimasero strette a lungo in un forte abbraccio, le guance rigate di lacrime. Malgrado le continue rassicurazioni reciproche, sapevano che niente sarebbe più stato come prima: solo il loro affetto sarebbe rimasto immutato. Victoria avrebbe affrontato una vita autonoma in un'altra città, e ogni cosa sarebbe cambiata. Nel preciso istante in cui avesse messo piede sull'aereo sarebbe diventata una persona adulta che sarebbe tornata a casa soltanto per brevi visite. Del resto, a parte tanti ricordi dolorosi e sua sorella Grace, non aveva molto da condividere con i suoi, che l'avevano abbandonata emotivamente lo stesso giorno della sua nascita, quando avevano scoperto che non era come si aspettavano. L'avevano trovato inaccettabile, un delitto imperdonabile, come se lei avesse avuto la colpa di nascere. L'avevano soltanto presa in giro, screditata e respinta; fatta sentire sempre indesiderata, mai alla loro altezza.

«Abbi cura di te, cara, e cerca di darci tue notizie... facci sapere come stai», le disse la mamma, abbracciandola senza però stringerla forte al cuore, come se fosse troppo grossa per poterla prendere fra le braccia o come se avesse una malattia contagiosa. In realtà Christine possedeva una scarsa ricchezza interiore, e quel poco che aveva lo dava a Jim. Non era mai stata una madre premurosa e affettuosa per le figlie, neanche per Grace, ed era solo contenta quando Victoria si sobbarcava con la più piccola i compiti che avrebbe dovuto svolgere lei.

«Ti trovo io un lavoro, quando rinunci all'insegnamento», le ribadì suo padre mentre l'abbracciava. Sembrava un disco rotto. «A nessuno piace morire di fame.» Comunque le infilò in mano un assegno ben ripiegato di mille dollari. Un regalo generoso che Victoria accettò volentieri, perché in effetti le faceva molto comodo.

Le due sorelle si strinsero un'ultima volta piangendo, poi Victoria fece uno sforzo per staccarsi da Grace. I genitori si tenevano per mano mentre la guardavano allontanarsi, e le due ragazze si scambiarono uno sguardo che diceva tutto: sarebbero state alleate tutta la vita. Victoria si portò la mano al cuore, mandò un bacio alla sorella e se ne andò verso la sua nuova vita. Ormai Los Angeles faceva parte del passato, un passato che voleva lasciarsi alle spalle.

8

Ci vollero quindici giorni perché Victoria, una volta arrivata a New York, riuscisse a trovarsi un appartamento, tanto che dopo una settimana stava cominciando a farsi prendere dal panico. Si rendeva conto che l'assegno di suo padre non sarebbe durato a lungo, se fosse rimasta ancora in albergo. Per fortuna aveva messo da parte qualche soldo guadagnato con i suoi lavoretti, ed entro breve avrebbe anche avuto uno stipendio su cui fare affidamento. Telefonò alla scuola per informarsi se per caso conoscessero qualcuno che affittava una stanza, ma le risposero che non avevano informazioni a riguardo. Provò a chiamare l'agenzia di moda per la quale aveva lavorato, e uno dei proprietari le disse che una sua amica stava cercando una persona con cui condividere l'appartamento. Era un autentico colpo di fortuna, dato che si trovava tra l'Ottantesima e la Novantesima Strada Est, a soli sei isolati dalla scuola. Le diede il numero di telefono della sua amica, e lei la chiamò subito. Sì, effettivamente stavano cercando qualcuno perché c'era una camera libera; erano una donna e due uomini, le disse. La stanza era piccola, perciò non sarebbe costata molto. Prese appuntamento per andarci quella sera stessa in modo da poter conoscere tutti. Si trattenne dal fare i salti di gioia: prima era meglio andare a vedere, perché le sembrava troppo bello per essere vero.

L'appartamento era in un palazzo degli anni Trenta in condizioni decorose, anche se si capiva che aveva visto tempi migliori. Si trovava vicino al fiume, nella Ottantaduesima Strada Est. Il portone d'ingresso era chiuso a chiave e dovette suonare il citofono per farsi aprire, poi salì in ascensore. Il pianerottolo era buio ma pulito. Le aprì una giovane donna in tuta da ginnastica che stava preparandosi per andare in palestra. Era in forma, e sembrava essere sui trent'anni. Si chiamava Bernice, ma poiché odiava quel nome si faceva chiamare Bunny, e lavorava in una galleria d'arte in centro. Entrambi gli uomini erano tornati a casa per conoscerla. Bill era andato al college con Bunny, a Tulane, e faceva l'analista a Wall Street. Era fidanzato e l'anno successivo avrebbe lasciato l'appartamento; di solito durante i weekend stava a casa della sua ragazza, e molte volte anche nei giorni infrasettimanali. L'altro, Harlan, era gay, aveva finito da poco gli studi e lavorava per il Metropolitan Museum, al Costume Institute. Sembravano persone educate e simpatiche.

Lei disse che avrebbe insegnato alla Madison School. Bill le offrì un bicchiere di vino e pochi minuti più tardi Bunny uscì in fretta per il suo allenamento. Aveva una splendida figura, e anche i due uomini erano belli e affabili. Harlan, che era nato nel Mississippi, aveva un gran senso dell'umorismo e parlava con il caratteristico accento strascicato del Sud. Victoria non poté fare a meno di pensare a Beau, che non aveva più visto dopo la loro strana relazione amorosa. Lei spiegò che era di Los Angeles e stava cercando disperatamente un tetto prima di cominciare il lavoro. L'appartamento, a fitto bloccato, era ampio e luminoso, con un grande soggiorno, un piccolo studio, una sala da pranzo, una cucina che avrebbe avuto bisogno di una bella ristrutturazione e quattro camere da letto. La sua era piccola, come le avevano detto. Le dissero che non sarebbe stato un problema se avesse voluto ricevere qualcuno, anche se loro, in genere, non lo facevano; più che altro uscivano molto spesso.

La camera che le mostrarono era completamente vuota, non c'era neanche un mobile. Harlan le suggerì di andare all'Ikea, come aveva fatto lui quando si era trasferito lì. La cifra che le proposero era ragionevole, pertanto Victoria, nonostante il modesto stipendio, poteva permettersi l'affitto. Oltretutto era una zona molto ben servita, piena di negozi e ristoranti: l'ideale per gente giovane. I suoi futuri coinquilini le dissero che in quel palazzo o erano molto giovani oppure molto vecchi, e questi ultimi ci abitavano da sempre. Victoria era al settimo cielo. Disse che l'appartamento le piaceva e se loro erano d'accordo avrebbe preso volentieri la camera. I due ragazzi approvarono; Bunny aveva già dato il suo consenso prima di uscire. Fra l'altro il proprietario della famosa agenzia per modelle che li aveva messi in contatto aveva dato ottime referenze su di lei.

Suggellarono l'affare con una cordiale stretta di mano. Non le chiesero alcuna caparra, e le dissero che avrebbe potuto occupare la camera anche subito, appena avesse comprato un letto. Harlan le diede il numero di telefono di una ditta a cui poteva ordinare un materasso, che veniva consegnato in giornata.

Benvenuta a New York!

Victoria consegnò ai due ragazzi un assegno per l'affitto

del primo mese, e loro le diedero le chiavi. Quando li lasciò per tornare al suo albergo si accorse che le girava la testa. Aveva un lavoro, un appartamento... una vita nuova. Adesso doveva solo comprare il mobilio per la camera da letto e andarci a vivere. Quella stessa sera telefonò a suo padre e sua madre per avvertirli. Grace era entusiasta; Jim invece volle sapere con esattezza dove si trovava l'appartamento e che genere di persone fossero i suoi coinquilini. Sua madre non nascose il disappunto sentendo che due di loro erano di sesso maschile. Victoria la rassicurò e le spiegò che uno era fidanzato e l'altro non provava nessun interesse per le donne, e che tutti e tre sembravano persone a posto.

I suoi non le nascosero che avrebbero preferito di gran lunga che fosse andata a vivere da sola invece che con degli sconosciuti, ma capivano che non poteva permetterselo, e suo padre non aveva nessuna voglia di pagarle l'affitto salato di una casa a New York: era ora che camminasse con le sue gambe, disse.

Il giorno seguente Victoria noleggiò un furgone e andò all'Ikea a comprare il minimo indispensabile: un letto, coperte e lenzuola, due lampade, un tappeto, le tende, una poltrona, un comodino, un bel cassettone e un piccolo armadio con l'anta a specchio che avrebbe integrato l'armadio a muro che c'era; si augurò che ci stesse tutta la sua roba. Il mobilio doveva essere montato, ma Harlan le aveva detto che nel loro palazzo c'era un uomo tuttofare che avrebbe eseguito il lavoro alla perfezione in cambio di una mancia decente.

All'Ikea l'aiutarono a caricare gli acquisti fatti sul furgone, e un'ora più tardi era già arrivata a destinazione. Il portiere l'aiutò a scaricare e a portare tutto di sopra, poi si presentò il tuttofare con la sua cassetta degli attrezzi e cominciò a montare i mobili. Victoria telefonò alla ditta per ordinare un materasso a molle, che arrivò prima ancora che il letto fosse pronto. Per le sei, quando Bunny tornò a casa, Victoria era seduta nel bel mezzo della sua camera a contemplarla. Aveva scelto mobili bianchi e tende bianche di pizzo, un tappeto bianco e blu, un copriletto a righe bianche e azzurre con cuscini in tinta... Un'atmosfera ariosa, con un che di californiano. In un angolo aveva piazzato una comodissima poltrona azzurra, dove poteva leggere se non aveva voglia di stare nel soggiorno comune. Si era comprata anche un piccolo televisore che poteva guardare stando sdraiata a letto. Per fortuna l'assegno di suo padre, anche se non era stato sufficiente, aveva contribuito ampiamente a pagare quella roba.

Si stese sul letto stanca ma felice, e quando Bunny entrò le fece un grande sorriso.

«Bene, sembri una campeggiatrice che ha appena montato la tenda», fu il suo commento. «Mi piace la roba che hai scelto.»

«Sì, anche a me», rispose Victoria tutta contenta. Questo era il suo primo, vero appartamento. Fino a quel giorno aveva avuto soltanto una camera nei pensionati universitari, al cui confronto questa, che pure non era enorme, era una reggia. Divideva uno dei due bagni con Bunny, mentre l'altro apparteneva ai maschi. Si era accorta che Bunny era una persona di una pulizia meticolosa perché il bagno era immacolato. Sì, sarebbe stata bene con quei ragazzi.

«Ti fermi qui, stanotte?» chiese la sua coinquilina, sollecita. «Se hai bisogno di aiuto per disfare i bagagli, stasera sono a casa: posso darti una mano.» Victoria aveva passato il pomeriggio a mettere in ordine la sua roba, si era già fatta il letto e aveva messo gli asciugamani nuovi in lavatrice, nella lavanderia che si trovava nel seminterrato.

«Devo andare a ritirare la mia roba in albergo.» Aveva lasciato la camera quella mattina in modo da risparmiare qualche soldo e chiesto al portiere di tenerle in deposito il bagaglio. «Fra un po' vado a prendere tutto, e poi torno.»

Quando i due ragazzi tornarono a casa vennero a sbirciare nella sua camera e si complimentarono perché era molto graziosa e aveva un'aria fresca, pulita e moderna. Harlan disse che gli ricordava una casa sulla spiaggia di Malibu. Victoria aveva persino comprato la fotografia incorniciata di una lunga spiaggia dalla sabbia fine e il mare azzurro, che le infondevano serenità, e l'aveva appesa a una parete.

La camera, che era stata ritinteggiata di recente, aveva un rassicurante odore di mobili nuovi. Le finestre, dalle quali entrava luce in abbondanza, si aprivano sulla strada e sui tetti.

I suoi compagni di appartamento le proposero di festeggiare l'avvenimento con una bella cenetta. Victoria accettò con gioia, e poco dopo uscì per andare a ritirare il suo bagaglio all'albergo con il furgone, che avrebbe restituito il mattino dopo, e tornare in tempo per mangiare in compagnia. Il trasferimento dall'albergo all'appartamento era stato piuttosto stressante anche se fino a quel momento tutto era andato per il meglio, e non vedeva l'ora di rilassarsi con i nuovi amici.

Quando aprì la porta uno stuzzicante profumino le solleticò le narici. Che fortuna! A quanto pareva era capitata in mezzo a degli chef. Si unì a loro anche Julie, la fidanzata di Bill, e quando Victoria rientrò con le sue quattro valigie –

contenevano tutto il suo guardaroba, invernale ed estivo, e Bunny le disse che era stata un'ottima idea perché a New York già in ottobre poteva cominciare a far freddo – li trovò tutti in cucina a bere vino e ridere.

Lungo la strada si era fermata per comprare una bottiglia di vino rosso da offrire, e la mise sul tavolo della cucina. Loro espressero entusiasmo e l'aprirono immediatamente. Avevano già fatto fuori una bottiglia, e anche se era stata divisa in quattro, cominciavano a essere allegri. Aveva avuto la tentazione di comprare anche dei gelati, ma ci aveva ripensato.

La cena fu pronta solo alle dieci, quando tutti ormai stavano morendo di fame. Bunny, che quella sera aveva cucinato pressoché da sola perché gli altri erano tornati tardi dalla palestra, si era data da fare per ore in cucina.

Tutti facevano esercizio fisico ed erano in gran forma. Anche la fidanzata di Bill, che lavorava per una società di cosmetici, aveva un corpo favoloso. In quell'ambiente finalmente Victoria si sentì accettata, e anzi i suoi nuovi amici espressero apprezzamento e la giudicarono molto coraggiosa in quanto i suoi allievi non erano molto distanti da lei per età.

«I ragazzi mi terrorizzano», confessò Bunny. «Ogni volta che vengono nella mia galleria d'arte scappo a nascondermi. Rompono o rovinano sempre qualcosa, mettendomi nei guai.» Era laureata in lettere, e il suo ragazzo, che abitava a Boston, studiava giurisprudenza e veniva a trovarla durante il weekend, oppure andava lei a Boston da lui.

Harlan raccontò che lui e il suo compagno si erano lasciati da sei mesi, dopodiché lui si era trasferito in quell'appartamento e aveva intenzione di dare un taglio netto, almeno per un po', alle sue storie romantiche. Per il momento non frequentava nessuno...

Victoria confessò di essere nella stessa situazione. Le sue storie d'amore erano finite tutte male, ma non poteva accettare che la colpa fosse soltanto del suo aspetto e del suo peso come sosteneva il padre. Lui non la considerava abbastanza carina, mentre secondo la madre era troppo intelligente per la maggioranza degli uomini e li metteva in imbarazzo, ecco la sua vera maledizione. Victoria invece era convinta di non essere né troppo brutta né troppo intelligente, eppure non aveva mai vissuto una passione travolgente. Fino a quel giorno aveva avuto semplicemente dei flirt, a parte le storie deprimenti con Beau e con il laureando in fisica nucleare. C'era stata tutta una serie di appuntamenti che sembravano allettanti ma che non avevano condotto a niente. Si augurava che New York le portasse fortuna anche da questo punto di vista. Per tutto il resto l'aveva avuta: aveva trovato un lavoro e un bell'appartamento da condividere con tre splendide persone, una più simpatica dell'altra!

La cena era squisita. Bunny aveva preparato gazpacho e una paella con frutti di mare freschi, l'ideale per una torrida giornata estiva, il tutto innaffiato da una sangria ghiacciata che avevano bevuto quando il vino era finito. Come dessert c'era del gelato con biscotti e panna montata. Quando Victoria lo vide arrivare in tavola si rese conto che non avrebbe saputo resistere...

«È un po' come mostrare dell'eroina a un tossicomane», si lagnò, servendosene una bella coppa.

«Anch'io adoro i gelati», confessò Harlan. A giudicare dal suo fisico asciutto, però, non si sarebbe detto.

111

Victoria però non mangiava gelati da tantissimo tempo, perciò stavolta decise di essere indulgente con se stessa e di concedersi un piccolo strappo alla regola. In fondo stavano festeggiando! Dopo, si congratulò tacitamente con se stessa per non aver fatto il bis. Comunque, a quanto pareva l'unica ad avere problemi di peso era lei. Erano tutti e quattro snelli, scattanti, con una figura armoniosa e un ottimo tono muscolare, dovuto al costante allenamento, e mangiavano senza ingrassare.

Secondo Bill la ginnastica era il miglior antidoto contro lo stress, mentre Harlan detestava qualsiasi tipo di esercizio fisico, e vi si sottoponeva malvolentieri perché era l'unico modo per mantenersi in forma. Bunny aggiunse che stavano cominciando a pensare di comprarsi un tapis roulant, in modo da non essere costretti ad andare in palestra ogni giorno. Victoria dichiarò che le sembrava una splendida idea, perché trovandoselo lì si sarebbe sentita obbligata a usarlo.

Insomma, insieme formavano un gruppo di persone impegnate e piene di idee e di progetti per il futuro. Victoria era felicissima di essere andata a vivere con loro; era mille volte meglio che vivere da sola in un monolocale. Lì poteva avere più spazio ed essere in buona compagnia, e quando non le andava di vedere nessuno le bastava chiudersi in camera sua, che era molto accogliente e tranquilla. Era molto soddisfatta di quello che era riuscita a ottenere e del modo in cui tutto si era risolto.

Ringraziò Harlan di cuore per i suoi preziosi consigli.

«Per carità, figurati!» disse lui sorridendole. «Oltre al mio solito lavoro, per un periodo ho fatto il vetrinista per tutta SoHo. Facevo anche le vetrine di Chanel. Una volta il mio grande sogno era quello di fare l'arredatore d'interni.

Adesso sono indaffaratissimo al Costume Institute, ma ho sempre idee nuove e tanti progetti in testa, sai?» Effettivamente sembrava un tipo molto creativo, e si vestiva in modo eccentrico ma con grande gusto.

Mentre erano tutti seduti intorno al tavolo, Victoria sperò che vivendo con quelle persone simpatiche e andando in palestra con la stessa regolarità con cui la frequentavano loro sarebbe riuscita a tenere il peso sotto controllo. Avrebbero potuto esercitare una buona influenza su di lei, soprattutto se avesse trovato il coraggio di tenersi alla larga dai dolci. Era davvero stufa di essere grande e grossa e con un seno enorme! La sua figura giunonica poteva anche essere considerata bella, sì, ma in altri tempi! Chissà se la bisnonna aveva delle gambe snelle come le sue. Dalle fotografie non si capiva, perché a quell'epoca le donne portavano i vestiti lunghi. Si domandò se smettendo di mangiare gelati, e dimagrendo, avrebbe potuto anche lei sfoggiare le gonne corte.

Riaffiorò il ben noto senso di colpa. Si ripromise di fare jogging ogni mattina e di iscriversi in palestra subito, il giorno seguente... magari poteva andare in quella di Bunny.

Chiacchierarono fino all'una, poi si ritirarono nelle loro camere; Julie passò la notte con Bill.

Victoria si infilò fra le lenzuola del suo nuovo letto ampio e comodo con il cuore leggero. Sorrise. Ogni cosa, in quella stanza, le pareva bella e positiva, proprio come lei voleva che fosse. Quello stava diventando il piccolo mondo accogliente della vita che si stava costruendo a poco a poco. Ed era soltanto l'inizio. Presto avrebbe avuto un nuovo lavoro, nuovi amici, nuovi studenti e, chissà, forse un giorno anche un ragazzo. Decise che era meglio tornare con i piedi per terra e smettere di fantasticare. A ogni modo trovare l'appartamento era stato il primo passo per diventare una vera newyorkese!

Si sentì triste al pensiero di essere così lontana da Grace, e pensò di telefonarle, ma era troppo stanca, e dopotutto le aveva parlato proprio quella mattina mentre stava facendo le compere per la stanza. Aveva promesso alla sua sorellina di spedirle un po' di fotografie dell'appartamento e della sua camera.

Pensando a Grace e a quando sarebbe potuta venire a trovarla, scivolò nel sonno. Sognò che sarebbero andate a fare shopping insieme, e lei sarebbe diventata snella e magra e avrebbe avuto un corpo più adatto alla sua nuova vita. La commessa nel sogno le aveva portato un vestito taglia large, ma Victoria l'aveva informata che lei adesso portava la small, e tutti i clienti nel grande magazzino si erano messi ad applaudire.

9

PRIMA che cominciasse la scuola Victoria dovette partecipare a due giorni interi di riunioni, che le diedero la
possibilità di incontrare i colleghi. Esaminò i libri di testo
scelti dall'insegnante che sostituiva, e che aveva addirittura
steso per lei, seppure a grandi linee, l'intero programma.
Si sentì molto sollevata, perché la cosa la preoccupava da
parecchi giorni, data la sua totale inesperienza. Per fortuna
tutto sembrava molto più facile di quanto avesse temuto,
perciò si rilassò e chiacchierò con gli altri docenti a mano
a mano che li conosceva.

La sezione di inglese, una delle più grandi, contava otto
insegnanti, cinque donne e tre uomini, ovviamente tutti di
gran lunga più vecchi di lei. Si accorse che i professori di
sesso maschile che lavoravano alla Madison School erano
gay oppure sposati. Che peccato! D'altra parte, lei non era
lì per trovare un fidanzato, si rimproverò aspramente, ma
per insegnare. E basta.

Quando tornava a casa dopo il collegio docenti si tuffava
nei libri, studiava attentamente il programma, prendeva
appunti per i compiti da assegnare e per le verifiche da sotto-

porre agli allievi. Avrebbe avuto quattro classi: una seconda, una terza e due quarte. All'università le avevano detto che quelli dell'ultimo anno erano i più difficili: mordevano il freno perché avrebbero lasciato presto il liceo per andare al college; quando cominciavano a ricevere le risposte favorevoli alle domande di ammissione che avevano spedito agli istituti universitari, era praticamente impossibile ottenere la loro attenzione e farli lavorare sul serio. Sarebbe stato un anno molto impegnativo, anche se non vedeva l'ora di mettersi al lavoro. La notte precedente l'inizio della scuola quasi non chiuse occhio.

Alle sei era già in piedi. Vestita di tutto punto, alle sette si preparò una robusta colazione a base di uova, pane tostato, cereali, succo d'arancia, caffè (ne preparò un thermos anche per i suoi coinquilini), e alle sette e mezzo era di nuovo in camera a buttar giù appunti. Alle otto meno un quarto usciva per raggiungere a piedi la scuola. Arrivò in perfetto orario, alle otto in punto; le lezioni cominciavano alle otto e mezzo. Si diresse alla sua classe, una quarta di ventiquattro studenti, e poi cominciò a camminare nervosamente avanti e indietro fermandosi ogni tanto a guardare fuori dalla finestra e a rimirare l'imponente cattedra che torreggiava sui banchi.

Aveva deciso di cominciare con un tema d'inglese. Sapeva benissimo che sarebbe stata dura far concentrare gli allievi e richiamare la loro attenzione dopo le vacanze estive, tanto più che essendo studenti dell'ultimo anno avevano la testa già da un'altra parte. Oltretutto lei avrebbe dovuto scrivere le lettere di raccomandazione. Sarebbe diventata una persona importante, per il loro futuro, ecco perché dovevano essere seri e diligenti quando lei faceva lezione. Be', comunque fra pochissimo li avrebbe conosciuti, si disse agitata. Mentre era immersa nei suoi pensieri sentì una voce alle sue spalle: «Pronta per l'assalto?» Si voltò e vide una donna con i capelli grigi, in jeans, camicia scolorita con stampato il nome di una band e sandali. Una tenuta decisamente più adatta a chi è in vacanza, anche se faceva ancora caldo. Sorrise quando Victoria la guardò sconcertata. Lei quel giorno si era messa una gonna di cotone nero, una camicia di lino bianco e scarpe basse. L'ampia camicia nascondeva quello che doveva nascondere, e la gonna, al ginocchio, metteva in risalto le gambe ma senza renderla sexy. D'altra parte non aveva nessuna intenzione di sedurre i suoi allievi maschi.

«Salve», salutò Victoria, guardando un po' meravigliata la collega. L'aveva già vista al consiglio docenti, ma non si erano ancora presentate.

«Io insegno studi sociali. Ho la classe vicina alla tua: se ti creano problemi, fammi un fischio. Mi chiamo Helen.» Si avvicinò sorridendo con la mano tesa. Aveva più o meno l'età della madre di Victoria, cioè doveva essere sui quarantacinque anni. Christine ne aveva appena compiuti cinquanta. «Lavoro qui da ventidue anni, quindi se hai bisogno di una dritta sottobanco oppure di una guida, basta chiedere. Qui, a parte i ragazzi e i loro genitori, siamo tutte brave persone. Almeno, qualche genitore. In realtà ci sono anche ottimi elementi, nonostante siano sempre vissuti nella bambagia.»

Suonò la campanella, e si sentirono i passi degli studenti che salivano di corsa le scale.

«Grazie», disse Victoria, non sapendo cos'altro aggiungere. Quelle critiche la stupirono, soprattutto da parte di chi sapeva benissimo di insegnare in una scuola per ricchi.

«Adoro i miei ragazzi, ma a volte mi riesce difficile co-

117

stringerli ad affrontare la realtà della gente comune. Vedi, i loro genitori hanno la barca, la casa agli Hamptons, passano l'estate nel Sud della Francia... Non si rendono conto dei sacrifici che la gente comune deve affrontare, per loro sono qualcosa di remoto. Tocca a noi fargli conoscere il mondo vero. Certe volte non è facile, ma presto o tardi ci si riesce con quasi tutti. È molto più complicato con i genitori, che oramai si sono incancreniti e non vengono toccati da quello che succede nell'altra metà del mondo. Però i ragazzi hanno il diritto di conoscere la realtà e di fare le loro scelte.»

Victoria era d'accordo, ma dovette ammettere di non aver pensato, fino a quel momento, all'ambiente in cui vivevano quei ragazzi e all'influenza negativa che poteva esercitare su di loro.

Helen aveva parlato con un tono amaro e pieno di risentimento nei confronti dei suoi allievi, tanto che Victoria si domandò se non fosse un po' gelosa della vita privilegiata che facevano. Quando se ne andò, entrò in classe la prima studentessa, una bellissima ragazza che si chiamava Becki, con una folta e lunga chioma di capelli biondi. Portava una maglietta rosa, jeans bianchi e un paio di costosissimi sandali italiani. Andò a occupare un banco più o meno al centro della classe; significava che non sembrava molto ansiosa di partecipare, ma non era neanche una di quei lavativi che si imboscano nell'ultima fila. Mentre si sedeva sorrise a Victoria. Aveva un'aria molto disinvolta, come se si sentisse la padrona del mondo, e la tipica sfacciataggine degli studenti dell'ultimo anno.

Pensando che le separavano soltanto pochi anni, Victoria si sentì tremare il cuore di fronte alla sicurezza che quella ragazza ostentava, ma poi si riscosse e si disse che quella

118

che comandava in classe era lei. A parte il fatto che i suoi allievi, anche se vedevano che era giovane, non potevano conoscere con esattezza la sua età, sentiva di doversi guadagnare il loro rispetto.

Stava riflettendo su tutto questo quando quattro ragazzi piombarono in classe rumorosamente e andarono a sedersi. Lanciarono un'occhiata a Becki, che ovviamente conoscevano, e un'altra, di blanda curiosità, in direzione di Victoria. Poi entrò uno stuolo di ragazze che ridevano e chiacchieravano. Salutarono Becki, ignorarono i loro compagni maschi, diedero una sbirciatina a Victoria e andarono a sedersi in gruppo in fondo all'aula. Era evidente che volevano continuare a chiacchierare, scambiarsi bigliettini e mandare sms. Le avrebbe tenute d'occhio. A poco a poco, alla spicciolata o in gruppo, arrivarono tutti, e nel giro di dieci minuti la classe fu al completo.

Era la sua prima lezione! Emozionata, salutò con un grande sorriso e si presentò. Anzi, scrisse il proprio nome sulla lavagna e poi si voltò a guardare gli studenti.

«Mi piacerebbe collegare ogni faccia a un nome, quindi è meglio se cominciate a presentarvi.» Indicò una ragazza in prima fila, all'estrema sinistra. «Partiamo da te e facciamo il giro.» Ogni ragazzo pronunciò il proprio nome, che lei controllava a mano a mano sul registro. «Chi sa già dove vuole mandare la domanda di ammissione al college?» Si alzarono meno della metà delle mani. «Vi piacerebbe parlarne? Tu, per esempio...» Indicò un ragazzo in una delle ultime file, che aveva già l'aria scocciata. Victoria ovviamente non poteva saperlo, ma era stato il ragazzo di Becki, però si erano lasciati prima dell'estate. Adesso erano tutti e due single. Becki era appena tornata dalla villa di suo padre nel Sud della Francia; anche i suoi genitori erano divorziati.

Il ragazzo snocciolò una lista di istituti di grande prestigio: Harvard, Princeton, Yale, Stanford, Duke, Darthmouth, e magari il MIT... Si chiese se le stesse raccontando la verità oppure se la prendesse in giro. Al momento, non conoscendoli affatto, non era in grado di capirlo, ma presto ci sarebbe riuscita.

«E non hai pensato alla scuola di circo di Miami?» gli domandò con espressione impenetrabile. Tutti si misero a ridere. «Dovrebbe essere divertente.»

«Io voglio fare ingegneria chimica, con fisica come seconda scelta, o magari il contrario.»

«Come sono i tuoi voti in inglese?» gli domandò. Era il classico tipo che doveva considerare i temi una vera rottura.

«Non molto buoni», ammise lui diventando rosso come un peperone. «Riesco meglio nelle materie scientifiche.»

«E voi?» domandò Victoria alla classe in generale. «Come ve la cavate in inglese?»

Qualcuno disse che andava malissimo perché gli faceva schifo, qualcun altro che se la cavava discretamente. In realtà era troppo presto per rendersi conto della situazione.

«Be', se volete entrare in uno dei college nominati dal vostro compagno, e presumo sia quello che desiderano parecchi di voi, avete senz'altro bisogno di voti decenti in inglese. Così quest'anno lavoreremo con impegno. Imparerete a scrivere bene, in modo da mandare un saggio impeccabile insieme con la domanda di ammissione. Comunque sappiate che sarò felice di aiutarvi.»

Questo discorso attirò l'attenzione generale, perché era

proiettato sul futuro di quei giovani, che da quel momento in poi furono tutt'orecchi.

Victoria parlò dell'importanza di scrivere in modo chiaro e coerente, anche senza pretendere la prosa elegante dei grandi scrittori, ma piuttosto dimostrando di essere in grado di comporre una storia interessante che avesse un principio, uno svolgimento e una fine. «Vedrete, ci divertiremo. Scrivere non deve essere per forza un'impresa pesante, una scocciatura, anche se mi rendo conto che per qualcuno può rivelarsi difficile», concluse dando un'occhiata al ragazzo che voleva andare al MIT. Evidentemente inglese non era la sua materia preferita. «Imparerete a comporre pezzi umoristici, a scrivere un commento sulla situazione politica mondiale. Ci dedicheremo alla scrittura creativa... Qualsiasi cosa scriverete, cercate sempre di renderla semplice e chiara, e di darle quel tocco che inviti a leggerla fino in fondo. Sarebbe bello se prendessimo l'abitudine di leggere i temi in classe.»

Si voltò verso la lavagna dietro la sua cattedra, lunga tutta la parete, e con una bella calligrafia chiara scrisse il titolo della traccia di quel giorno: «Le mie vacanze estive». Subito qualcuno si lamentò ad alta voce. Allora si voltò e li guardò. «Attenti, non è un titolo semplice come sembra; deve essere un po' interpretato, perché ha un suo significato simbolico e può anche prendere una piega inaspettata. Non voglio sapere cosa avete fatto durante le vacanze, che magari sono state noiose come le mie, in famiglia, a Los Angeles. Voglio che scriviate qualcosa sulle vacanze estive che avreste voluto. Leggendo i vostri componimenti dovrebbe venirmi voglia di fare una vacanza così. Spiegate perché invece avete fatto tutt'altro. E dovete scrivere bene, senza approssimazione, mi raccomando. So che potete farcela, se vi impegnate.»

A quel punto rivolse a tutti un gran sorriso e disse qualcosa di inaspettato: «La lezione è finita. Potete andare». Per un attimo la guardarono stupiti, poi si alzarono dai loro posti e, lanciando un selvaggio urlo di gioia, cominciarono ad avviarsi verso la porta. Victoria li fermò e prima di lasciarli liberi aggiunse che il tema doveva essere consegnato tassativamente alla lezione successiva, tre giorni più tardi. Siccome i ragazzi si lasciarono sfuggire alti gemiti, Victoria giudicò opportuno essere ancora più chiara: «Non deve per forza essere lungo, ma neanche corto».

«Io vorrei aver passato l'estate in un bordello in Marocco», dichiarò uno, e tutti scoppiarono a ridere. Prendere in giro gli insegnanti non passava mai di moda. Victoria rimase interdetta, ma si guardò bene dal mostrarsi scandalizzata. Ai ragazzi di quell'età piaceva scioccare gli adulti, e lei non voleva che si illudessero di esserci riusciti.

«Potrebbe anche essere una scelta da prendere in considerazione», gli rispose tranquillamente. «Però guarda che devi risultare sincero. Io devo crederti. Se non ci riesco, ti è andata male. Ecco il guaio. Devi interessarmi, farmi innamorare dei tuoi personaggi o di te. Perché l'importante, quando scrivi, è convincere il lettore che la tua storia è vera, e per ottenere questo devi crederci anche tu. Buon divertimento», concluse, mentre tutti uscivano.

Aveva un intervallo fra due lezioni, ma rimase alla cattedra a prendere appunti. In quel momento Helen, l'insegnante della classe vicina, tornò a cercarla. Sembrava interessata a lei. Carla Bernini, la collega in congedo di maternità, era la sua migliore amica, e Victoria si domandò se venisse a controllare quello che considerava territorio personale dell'insegnante assente, oppure se volesse tenerla d'occhio.

«Com'è andata?» domandò sedendosi a un banco.

«Benino, credo», rispose Victoria onestamente. «Non mi hanno tirato addosso niente, non mi hanno lanciato petardi o bombette puzzolenti. E io ho fatto una lezione breve, tanto per rompere il ghiaccio.» Quando studiava si era resa conto che non si può rimanere seduti tutti insieme a parlare in eterno di come si fa un tema. Bisogna semplicemente decidersi a farlo, per quanto possa essere scoraggiante. «Ho dato un compito facile, ma mi serve per capire la situazione della classe.»

«Deve essere arduo prendere il posto di un'altra persona», osservò Helen, tastando il terreno. Victoria alzò le spalle.

«Io cerco di non pensarci. Ognuno di noi ha il suo stile.»

«E il tuo quale sarebbe?» le domandò l'altra con interesse, come se fosse venuta lì a intervistarla.

«Ancora non lo so. Oggi è il mio primo giorno d'insegnamento. Mi sono laureata in maggio.»

«Caspita, allora sarai un po' nervosa. Complimenti: hai un bel coraggio!» esclamò con un tono che ricordò a Victoria quello di suo padre. Ma si accorse che non le importava; le bastava sapere di aver fatto un buon lavoro. Se Helen voleva sfidarla, be', lei avrebbe raccolto il guanto, del resto sapeva che avrebbe dovuto dimostrare cosa valeva non soltanto agli studenti ma anche ai colleghi.

Un'ora dopo, alla lezione successiva, un'altra quarta, parecchi studenti arrivarono in ritardo.

Anche a loro diede un tema da fare, ma stavolta la traccia era «Quello che voglio fare da grande, e perché». «Questo componimento è un'occasione per riflettere seriamente sul vostro futuro. Quando avrò finito di leggere i vostri lavori voglio rispettarvi e ammirarvi. Ma va benissimo anche se

123

riuscite a farmi ridere. Cercate di non mostrarvi troppo pesanti, a meno che non vogliate fare l'imbalsamatore o l'impresario delle pompe funebri.»

Alla fine di quest'altra ora si convinse di aver cominciato bene la sua carriera di professoressa, di avere in pugno la situazione e di essere in grado di farsi rispettare. Comunque, tutto sommato, le erano sembrate classi tranquille, e i ragazzi abbastanza educati, anche se sapeva di doverselo guadagnare, il loro impegno.

Lei e Helen rimasero ancora qualche minuto a chiacchierare, poi tutt'e due raccolsero la loro roba e uscirono dall'aula.

Victoria decise di andare in sala professori a studiare dei memorandum che le avevano dato il preside e il responsabile della disciplina. A quanto pareva in quell'istituto erano stati apportati grandi cambiamenti. Nel pomeriggio andò a una riunione della sezione di inglese, e quando uscì dalla scuola fece a piedi la strada per tornare a casa; ci volevano solo dieci minuti. Che bello abitare così vicino!

I suoi coinquilini, che erano già rientrati tutti, le chiesero com'era andato il primo giorno di scuola.

«Benissimo!» rispose Victoria tutta felice.

Un'ora più tardi le telefonò Grace per farle la stessa domanda, e anche a lei diede la stessa risposta: era andato a meraviglia, e i ragazzi le erano piaciuti. Anche se vivevano nel lusso e avevano fatto il giro di una moltitudine di Paesi con i loro genitori, conservavano l'innocenza e l'entusiasmo della loro età. Voleva aiutarli a pensare con la propria testa, e a realizzare i loro sogni usando l'intelligenza unita al cuore. Dopotutto era quello il suo lavoro: aprire ai suoi studenti una porta sul mondo.

10

QUANDO Victoria fece la conoscenza dei suoi studenti di terza e seconda si meravigliò di trovarli molto più difficili da gestire di quelli che frequentavano l'ultimo anno. I ragazzi di terza erano stressati perché sapevano che cominciava un anno durissimo, il più importante del quadriennio per l'iscrizione al college. Erano terrorizzati al pensiero che lei li caricasse di troppi compiti da fare a casa.

Quelli di seconda erano scostanti, quasi bellicosi, e Victoria concluse tra sé che le ragazzine di quindici anni sono un bell'osso duro. Anche per lei era stata l'età difficile; solo sua sorella Grace rappresentava un'eccezione, perché le era sempre sembrata più affabile e gentile della maggior parte delle sue coetanee, che spesso erano sfacciate e insolenti. Mentre uscivano dalla classe, Victoria sentì due di loro commentare il suo aspetto fisico con voce abbastanza alta da farsi sentire. Lei non se ne curò: in fondo erano soltanto delle mocciose... Ma dovette ammettere che in realtà le loro frasi l'avevano ferita molto. Una delle due l'aveva definita «cicciona», l'altra aveva detto che con quel vestito sembrava un carro armato.

Quella sera, quando si spogliò, buttò tutto nel mucchio della roba scartata di cui aveva intenzione di liberarsi. Non si sarebbe mai più sentita a suo agio vestita così durante le lezioni. In cucina trovò un boccale di birra mezzo pieno e se lo scolò fino all'ultima goccia, anche se aveva un gusto che non le piaceva, ma tanto per consolarsi.

«Brutta giornata?» domandò Harlan entrando per farsi una tazza di tè. Ne offrì una anche a lei.

«Ehm... sì. Le ragazzine di seconda possono essere abbastanza antipatiche. Oggi ho avuto a che fare con loro in veste di prof per la prima volta.» Sembrava così infelice, quando andò a sedersi al tavolo della cucina! Bevve il tè... con i biscotti che si era comprata tornando a casa.

«Certo dev'essere dura per una ragazza così giovane insegnare a studenti delle superiori che hanno quasi la tua età», commentò lui comprensivo.

«In realtà, quelli dell'ultimo anno si sono rivelati più maturi di quel che pensavo. Finora i peggiori sono i più giovani. Dei veri bastardi. Nei confronti di quelli di terza sento una grande responsabilità perché è l'anno più importante prima del college, e i ragazzi vengono torchiati da noi e incalzati dai genitori perché mantengano una media alta.»

«Guarda, non ti invidio», commentò lui con un sorriso solidale. «I giovani possono essere spietati, se vogliono. No, credo che non ce la farei ad avere a che fare con una trentina di quei begli elementi!»

«È vero che io non ho esperienza», ammise Victoria, «ma penso che questo lavoro finirà per piacermi. Quando facevo il tirocinio all'università, mi avevano dato una prima. Qui però è tutto diverso perché questi ragazzi vengono da famiglie aristocratiche, che appartengono al gradino più alto della scala sociale, che pretendono molto dai figli e sono anche esigenti con i loro insegnanti. Con quella gente c'è poco da scherzare. Comunque io voglio soltanto rendere le mie lezioni sempre più interessanti, conquistarmi la simpatia dei ragazzi e nello stesso tempo dare loro delle ottime basi.»

«Brrr... meglio stare alla larga», disse lui fingendo di rabbrividire.

Victoria si mise a ridere. «Non sono perfidi fino a quel punto», rispose difendendoli. «In fondo sono solo dei ragazzi!»

Ma il giorno dopo, durante la lezione alle quarte, quasi quasi stava per dare ragione ad Harlan. Solo la metà consegnò il tema. Victoria era molto delusa, e non lo nascose.

«Perché non hai fatto il compito?» domandò a Becki Adams.

«Avevo troppo da studiare per le altre materie», rispose con un'alzata di spalle, mentre la ragazza seduta vicino a lei rideva coprendosi la bocca con la mano.

«Posso ricordarti che inglese è obbligatorio? Il tuo voto in questo trimestre dipenderà da quello che farai nelle mie ore.»

«Ah sì? Be', dica quello che vuole», ribatté Becki voltandosi verso la sua compagna di banco e bisbigliandole qualcosa all'orecchio guardando Victoria con aria di derisione.

Cercò di mantenere l'autocontrollo, raccolse i temi che erano stati consegnati e ringraziò gli studenti che li avevano fatti.

«A quelli che non hanno portato il tema», aggiunse con la massima calma, «ricordo che hanno tempo fino a lunedì, e che d'ora in avanti i temi dovranno essere tassativamente consegnati il giorno stabilito, tranne per cause di forza maggiore. In questo caso dovrete portare una giustificazione scritta.» Per quella volta non assegnò altri compiti per il weekend, ma se quei mocciosi si illudevano di fare i furbi con lei si sbagliavano di grosso.

Poi illustrò i punti base per scrivere un saggio in modo chiaro ed eloquente e fece passare fra gli alunni qualche esempio, spiegandone i vari passaggi. Stavolta tutti la ignorarono. Due ragazze in ultima fila si erano messe le cuffie dell'iPod, tre maschi stavano ridendo a crepapelle dandosi delle manate sulla schiena, parecchie allieve si passavano bigliettini e Becki tirò fuori il BlackBerry e cominciò a mandare messaggi. Victoria si sentiva come se le avessero dato uno schiaffo in faccia e si rese conto di non sapere come reagire. I suoi studenti sembravano un branco di ragazzini, ma in fondo avevano solo qualche anno meno di lei!

«Basta! Qual è il problema?» sbottò, però con la voce quieta e bassa. «Forse siete convinti di potervi permettere di non stare attenti durante la lezione, oppure che mostrarsi educati e gentili sia un optional! Ma come, non vi importa niente dei voti? Anche se siete in quarta non farete una bella figura, se verrete bocciati in inglese. Sappiate che i college potrebbero revocare un'eventuale risposta positiva alla vostra richiesta di ammissione.»

«Lei è soltanto una sostituta e rimane qui finché non torna la signora Bernini», le gridò un ragazzo da una delle ultime file.

«La signora Bernini non torna a scuola per tutto l'anno, perciò vi conviene rassegnarvi e fare buon viso a cattivo gioco. Vedete voi. Se invece preferite essere bocciati nella mia materia, affari vostri. Poi lo spiegherete voi, al preside e ai vostri genitori. Guardate, è molto semplice: se lavorate e fate quello che vi viene detto prendete dei bei voti; se ve

ne infischiate e non consegnate i compiti... *io vi boccio.*
Sono sicura che la signora Bernini mi darebbe ragione»,
dichiarò Victoria fermandosi davanti a Becki e sequestran-
dole il BlackBerry.

«Non può farlo! Stavo mandando un messaggio a mia
madre!» sbraitò la ragazza scoccandole un'occhiata furiosa.

«Glielo mandi al termine della lezione. Se si tratta di una
questione di emergenza, chiedi il permesso e vai in segreteria.
Ma durante la mia ora non si mandano messaggi! E questo
vale anche per te», concluse indicando una in seconda fila
che in quel momento stava scambiando messaggi con Becki.
Altro che madre!

«Vediamo di capirci bene: niente BlackBerry, niente cellulari, niente iPod durante la mia lezione. Nessuno scambio
di sms. Siamo qui per imparare a scrivere bene in inglese.
E basta.»

La classe non parve particolarmente impressionata, e
quando suonò la campanella tutti si alzarono senza aspettare che fosse lei a dire che la lezione era finita e potevano
uscire. Mentre si precipitavano come una mandria di bisonti
fuori dall'aula, Victoria mise i temi da correggere in cartella,
molto delusa e sfiduciata.

Durante l'ora con l'altra quarta si sentì ancora più depressa, perché si dimostrarono tutti altrettanto ostili. Chiaro:
l'avevano etichettata come la prof che si poteva prendere
in giro e si divertivano a fare i villani; anzi, meglio ancora,
addirittura a ignorarla.

Era come se a tutti quelli dell'ultimo anno avessero spedito un memorandum che spiegava che lei era un tipo da
non prendere sul serio, con la quale si poteva fare baldoria.

Quando Helen mise la testa dentro la sua classe, la vide che tremava tutta e aveva gli occhi lucidi, l'aria sconvolta.

«Brutta giornata?» le domandò in tono comprensivo. Victoria non era ancora riuscita a capire se Helen fosse sua amica, ma in quel momento le sembrò di sì perché aveva un'espressione amichevole e cordiale.

«Be', ecco... non entusiasmante», rispose afferrando la cartella con un sospiro.

«Devi riuscire a dominarli in fretta, prima che prendano il sopravvento. Se ti sfuggono di mano, quelli di quarta possono diventare un problema grosso. Quelli di terza sono fuori di testa perché hanno troppo da fare; quelli di seconda di solito sono un po' più tranquilli, e quelli di prima sono ancora dei bambini, più facili da gestire.» Andava subito al sodo, non c'era che dire. Victoria sorrise.

«Peccato che la signora Bernini non avesse le prime. Io mi ritrovo con due quarte, invece.»

«Ti mangeranno come un bignè, se li lasci fare», l'avvertì Helen. «Devi ribellarti e difenderti con tutti i mezzi. Non devi essere né gentile né carina, e soprattutto non cercare di diventare loro amica: per nessuno, mai! Sono troppo immaturi. I ragazzi che frequentano la Madison School possono essere straordinari, e ce n'è qualcuno di veramente brillante e intelligente, ma ce ne sono tantissimi che sono invadenti, cafoni che si credono i padroni del mondo. Se non stai attenta, ti tratteranno come uno straccio da pavimenti. Idem i loro genitori. Non permettere a quella gente di calpestarti. Ascolta quello che ti dico, fidati di me. Devi essere dura... spietata.» Helen aveva un'aria molto seria, mentre le consigliava tutto questo.

«Comincio a pensare che tu abbia ragione. Metà dei miei

ragazzi non hanno fatto il tema che avevo assegnato a casa e se ne stavano qui a mandare sms e ad ascoltare l'iPod. Come se non gliene importasse un bel niente di quello che dicevo io. Se ne fregavano altamente, ecco!»

Helen sapeva come fosse difficile la vita di un'insegnante novellina: ci era passata anche lei.

«Devi essere dura, spietata!» le ripeté seguendola fuori dalla sua classe e rientrando nella propria. «Devi dare compiti pesanti, difficili e impegnativi... ricordati che devi sempre sfidarli, e quando non si presentano con i compiti fatti fai fioccare le insufficienze. Se non stanno attenti buttali fuori dall'aula e confisca tutta quella robaccia che si portano dietro. Vedrai che cominceranno a rigare dritto.»

Victoria annuì senza parlare. Detestava essere costretta a comportarsi in quel modo, ma si stava convincendo che Helen avesse ragione.

«Cerca di non pensare a queste pesti, durante il weekend. Fai qualcosa di carino, divertiti», continuò in tono materno. «E lunedì mattina, per prima cosa, prendili a calci. Con certa gente funzionano solo le maniere forti.»

«Grazie», disse Victoria sorridendole fra le lacrime. «Buon weekend.» Apprezzava moltissimo i consigli di Helen, le davano un po' di consolazione e la facevano sentire meglio.

«Anche a te!» replicò Helen.

Victoria tornò a casa a piedi, ma con il cuore pesante. Le pareva di essere un totale fallimento, come insegnante. Cominciava a dubitare di aver scelto la professione giusta. Era troppo idealista, aveva fatto troppi splendidi sogni a occhi aperti che adesso non le servivano a un bel niente. La fine della settimana era stata orribile, tutto era andato storto, e adesso aveva una paura folle di non essere capace di controllare quei prepotenti, come Helen aveva insinuato, e che la situazione peggiorasse ulteriormente.

In preda a questi cupi pensieri, si fermò a comprare qualcosa per cena, e finì per portarsi a casa tre grosse fette di pizza e tre barattoli di gelato, di gusti differenti, con l'aggiunta di un pacco di biscotti. Sapeva che quella non era la risposta giusta ai suoi problemi, ma l'unico modo che conosceva per trovare un po' di conforto istantaneo era mangiare.

Rientrata a casa infilò la pizza nel forno e, per prima cosa, aprì il barattolo del gelato al cioccolato. Se n'era già sbafata una buona metà quando Bunny tornò dalla palestra. Victoria non aveva ancora trovato il tempo di andarci. Era troppo presa dalla scuola, e di sera troppo stanca. Bunny non fece commenti, vedendo che divorava tutto quel gelato, ma lei si sentì immediatamente in colpa, chiuse il barattolo e lo ficcò in freezer con tutto il resto.

«Com'è andata la tua prima settimana di scuola?» le domandò Bunny con gentilezza. Victoria aveva un'aria sconvolta.

«Male. I ragazzi sono difficili da controllare... e io non ho alcuna esperienza!»

«Mi dispiace. Cerca di fare qualcosa di divertente, questo weekend. Ci sarà un tempo favoloso. Io vado a Boston, Bill è da Julie e credo che Harlan abbia intenzione di partire per Fire Island. Avrai l'appartamento tutto per te.»

Non era affatto una buona notizia, rifletté Victoria, perché si sentiva sola, depressa, e aveva nostalgia di casa. Grace le mancava.

Quando Bunny la lasciò per andare a prendere il suo aereo per Boston, mangiò la pizza e poi telefonò a casa per parlare con sua sorella. Le rispose la madre, che le chiese come stava. Victoria rispose che stava bene, e poi venne Jim al telefono.

«Pronta a gettare la spugna e a tornare qui da noi?» le domandò con una risatona, tutto allegro. Victoria stavolta fu quasi tentata di rispondere di sì. Temeva di essere completamente inadatta all'insegnamento, ma quelle parole la riportarono di colpo alla realtà. No, non aveva nessuna intenzione di arrendersi.

«Non ancora, papà», lo zittì, cercando di infondere alla sua voce un tono vivace, anche se si sentiva a terra. Quando Grace venne al telefono mancò poco che Victoria non scoppiasse in lacrime. Si stava accorgendo di soffrire moltissimo per la sua mancanza, e tutto d'un tratto si sentì sola, in quell'appartamento vuoto, senza nessuna persona amica vicino. Chiacchierarono a lungo. Grace le raccontò tutto della scuola, parlarono dei suoi insegnanti e delle sue compagne, e alla fine le confessò che c'era un ragazzo nuovo che le piaceva. Faceva la terza. Nella vita di Grace c'era sempre un ragazzo nuovo, in quella di sua sorella mai. Victoria si sentiva abbattuta, piena di autocommiserazione. Si guardò bene dal dire a Grace la verità, e cioè che la settimana appena finita era stata un vero disastro. Quando riattaccarono tirò fuori il barattolo del gelato alla vaniglia, lo aprì, andò nella sua camera, accese il televisore e si infilò a letto completamente vestita. Si mise a guardare un film e fece fuori tutto il gelato; poi, quando vide il barattolo vuoto sul pavimento, vicino al letto, si sentì cogliere da un profondo senso di colpa. Quella era stata la sua cena, una cena che sembrava averle allargato i fianchi all'istante. Era profondamente disgustata di se stessa.

Dopo un po' si mise in pigiama, si infilò di nuovo sotto le coperte e se le tirò fin sopra la testa. Dormì come un sasso fino al mattino. Per scontare i peccati della sera precedente, il sabato andò a passeggiare a Central Park e fece un po' di jogging intorno al laghetto. Il tempo era splendido, e le coppie passeggiavano mano nella mano. Si sentì avvolta da una cappa di tristezza al pensiero di non avere un fidanzato. Le pareva che tutti a questo mondo avessero qualcuno da amare tranne lei.

Facendo jogging, si spinse fino in fondo al parco, piangendo in silenzio. Tornò a casa a piedi, in calzoncini, maglietta e scarpe da ginnastica. Quella sera giurò a se stessa che non avrebbe più mangiato gelati. Era una promessa che intendeva mantenere. Si mise a guardare un altro film alla televisione nell'appartamento vuoto, e nonostante fosse rosa dalla tentazione non toccò neanche un cucchiaino di gelato. In compenso, divorò un intero pacco di biscotti.

La domenica corresse i temi e rimase piacevolmente meravigliata accorgendosi che erano buoni, a volte anche molto buoni, e piuttosto creativi. Indubbiamente qualcuno dei suoi studenti non mancava di talento e sapeva scrivere. Lo riferì il lunedì mattina in classe, prima di cominciare la lezione a una delle quarte. I ragazzi erano entrati rumorosamente e strascicando i piedi, e adesso se ne stavano stravaccati ai loro posti, dimostrando chiaramente di non provare il minimo interesse né per lei né per la sua lezione. Sui banchi facevano bella mostra di sé almeno una decina di BlackBerry. Victoria li raccolse a uno a uno e li mise sulla cattedra. I loro proprietari reagirono subito, sdegnati, ma lei li rassicurò spiegando che li avrebbero riavuti alla fine dell'ora. Qualche BlackBerry vibrò, come in risposta alle lamentazioni del suo proprietario, ma lei fece spallucce.

Victoria lodò i temi che aveva corretto durante il week-end, e i loro autori ne furono molto compiaciuti. Poi ritirò gli altri. Li avevano portati tutti, all'infuori di due bellimbusti che la informarono con aria strafottente che loro il compito non l'avevano fatto.

«C'è stato qualche problema? Il cane ve lo ha mangiato?» indagò lei senza perdere la calma.

«No», le rispose uno dei due, certo Mike MacDuff. «È che siamo andati negli Hamptons e io ho giocato a tennis tutto sabato pomeriggio, la sera avevo un appuntamento con una ragazza e domenica sono andato al golf con mio padre...»

«Sono emozionata e felice per te, Mike. Non sono mai stata negli Hamptons, ma a quanto dicono è un posto magnifico. Sono contenta che tu abbia passato un bel weekend. Però sono costretta a darti un'insufficienza perché non hai fatto il compito.» Detto questo, dedicò tutta la sua attenzione al resto della classe e distribuì le copie di un racconto del quale avrebbero dovuto fare l'analisi.

Mike la guardò con aria torva. Il suo compagno di banco sembrava a disagio perché ormai aveva capito che avrebbe beccato una bella insufficienza anche lui.

Poi Victoria aiutò gli allievi a leggere e commentare attentamente il racconto, brano per brano, e ne illustrò la struttura. Era scritto bene, molto intenso, ed ebbe l'impressione che i ragazzi l'apprezzassero; infatti stavolta le prestarono molta attenzione e lei pensò che i suoi rapporti con la classe a poco a poco stessero migliorando. Perfino Becki si degnò di partecipare alla discussione facendo qualche buona osservazione. Victoria diede come compito quello di scrivere un racconto. Prima di uscire Mike ebbe la faccia tosta di chiederle, in tono piuttosto arrogante, se gli avrebbe tolto l'insufficienza quando avesse portato il tema che non aveva fatto.

«Stavolta no, Mike, mi dispiace», gli rispose con garbo. Si sentiva un mostro, una perfida creatura, ma si era bene impressa nella testa gli ammonimenti di Helen: non poteva permettere che i lazzaroni l'avessero sempre vinta. Mike e il suo compagno, che non si erano degnati di fare il primo compito da lei assegnato, sarebbero serviti da esempio per tutti gli altri.

«Che rottura!» sbottò lui uscendo furioso dall'aula e sbattendo la porta. Victoria non si scompose; voleva prepararsi con calma alla lezione successiva. L'altra quarta.

Quelli sì che erano tosti. Una ragazza, poi, sembrava essersi fatta un punto d'onore di tenerle testa e umiliarla. Prima che lei cominciasse a parlare, si mise a fare ad alta voce una serie di commenti sgradevoli sulle donne sovrappeso. Victoria fece finta di non avere neanche sentito. Si chiamava Sally Fritz, aveva i capelli rosso scuro, le lentiggini e una stella tatuata sul dorso di una mano.

«Scusi, lei a quale college è andata?» domandò in modo scortese a Victoria, interrompendola mentre stava cominciando a far lezione.

«Northwestern. Stai meditando di fare domanda di ammissione anche tu?»

«No, figurarsi!» rispose Sally ad alta voce. «Fa troppo freddo.»

«Sì, è vero. Ma a me è piaciuta moltissimo. È una buona università, quando ti abitui al clima.»

136

«Io faccio domanda all'Università della California e a quella del Texas.»

Victoria fece un cenno di assenso. «Io sono di Los Angeles. In California ci sono ottimi istituti», replicò amabilmente.

«Mio fratello è andato a Stanford», continuò Sally chiacchierando come se non fossero in classe ma al bar. Che sfacciata! Comunque Victoria a un certo punto tagliò corto e diede anche a loro da commentare lo stesso racconto che aveva già dato all'altra classe. Questo gruppo si rivelò più vivace e sollevò critiche più puntuali al testo, il che provocò qualche discussione interessante in aula. Parteciparono tutti, anche se erano partiti con l'intenzione di torturarla e renderle la vita difficile. Victoria però era riuscita a coinvolgerli.

Era molto contenta. Non le importava che i suoi allievi la sfidassero o esprimessero opinioni opposte alla sua, se si trattava di fare osservazioni intelligenti. In fondo, il suo insegnamento mirava a ottenere che si ponessero delle domande, e il racconto che aveva fatto leggere e discutere in classe aveva centrato l'obiettivo. Era una prima vittoria. Andò in sala professori a correggere i compiti, e si fermò un attimo a parlare con Helen.

«Grazie dei suggerimenti che mi hai dato l'altro giorno», disse un po' intimidita. «Mi hanno aiutata.»

«... a prenderli a calci?»

Victoria rise. «No. Però alla prima ora ho dato due insufficienze perché non avevano eseguito il compito. È stata dura: non avrei mai pensato di arrivare a tanto... In fondo siamo appena alla seconda settimana!»

«È un buon inizio. Sono orgogliosa di te. Servirà a mettere in riga anche gli altri.»

«Credo di esserci già riuscita. Ho cominciato a confiscare BlackBerry e iPod ogni volta che me li vedo davanti.»

«Questo non lo sopportano», le confermò Helen. «È di gran lunga meglio scambiarsi sms con gli amici che stare attenti in classe. Non ti pare?» Risero. «Hai passato un buon weekend?»

«Abbastanza. Sabato sono andata al parco e domenica ho corretto i compiti.» E mangiato due barattoli di gelato, una pizza e un sacchetto intero di biscotti, ma quello se lo tenne per sé perché avrebbe mostrato in tutta la sua crudezza il senso di scoramento che l'aveva colta. Quando era triste si abbuffava, e poi giurava che non l'avrebbe fatto mai più. Cominciava a prevedere un rapido ritorno alle taglie più grandi, in un futuro molto prossimo. Se avesse continuato a mangiare così, anche il vestito extralarge che si era portata le sarebbe andato stretto. Doveva ricominciare una dieta al più presto. Temeva di non riuscire mai più a liberarsi da quel tira e molla nevrotico.

Senza amici, senza un ragazzo a cui voler bene, senza una vita sociale a New York, sentendosi così insicura nel lavoro, il rischio di metter su peso era incombente, malgrado i suoi buoni propositi. Al primo segno di crisi si avventava su gelato, biscotti, pizza. Quel weekend aveva toccato il fondo, perché si era buttata a capofitto sul cibo, nonostante l'allarme che le squillava nel cervello ammonendola di stare attenta. Non doveva mai più lasciarsi andare a quel modo.

Helen si immedesimava con la sua giovane e ingenua collega, che le sembrava una gran brava ragazza. «Senti, magari il prossimo weekend possiamo andare al cinema, oppure a un concerto nel parco», propose.

«Come mi piacerebbe!» esclamò Victoria rasserenandosi.

Si considerava l'ultima arrivata... e in effetti lo era. Dopotutto era la docente più giovane. Helen aveva il doppio della sua età, ma trovava quella ragazza molto simpatica. La giudicava brillante e intelligente; si capiva che le piaceva insegnare e cercava la strada giusta per arrivare al cuore degli allievi. D'accordo, forse era un po' ingenua, ma con il tempo avrebbe imparato i segreti del mestiere. Certo che fare l'insegnante all'inizio è impegnativo, una grande sfida per chiunque, specialmente con le classi dei ragazzi più grandi. Del resto si sa che gli studenti delle superiori sono i più difficili da gestire. Eppure Helen sentiva che quella giovane sarebbe riuscita ad affrontare con successo la sua professione, sempre che avesse trovato il sistema di farsi rispettare dai ragazzi.

«Stai andando in sala professori?» domandò Victoria a Helen, speranzosa.

«No, ho un'altra lezione. Ti raggiungo più tardi.»

Victoria le rispose con un cenno di assenso e percorse il corridoio diretta in sala professori, che era deserta. Erano andati tutti a pranzo, cosa che lei stava cercando di evitare. Si era portata una mela: doveva bastarle. Giurò a se stessa di fare la brava e la sgranocchiò correggendo i compiti. Non male anche quelli. Sì, doveva ammettere di avere parecchi studenti molto brillanti, che rivelavano una notevole intelligenza. Sperava di essere all'altezza della situazione, di diventare una buona insegnante e suscitare il loro interesse per la durata dell'intero anno scolastico, di mitigare le proprie insicurezze. Purtroppo sentiva che per tenere in riga dei ragazzi intelligenti ci voleva ben altro che la pura e semplice disciplina! Helen le aveva dato ottimi consigli pratici, ma l'antidoto alla noia e al disinteresse non poteva che essere l'entusiasmo che lei sperava di suscitare. Aveva una paura tremenda perché se avesse fallito per lei sarebbe stato atroce, ma si trattava della cosa più importante della sua vita e doveva tentare. Non le importava niente che fosse un lavoro pagato poco: voleva diventare una grande insegnante, di quelle che si ricordano tutta la vita. Non aveva la minima idea di come riuscirci, ma avrebbe dedicato a questo compito tutte le sue energie. E poi, questo non era che l'inizio. L'anno scolastico era appena cominciato.

Per due settimane Victoria fece di tutto per attirare l'attenzione dei suoi studenti. Confiscò cellulari e Black-Berry, diede compiti a casa uno più difficile dell'altro, e un giorno in cui i suoi alunni di seconda erano un po' troppo irrequieti li portò a fare una passeggiata per il quartiere, e poi chiese che scrivessero le loro impressioni su quello che avevano visto e sentito. Insomma, cercava di farsi venire delle idee creative e di conoscere uno per uno gli allievi delle sue quattro classi.

Dopo un paio di mesi le parve di aver aperto una breccia nel cuore di qualcuno di loro. Durante il weekend si arrovellava per trovare nuove idee da proporre, nuovi libri da leggere, nuovi progetti da realizzare. A volte li coglieva di sorpresa con compiti in classe e questionari, e le sue lezioni erano divertenti e stimolanti.

Verso la fine di novembre ebbe la sensazione che finalmente stava cominciando a ottenere qualcosa, e a guadagnarsi il rispetto. Non tutti i suoi studenti la trovavano simpatica, ma se non altro prestavano attenzione a quello che diceva e rispondevano quando li interrogava.

Tornò a Los Angeles per il Giorno del Ringraziamento con la convinzione di avere raggiunto qualche buon risultato, e che i suoi rapporti con gli allievi fossero notevolmente migliorati. Ma quella piacevole sensazione durò soltanto fino al momento in cui rivide suo padre, che era andato a prenderla all'aeroporto con la mamma e Grace. La sorella le si era buttata fra le braccia strillando di gioia, mentre lei la copriva di baci. Jim, invece, la guardò con occhi pieni di sorpresa mista a riprovazione.

«Perbacco! A quanto pare a New York fanno degli ottimi gelati, eh?» fu il commento con cui la accolse sorridendo, mentre Christine assumeva un'aria afflitta, non per la battuta infelice ma per l'aspetto della figlia. Perché Victoria aveva rimesso su tutti i chili che era riuscita a perdere, ma d'altra parte non faceva che lavorare per la scuola, e non aveva tempo per curare l'alimentazione. Ormai viveva praticamente di cibo cinese pronto e di frappé doppi, al cioccolato. Aveva rinunciato fin dall'inizio alla dieta: non aveva neanche tentato. Ormai l'esclusivo suo interesse era focalizzato sulla scuola, non su se stessa. Mangiava quegli alimenti, anche se erano sbagliati, perché le davano quell'energia, quella forza, quella consolazione di cui aveva bisogno come dell'aria.

«Direi proprio di sì, papà», gli rispose con aria vaga.

«Ma perché non mangi pesce al vapore e verdura, cara?» domandò la mamma. Ma allora era una fissa! Sua madre non la vedeva da quasi tre mesi, eppure non riusciva a pensare a nient'altro che al suo peso. Solo Grace l'aveva accolta come si doveva, con affetto, e la guardava raggiante. A lei non interessava minimamente la taglia che Victoria portava. Le voleva bene e basta. Le due sorelle si incamminarono sottobraccio verso il ritiro bagagli, felici di ritrovarsi insieme.

Il Giorno del Ringraziamento Victoria aiutò la mamma

a cucinare il tacchino. Si godette la giornata e il pranzo in famiglia, che miracolosamente si concluse senza commenti caustici da parte di Jim. Poiché il tempo era bello e faceva abbastanza caldo nonostante la stagione, andarono a sedersi in giardino, e Christine le chiese di parlare un po' del suo lavoro.

«Ti piace?» domandò. Non riusciva a concepire che una ragazza giovane e intelligente come sua figlia volesse fare l'insegnante.

«Sì, da morire», rispose lei. Poi guardò sorridendo la sorella. «I miei studenti del secondo anno sono terribili, dei mostriciattoli come te. Non faccio che confiscare gli iPod che portano in classe, così almeno sono costretti a stare a sentire quello che dico io!»

«Perché non provi a far scrivere loro le parole per una canzone?» le suggerì Grace. La sorella maggiore la guardò sbalordita. «Lo faceva la mia insegnante, e a noi piaceva moltissimo.»

«Che idea magnifica!» esclamò Victoria. Non vedeva l'ora di annunciarlo ai suoi ragazzi. Aveva già pensato di far scrivere poesie agli alunni di terza e quarta, prima di Natale, ma la proposta di far comporre il testo di una canzone agli alunni di seconda era splendida. «Grazie, cara.»

«Ti potrei essere d'aiuto, per la seconda», replicò lei tutta orgogliosa. Possibile che sua sorella si fosse dimenticata che faceva la seconda superiore?

Jim riuscì a non toccare più l'argomento peso, mentre Christine un giorno la prese a quattr'occhi e le suggerì di farsi curare da un medico specialista in problemi di sovrappeso. Victoria ci rimase malissimo, ma poi se la fece passare e il resto del lungo weekend filò liscio. La domenica la riaccom-

142

pagnarono tutti all'aeroporto. Victoria stava meditando di tornare per Natale, quindi stavolta non ci furono né lacrime né facce tristi quando si salutarono. Avrebbe passato tutti i quindici giorni di vacanza con loro.

In aereo rifletté di nuovo sul suggerimento di Grace di proporre agli alunni del secondo anno di scrivere le parole per una canzone.

Quando lo disse ai suoi allievi di seconda il mercoledì mattina loro ne furono entusiasti. Gli studenti di terza e quarta si mostrarono molto meno contenti di comporre la poesia, ma accettarono perché Victoria si era offerta di aiutare qualcuno di loro con i saggi da allegare alle domande di ammissione ai college.

I ragazzi scrissero dei bellissimi testi per canzoni, tanto che uno studente portò a scuola una chitarra e cercò di metterli in musica. Addirittura le chiesero di prolungare quel progetto fino alle vacanze di Natale. Lei acconsentì, e distribuì tanti ottimi voti per l'impegno profuso. Di solito non era così generosa! Anche le poesie erano notevoli; ne rimase davvero sorpresa. Per Natale, Victoria sentiva di essersi guadagnata la fiducia degli allievi; era evidente perché durante le sue lezioni si comportavano tutti molto meglio di prima. Se n'era accorta perfino Helen. Dopo le sue lezioni, gli studenti avevano l'aria contenta ed entusiasta.

«Si può sapere cos'hai fatto a quei ragazzi? Li hai drogati?»

«Ho accettato il suggerimento della mia sorellina di quindici anni. Ho detto loro di scrivere dei testi per una canzone», spiegò Victoria tutta fiera. Helen fu impressionata dalla sua creatività.

«Sei un vero genio, sai? Come vorrei poter fare la stessa cosa con la mia materia!»

«Veramente io ho solo rubato l'idea dell'insegnante di mia sorella, ma ha funzionato. Invece quelli delle ultime classi hanno dovuto comporre una poesia. E qualcuno si è rivelato un autentico talento.»

«Anche tu, sai?» si congratulò Helen scoccandole un'occhiata piena di ammirazione. «Sei un'ottima insegnante, accidenti! Spero che te ne renda conto. Mi fa molto piacere che tu stia imparando a gestire la classe. Alla loro età hanno un grande bisogno di disciplina, devono imparare che esistono dei limiti, ecco!»

«Be', ho lavorato a lungo su questo problema!» ribatté Victoria con franchezza. «Eppure a volte mi pare di aver fatto fiasco e mi sento una fallita perché ho scoperto che nell'insegnamento ci vuole molta più creatività di quanto credessi!»

«A tutti capita di sbagliare, qualche volta», rispose Helen candidamente. «Ma questo non significa che tu sia una cattiva insegnante. Devi insistere, metterti d'impegno, finché non trovi la strada giusta, e così a poco a poco riesci a conquistare il loro cuore. Questo è il compito di noi professori.»

«Mi piace moltissimo quello che faccio», rispose Victoria felice, «anche se certe volte mi sembra di impazzire. Però ultimamente sono un po' meno strafottenti. Uno dei miei studenti è arrivato al punto di fare domanda alla Northwestern perché io gli ho detto che mi sono trovata molto bene in quel college.»

Helen sorrise. Gli occhi di Victoria brillavano di passione; si sentì riscaldare il cuore. «Mi auguro che Eric sia tanto intelligente da assumerti a tempo indeterminato quando tornerà Carla. Sarebbe un pazzo a lasciarti scappare!» si entusiasmò Helen.

«Io ringrazio il cielo di essere qui adesso. Il prossimo anno vedremo.» Di solito, i contratti per l'anno successivo venivano proposti agli insegnanti in marzo e aprile, ma non sapeva se ci sarebbe stata una cattedra vacante per lei. Il fatto che il suo metodo d'insegnamento cominciasse a funzionare la riempiva di gioia, e questo le bastava. Eric Walker, il preside, aveva sentito parlare bene di lei dagli studenti, e due dei genitori erano andati a dirgli che trovavano molto interessanti i compiti che dava a casa. A quanto pareva sapeva stimolare i ragazzi e faceva sì che s'impegnassero quando era necessario. Aveva sempre idee nuove, e non temeva di azzardarsi con le novità, quindi era proprio il tipo di docente adatto a quella scuola.

Dopo il Giorno del Ringraziamento Victoria smise di mangiare in modo compulsivo. Il commento di suo padre e il suggerimento della mamma di prendere contatti con uno studio medico specialistico avevano ottenuto lo scopo di frenarla, almeno un po'. Non aveva ancora iniziato alcuna dieta rigorosa, ma contava di farlo dopo Natale. Aveva anche cominciato a riflettere sulla possibilità di recarsi in un centro di cura per l'obesità, ma rinunciò di nuovo a causa della mancanza di tempo. In ogni caso adesso cercava di trattenersi con la pizza e i gelati; comprava quintali di insalata e si lessava il petto di pollo, che mangiava in cucina in compagnia dei suoi coinquilini; per merenda si limitava a un frutto. Non era ancora riuscita a crearsi una vita sociale, a parte Helen, con la quale ogni tanto andava al cinema. I suoi coinquilini le stavano molto simpatici, ma vedeva soprattutto Harlan, perché Bill era sempre con Julie e Bunny aveva preso l'abitudine di andare a Boston quasi ogni weekend dal suo ragazzo, presso il quale stava pensando di trasferirsi. Harlan invece era in casa più o meno alle sue stesse ore. Era single e lavorava sodo, proprio come lei. Quando rientrava alla sera stanco morto era felice di sprofondarsi in poltrona davanti al televisore in camera sua, e poi di mangiare qualcosa in compagnia in cucina.

«Allora, cos'hai intenzione di fare per Natale?» gli domandò Victoria una sera mentre prendevano una tazza di tè.

«Sono stato invitato a South Beach. Ma non sono ancora sicuro di andarci. Sai, Miami non è un ambiente adatto a me.» Era un uomo serio, che lavorava con impegno e diligenza al museo; non aveva stretti legami con la famiglia e perciò non programmava di tornare nel Mississippi per le vacanze. Diceva che suo padre e sua madre erano ancora sconvolti perché lui era gay, perciò non era il benvenuto a casa. Che tristezza! pensò Victoria.

«Io torno a Los Angeles dai miei genitori e mia sorella», disse lei con aria meditabonda; stava pensando che neanche i suoi l'avevano mai accettata completamente. Non si era mai integrata in famiglia ed era sempre stata reputata una specie di emarginata, di esclusa. Nel suo caso, era la corporatura a metterli in agitazione, non le sue preferenze sessuali; Christine le faceva chiaramente capire che avrebbe preferito morire piuttosto che essere grassa come lei e Jim non era mai stato capace di trattenersi dal fare battute pungenti, senza accorgersi di quanto la ferissero. Eppure Victoria non riusciva a credere che si trattasse di una crudeltà calcolata, voluta.

«Senti la loro mancanza?» le domandò Harlan interessato.

«Qualche volta. Sono tutto quello che ho. Ma soprattutto mi manca mia sorella: è sempre stata la mia piccolina.»

«Io ho un fratello maggiore che mi odia. L'omosessualità non è tollerata, a Tupelo, nel Mississippi; era incomprensibile quando ero ancora un ragazzo e lo è anche oggi. Lui e i suoi amici non facevano che picchiarmi... E io non riuscivo a capire perché. Poi l'ho scoperto. Fino a quel momento avevo semplicemente creduto di essere diverso. Dopo invece mi è stato chiaro. Appena ho compiuto i diciotto anni me ne sono andato, e sono venuto qui per studiare al college. Ritengo che per loro sia stato un grande sollievo, e lo è stato anche per me. Adesso ci torno di rado.»

La solitudine di Harlan in famiglia le parve molto triste. Ma anche lei sarebbe stata sola, se non avesse avuto Grace!

«Anch'io sono considerata il classico pesce fuor d'acqua. Sono un'intrusa, un'isolata», finì per ammettere Victoria. «Loro sono tutti magri e snelli con gli occhi castani e i capelli scuri. Io sono il tipo anomalo, lo scherzo di natura.... Mio padre mi crea sempre un sacco di difficoltà perché sono grassa. La mamma mi lascia sulla scrivania dei ritagli di giornale in cui si parla delle nuove diete.»

«Che bastardi!» commentò Harlan, benché si fosse accorto che lei quando era stanca o depressa si consolava con il cibo. Però lui trovava che avesse un bel faccino e un paio di gambe favolose, nonostante le proporzioni più che generose del resto del corpo. Eppure, a dispetto di tutto, la giudicava una bella donna. Anzi, si meravigliava che non avesse un ragazzo. «D'altra parte ci sono dei genitori che non capiscono i figli e rovinano loro la vita, no?» mormorò con aria meditabonda. «Ecco perché sono contento se penso che non avrò mai bambini. Non vorrei fare a nessuno quello che hanno fatto a me. Mio fratello è un vero cretino; lavora in banca ed è un tipo scialbo, slavato, insignificante... noioso da morire. È sposato e ha due marmocchi. Lui è convinto che essere gay sia una specie di malattia. E continua ad augurarsi che io possa venirne fuori, un po' come se fosse una forma di amnesia, e che un giorno io riesca a ricordarmi che invece sono un tipo normale, come tutti gli altri... in modo da toglierlo dall'imbarazzo!» Harlan rideva, raccontando tutto questo. Aveva ventisei anni, e il fatto di essere gay non gli creava alcun problema. Un giorno sperava di diventare conservatore al Metropolitan Museum, anche se lo stipendio non sarebbe stato favoloso. Ma aveva una vera passione per il suo lavoro, come Victoria per l'insegnamento. «Pensi che Natale sarà divertente a Los Angeles?» le domandò con un'espressione un po' malinconica, e lei annuì. Certo che lo sarebbe stato, perché c'era Grace.

«Mi piaceva moltissimo quando mia sorella era piccola e credeva a Babbo Natale. Preparavamo i biscotti per lui, e lasciavamo delle carote per le renne.»

Lui sorrise. «Hai già qualche progetto per Capodanno?» le domandò con interesse, cercando di immaginare quale potesse essere la sua vita in famiglia, perché Victoria non parlava mai molto dei genitori, ma soltanto della sorella.

«Veramente, no. Di solito rimango a casa con Grace. Ma uno di questi giorni lei sarà grande abbastanza per avere un fidanzato, e allora... ecco che io mi ritroverò nei guai!»

«Magari potremmo fare qualcosa insieme, se saremo già tornati», le propose Harlan, e lei trovò simpatica l'idea. «Possiamo andare a Times Square a vedere la palla illuminata che scende dall'alto...»

«Non è escluso che io ritorni da Los Angeles in tempo»,

rispose Victoria pensierosa. «Tanto, pochi giorni dopo ricomincia la scuola. Vedrò come vanno le cose in famiglia.»

«Mandami un messaggio e fammi sapere», rispose lui. Victoria annuì, misero le tazze nella lavastoviglie e andarono a dormire.

Prima di partire per tornare in famiglia, Victoria lasciò un regalino sul letto a ciascuno dei suoi tre compagni di casa e infilò in valigia quelli per Grace e i genitori. Li rivide volentieri, e quando rientrarono dall'aeroporto si misero tutti insieme a decorare l'albero e a bere uno squisito punch al rum, un po' forte e bollente, ma molto gradevole. Quando si coricò era leggermente brilla. Grace si infilò sotto le coperte con lei, e rimasero a parlare e ridacchiare fino a quando crollarono addormentate. Anche Jim e Christine sembravano di buon umore. Lui le raccontò che aveva appena procurato un nuovo cliente molto importante all'agenzia, mentre la mamma aveva vinto un torneo di bridge. Quanto a Grace, le bastava avere Victoria vicina per le vacanze.

Il Natale trascorse serenamente. I genitori e Grace gradirono i regali che aveva portato Victoria. Suo padre le regalò una lunga catena d'oro, spiegandole di averla scelta apposta così perché non voleva che le andasse stretta. La madre le regalò un maglione di cachemire e due libri, uno sulla ginnastica e l'altro su una nuova dieta. Nessuno dei due si era accorto che dal Giorno del Ringraziamento era dimagrita. Grace invece sì, e le fece i complimenti, ma purtroppo quelle lodi non mitigarono la tristezza per le parole e i comportamenti offensivi dei genitori.

Due giorni dopo Natale Grace fu invitata a una festa di Capodanno, organizzata in casa di una delle sue amiche a Beverly Hills. Invece Victoria non aveva niente da fare. Le persone che conosceva lavoravano tutte in altre città, e le due che abitavano ancora a Los Angeles erano andate a sciare. Quindi tutto quello che riuscì a fare durante le vacanze fu passare un mucchio di tempo con Grace, la quale si offrì addirittura di rimanere a casa con lei la sera di Capodanno.

«Non fare la sciocca... dovresti stare con i tuoi amici. E poi, io sto già pensando di tornarmene a New York.»

«Per un appuntamento con un uomo?» indagò Grace.

«No, è solo un mio coinquilino. Non so se sarà tornato anche lui, ma avevamo parlato di organizzare qualcosa insieme a Capodanno.»

«Gli piaci?» insisté la sorella con aria furbetta. Victoria si mise a ridere.

«Niente di romantico, figuriamoci! Ma è un buon amico, e stiamo bene insieme. Ci divertiamo. Lavora al Metropolitan Museum.»

«Che noia, Dio mio!» esclamò Grace alzando gli occhi al cielo, delusa.

Victoria lasciò Los Angeles l'ultimo dell'anno. Grace partecipava alla festa della sua amica, e i suoi erano stati invitati fuori a cena. Lei si sarebbe trovata sola in casa, quindi aveva deciso di tornare a New York. D'altra parte doveva anche prepararsi per la riapertura della scuola. Mandò un messaggio ad Harlan, augurandosi che fosse tornato anche lui. Solo Jim l'accompagnò in aeroporto perché Grace e Christine erano andate dal parrucchiere.

«Pensi che tornerai a casa, alla fine dell'anno scolastico?» le domandò.

«Non lo so ancora, papà.» Non se la sentì di rispondergli che non credeva affatto di ritornare e che stava benissimo dov'era. Non si era ancora fatta molti amici, ma le piacevano le persone con cui abitava, l'appartamento e il suo lavoro. Mica male, come inizio.

«Se penso a come riusciresti bene in un altro campo!» ripeté lui per la millesima volta.

«A me piace insegnare», gli rispose a bassa voce.

A quel punto Jim si mise a ridere. «Be', almeno so che non morirai mai di fame.» Victoria continuava a meravigliarsi del fatto che non perdesse mai l'occasione di lanciarle frecciatine malevole. Eppure quello era uno dei motivi principali che l'avevano spinta a trasferirsi a New York. Comunque preferì tacere anche stavolta, e continuarono in silenzio il percorso fino all'aeroporto. Come sempre, lui l'aiutò a scaricare dalla macchina il bagaglio e pensò a dare la mancia al facchino che gliel'avrebbe portato. Poi si voltò per abbracciarla stretta, incurante del fatto che l'aveva appena ferita con i suoi commenti mordaci. Possibile che non se ne accorgesse?

«Grazie di tutto, papà.»

«Riguardati, mi raccomando», le disse lui, e sembrava sincero.

«Anche tu.» Lo abbracciò e poi si avviò verso il gate, dopo il controllo di sicurezza. Quando salì in aereo si accorse che Harlan le aveva risposto.

«Arrivo a New York alle sei.»

Lei invece sarebbe atterrata alle nove di sera. «Sono a casa alle dieci», gli rispose.

«Times Square?»

«Va bene.»

«Guarda che è un appuntamento.»

Victoria sorrise mentre spegneva il telefonino. Era bello sapere che avrebbe passato il Capodanno con qualcuno!

Sull'aereo pranzò, guardò un film e dormì. Quando arrivò a New York nevicava, ma erano fiocchi piccoli, di quelli che lasciano un velo sottile, che però bastava a rendere il panorama bello come un biglietto natalizio. Era contenta di essere tornata. Aveva promesso a Grace di invitarla durante le vacanze di primavera, e i suoi avevano detto che magari l'avrebbero accompagnata. Victoria si augurava di no.

Harlan la stava aspettando a casa, bello riposato, abbronzatissimo, arrivato fresco fresco da Miami. Le raccontò che l'ambiente dei gay di quella città non gli era piaciuto per niente, era troppo sfarzoso e superficiale, e quindi anche lui era felice di essere di nuovo a New York.

«E tu? Com'è andata a Los Angeles?» le domandò.

«Tutto bene. Mi sono divertita con mia sorella.»

Harlan stappò una bottiglia di champagne e fecero un brindisi.

«Tuo padre e tua madre si sono comportati bene, stavolta?»

«Come al solito. Né meglio né peggio. Io ho trascorso molto tempo con mia sorella, sono stata bene, ma adesso sono felice di essere qui.»

«Anch'io.» Sorrise e bevve un sorso di champagne. «Farai meglio a mettere gli stivali da neve, per Times Square.»

«Abbiamo sempre intenzione di andarci?» disse lei guardando fuori dalla finestra. Non era una vera e propria tormenta ma nevicava bene.

«Sì, dai! Non mi perderei lo spettacolo di quella grossa palla che scende per tutto l'oro del mondo. Su, muoviti: usciamo. Poi ce ne torniamo a casa e ce ne stiamo al calduccio.» Rise anche Victoria e si scolò fino all'ultima goccia il suo calice di champagne.

Uscirono alle undici e mezzo, presero un taxi e arrivarono a Times Square dieci minuti prima della mezzanotte. C'era già una folla enorme in attesa di vedere scendere dall'alto la gigantesca palla tutta coperta di specchi scintillanti. Victoria sorrise all'amico mentre la neve imbiancava loro i capelli. Era il modo perfetto di trascorrere quella notte. All'ultimo rintocco di mezzanotte la palla scese lentamente roteando, e dalla folla si levarono acclamazioni e applausi. Harlan e Victoria si abbracciarono e baciarono.

«Buon anno nuovo, Victoria», le augurò lui sorridendo allegro. Era contentissimo di stare con lei.

«Buon anno», rispose Victoria. Se ne stettero abbracciati ad ammirare lo spettacolo, estasiati come due bambini, mentre la neve cadeva lenta. Sembrava uno scenario teatrale. Fu un momento magico. Erano giovani, e si trovavano a New York a Capodanno. Cosa c'era di meglio? Era bellissimo passare quella notte speciale con un amico.

Rimasero a Times Square, a guardare la gente che festeggiava e le luci natalizie, finché ebbero i cappotti e i capelli ricoperti di neve. Solo quando cominciarono a sentire freddo si decisero a chiamare un taxi per tornare a casa. Che notte meravigliosa!

11

A GENNAIO gli studenti dell'ultimo anno erano già in tensione. Dopo le vacanze natalizie avevano due settimane per preparare le domande ai college; molti erano in ritardo e avevano bisogno di aiuto. Ogni giorno, dopo le lezioni, Victoria si fermava a scuola per dare suggerimenti sul saggio da allegare alla domanda di ammissione, e tutti le erano grati per i suoi utili consigli e la sua assistenza. Si sentiva molto vicina ai suoi allievi; qualcuno di loro si apriva con lei, e le parlava delle sue speranze e dei suoi progetti, della famiglia, della vita che faceva a casa, dei suoi sogni. Anche Becki Adams e parecchi maschi ricorsero al suo aiuto. Pochi studenti avevano chiesto una borsa di studio; nella stragrande maggioranza, chi frequentava la Madison School non aveva problemi finanziari. Quando il lavoro fu terminato e le domande spedite, tutti tirarono un sospiro di sollievo. Non avrebbero ricevuto risposta fino a marzo o aprile, perciò adesso dovevano solo stare tranquilli e concludere l'anno scolastico in bellezza e senza cacciarsi nei guai.

Gli ultimi due giorni del mese Victoria andò a un convegno di educatori allo Javits Center in compagnia di diversi colleghi. C'erano varie tavole rotonde, lavori di gruppo, conferenze di famosi esponenti del settore. Lo trovò molto interessante e fu grata alla scuola che le aveva dato il permesso di parteciparvi. Aveva appena finito di ascoltare la conferenza di uno psichiatra dell'età evolutiva sul riconoscimento dei segni premonitori della tendenza suicida negli adolescenti, quando un tizio che non stava guardando dove andava le finì addosso e per poco non la fece cadere. Si scusò profusamente e l'aiutò a raccogliere il fascio di materiale didattico che era caduto sul pavimento. Quando si rialzò, lei rimase senza fiato: che bell'uomo!

«Mi scusi, ero distratto», le disse garbatamente, con un incantevole sorriso. Certo era un tipo che catturava lo sguardo. Non solo il suo, notò vedendo che tutte quelle che passavano di lì lo guardavano con interesse. «Splendida conferenza, non trova?» continuò lui cordiale.

L'argomento trattato dallo psichiatra l'aveva molto colpita, perché non aveva ancora avuto modo di preoccuparsi che qualcuno dei suoi studenti potesse avere tendenze suicide o soffrisse di gravi problemi psicologici. Adesso invece si rendeva conto dell'importanza di cogliere i segnali per scongiurare delle tragedie.

«Sì, è vero», dichiarò, pienamente d'accordo.

«Io insegno in terza e in quarta. A quanto pare quelli più a rischio.»

«Anch'io», gli rispose lei mentre si avviavano verso il bancone dei rinfreschi.

«Dove insegna?» chiese lui interessato.

«Alla Madison School», disse lei tutta orgogliosa, sorridendogli.

«Ah, la conosco. Ragazzi ricchi... un po' speciali, eh? Io invece insegno nella scuola pubblica. Tutt'altro mondo.»

Conversarono piacevolmente per un po', poi lui la presentò ad Ardith Lucas, una collega che li aveva raggiunti, e la invitò a sedersi a un tavolo con loro per mangiare qualcosa prima di partecipare alla successiva conferenza. Intorno alla sala erano disposti parecchi tavoli stracarichi di opuscoli, materiale informativo e libri che si potevano comprare. Lui ne aveva una sacca già piena, e Victoria aveva scelto il materiale più interessante: quello che le era caduto quando lui l'aveva urtata. Si presentò; si chiamava John Kelly. Sembrava sulla trentina. Ardith invece era piuttosto anziana, e dichiarò che non vedeva l'ora di andare in pensione; aveva fatto il suo dovere per quarant'anni e adesso aveva una gran voglia di sentirsi libera da impegni di ogni genere.

Chiacchierarono piacevolmente e si scambiarono notizie ed esperienze. John era un uomo non solo affascinante, ma anche simpatico, gentile e molto intelligente. Dopo il pranzo le scrisse su un pezzo di carta il proprio numero di telefono e l'indirizzo e-mail, e le disse che gli sarebbe piaciuto rivederla. Lei non ebbe l'impressione che le stesse chiedendo un appuntamento romantico, ma semplicemente che volesse fare amicizia, a parte il fatto che non riusciva a togliersi di dosso la sensazione che fosse gay. Comunque gli diede i suoi recapiti.

In realtà era convinta che non l'avrebbe più sentito, e non pensò più a lui, perciò si meravigliò molto quando la settimana seguente lui le telefonò per invitarla a pranzo il sabato successivo.

Al Metropolitan Museum c'era una mostra sugli Impres-

156

sionisti, e lui le domandò se le andava di visitarla insieme. Lei accettò volentieri. Si diedero appuntamento nell'atrio. Dopo la mostra, che li entusiasmò entrambi, raggiunsero il self-service del museo per pranzare. Victoria si trovava benissimo in sua compagnia. A un certo punto disse che un suo coinquilino lavorava lì dentro, al Costume Institute, e stava preparando una nuova mostra proprio quel giorno, così decisero di fare un salto a trovare Harlan. Lui non si aspettava di vedere Victoria, e rimase molto colpito dal suo nuovo amico. Era impossibile non notare un biondo mozzafiato come John, con un fisico così atletico e perfetto. Victoria li guardò di sottecchi e notando come quei due si guardavano capì che la sua prima impressione era stata giusta.

Il magnetismo che c'era fra di loro era palpabile. Harlan li invitò a fare una visita privata al Costume Institute, e quando dovettero congedarsi l'espressione di John faceva chiaramente capire che sarebbe rimasto volentieri ancora un po'. Mentre scendevano la scalinata del museo John non si trattenne più e si prodigò in lodi sperticate su Harlan. Victoria concordò pienamente su tutto. Era diventata una specie di Cupido, pensò divertita. Decise di invitare John a cena da loro la sera successiva, domenica. Lui accettò con entusiasmo, poi si salutarono e ognuno si diresse a casa propria.

Quella sera Harlan non rientrò fino alle otto, perché doveva finire di preparare la mostra; appena arrivato si precipitò in camera sua. Lei era sdraiata sul letto a guardare la televisione.

«Si può sapere dove hai pescato la splendida creatura

che mi hai portato oggi? Per poco non svenivo, quando siete entrati! Come fai a conoscerlo?»

Victoria non poté trattenere un sorriso di fronte all'espressione beata di Harlan. «L'ho conosciuto la settimana scorsa a un convegno di insegnanti. Mi è letteralmente piombato addosso!»

«Beata te! È uno schianto.»

«Sì, lo penso anch'io», gli rispose sorridendogli, «e credo che giochi nella vostra squadra.»

«Ma allora perché ti ha invitata a uscire?» osservò Harlan dubbioso, preoccupato all'idea che potesse essere etero.

«Per amicizia, credo. Ti assicuro che non mi guarda nel modo in cui guarda te... Ah, a proposito: l'ho invitato a cena domani sera.» Vedendo la faccia di Harlan scoppiò a ridere. Sembrava uno che aveva appena saputo di aver vinto alla lotteria.

«E lui ha accettato?»

«Sì. E sarà meglio che prepari tu la cena. Io finirei per avvelenarci tutti, a meno di non ordinare una pizza!»

«No, tesoro, me ne occupo io», disse Harlan tutto contento tornando in camera sua con aria sognante. John era l'uomo più affascinante che avesse mai visto.

Victoria pensò che sarebbero stati una bella coppia, e si congratulò con se stessa per averli fatti conoscere. L'idea le era venuta lì per lì, sul momento, come per ispirazione divina.

Harlan era un cuoco di prim'ordine, e passò tutta la domenica a darsi da fare in cucina; preparò cosciotto di agnello con contorno di patate e fagiolini e comprò una torta al cioccolato in una pasticceria rinomata. Dalla cucina arrivava un profumino delizioso.

John Kelly si presentò puntualissimo con un mazzolino di fiori e una bottiglia di vino rosso. Offrì i fiori a Victoria e il vino ad Harlan, che stappò subito la bottiglia e ne versò un bicchiere a ciascuno. Poi si trasferirono in soggiorno. L'attrazione che i due ragazzi provavano l'uno per l'altro era palese. Non smisero di parlare fino a che non fu pronto. Harlan aveva apparecchiato la tavola in sala da pranzo da ottimo padrone di casa, con tovagliette e tovaglioli di lino, candele e un bellissimo e colorato cesto pieno di frutta come centrotavola. Insomma, non aveva lasciato nulla al caso. Quando avevano quasi finito di mangiare Victoria cominciò a sentirsi in imbarazzo, e non volendo stare lì a fare la candela li lasciò soli con la scusa che doveva correggere dei compiti, dopo aver detto ad Harlan che lo avrebbe aiutato a lavare i piatti più tardi.

Si ritirò in camera, chiuse la porta con discrezione e si mise a guardare la televisione sdraiata sul letto. Stava dormicchiando quando John bussò per salutarla e ringraziarla. Una volta uscito, si precipitò in cucina per aiutare Harlan a riordinare.

«Allora, com'è andata?» gli domandò.

«Meravigliosamente!» esclamò lui, guardandola con un sorriso sognante. «È l'uomo più straordinario che abbia conosciuto in vita mia.» Aveva ventotto anni, era serio, colto, responsabile e gli piaceva conversare. Harlan era stato benissimo in sua compagnia.

«Anche tu gli piaci», fu il commento di Victoria mentre sciacquava i piatti che l'amico le passava.

«Come fai a saperlo?»

«Be', si capisce. Gli si illuminava la faccia ogni volta che vi guardavate.»

«Avrei potuto continuare a parlare con lui per tutta la notte», mormorò Harlan.

«Ti ha invitato a uscire?» indagò Victoria. Era felice di vedere nascere sotto i suoi occhi una storia d'amore alla quale lei aveva dato una grossa spinta.

«Non ancora. Ha detto che mi telefona domani. Spero che sia di parola.»

«Ma certo che lo è.»

«Siamo nati lo stesso giorno», osservò Harlan.

Lei rise. «È un segno del destino. E va bene! Adesso tu sei in debito con me, quindi come minimo mi devi dedicare una strada o qualcosa del genere.»

«Se mi metto con lui ti regalo la mia collezione di autografi dei campioni di baseball e l'argenteria di mia nonna.»

«Io voglio soltanto che tu sia felice», gli rispose lei con dolcezza.

«Grazie, Victoria. È proprio un ragazzo meraviglioso!»

«Anche tu lo sei», ribatté lei con entusiasmo.

«Strano, io ho sempre la sensazione che tutti gli altri siano meglio di me: più intelligenti, più simpatici, più belli, più in gamba», confessò con una punta di ansia.

«Lo stesso vale per me», replicò lei, rattristata. Conosceva bene quello stato d'animo: era il frutto di lunghi anni di mancanza d'amore e considerazione da parte dei genitori. I continui commenti di suo padre e sua madre sul suo fisico avevano minato la sua autostima fin dalla nascita. Era la sua croce, anche perché, sotto sotto, era convinta che avessero ragione.

«Io credo che si tratti di qualcosa che i nostri genitori ci hanno trasmesso fin da quando eravamo piccoli», riprese Harlan in tono dimesso. «Sai, non ha avuto una vita facile neanche lui. Sua madre si è suicidata quando era bambino, e suo padre non vuole più vederlo perché è gay. Malgrado tutto questo, però, sembra una persona equilibrata, normale. Ha appena rotto con il partner che aveva da cinque anni, perché lo tradiva.»

Victoria era contenta per Harlan, e si augurò che tra lui e John potesse nascere un grande amore. Lui la ringraziò di nuovo e le diede un bacione sulla guancia, poi spensero le luci e si ritirarono. Era stata una bella serata, e lei aveva apprezzato molto la compagnia.

La mattina seguente uscì presto, e non vide Harlan per tutto il giorno e neanche per quello successivo. Il mercoledì sera lo incontrò in cucina. Non osava chiedergli se avesse avuto notizie di John per paura di sentirsi dire che non si era fatto vivo, invece fu lui a informarla di tutto.

«Ieri sera ho cenato con John», attaccò raggiante.

«Com'è andata?»

«È stato bellissimo. Lo so che è troppo presto per dirlo, ma sono innamorato.»

«Non partire in quarta. Aspetta un attimo!»

Harlan annuì, ma non sembrava propenso a seguire il suo consiglio.

Durante il weekend Victoria rivide John. Lei e Harlan stavano preparando la cena quando lui arrivò portando un wok in regalo. Invitarono Victoria a cenare con loro, ma lei rispose che aveva altri progetti e se ne andò al cinema in modo che potessero rimanere soli. Quando rientrò, erano usciti. Non sapeva dove fossero diretti, ma non le importava: ormai quella era diventata la loro storia, era la loro vita. Sperava ardentemente che si trasformasse in una relazione amorosa duratura e solida, e a giudicare da com'era iniziata riteneva che ci fossero buone speranze. In fondo era cominciato tutto in modo straordinario. Sorrise tra sé, riflettendo, ed entrò nella sua camera.

Come al solito nei weekend erano tutti fuori; le si strinse il cuore al pensiero che da quando era arrivata a New York non aveva mai avuto un appuntamento con un uomo. Da sei mesi non riceveva inviti.

D'altra parte lei non frequentava mai posti dove fosse possibile fare delle conoscenze maschili; l'unica eccezione era stata il convegno degli insegnanti dove si era imbattuta in John. Non frequentava palestre, non era iscritta a nessun club, non andava nei locali. E nella sua scuola non c'erano insegnanti scapoli, eterosessuali, dell'età adatta. Nessuno l'aveva mai presentata a nessuno, e l'unica volta che le era capitato di conoscere qualcuno da sola, era gay! Aveva soltanto il suo lavoro. Stavolta era stato il turno di Harlan e di John, ed era felice per loro; prima o poi sarebbe arrivato il suo. Era giovanissima: non sarebbe rimasta sola tutta la vita, indipendentemente da quello che pensava suo padre e dal suo sovrappeso!

Harlan aveva trovato la sua anima gemella. E con un po' di fortuna un giorno sarebbe toccato anche a lei.

12

In marzo, durante le vacanze di primavera, Jim, Christine e Grace andarono a trovare Victoria a New York. Si fermarono una settimana, e le due sorelle se la spassarono un mondo mentre i genitori facevano visita ai loro amici in città.

Uscirono spesso a cena insieme. I ristoranti li scelse Victoria, e tutti li trovarono ottimi. Grace era felice di essere a New York con lei; dormì nella sua camera, mentre i genitori avevano preso una stanza al *Carlyle*, che si trovava proprio in fondo alla strada dove c'era la scuola di Victoria.

Anche la Madison School era chiusa per le vacanze di primavera, quindi lei poté dedicare molto tempo alla sua famiglia. Jim, Christine e Grace erano passati parecchie volte dal suo appartamento e avevano fatto la conoscenza dei suoi coinquilini. A suo padre piacque Bill, e giudicò Bunny molto bella, ma né lui né sua moglie rimasero particolarmente colpiti da Harlan. Più tardi, a cena, Jim fece dei commenti sarcastici sulla sua omosessualità, tanto che a un certo punto Victoria non riuscì più a trattenersi e si sentì in dovere di difenderlo.

Quando ripartirono, Grace ormai era convinta che si

sarebbe trasferita a New York anche lei, per frequentare lì il college. Ma i suoi voti non erano belli come erano stati quelli di Victoria, quindi per il momento era pressoché impossibile che potesse frequentare la New York University o la Barnard. Comunque c'erano altre ottime università.

Quando Grace ripartì alla fine della settimana Victoria provò la solita malinconia del distacco.

Quindici giorni dopo la visita dei suoi genitori a New York, Eric Walker la convocò nel suo ufficio. Si sentì come una bambina che sta per essere sgridata per qualche birichinata. Si chiese se qualcuno avesse fatto un rapporto negativo su di lei o sul suo metodo di insegnamento, oppure se un genitore si fosse lamentato. Sapeva che molti protestavano perché assegnava troppi compiti a casa, ed erano anche venuti a colloquio per tentare di ammorbidirla, ma lei aveva lasciato chiaramente capire, seguendo i consigli di Helen, di non essere disposta a scendere a patti con nessuno: i suoi studenti i compiti li dovevano fare, punto e basta. In realtà non era mai stata molto severa, però era finalmente riuscita a mettere in riga la classe, e adesso tutti la rispettavano.

«Cosa ne pensi delle tue classi, Victoria?» le domandò Eric Walker passando al tu. Non sembrava né arrabbiato né turbato, e quindi lei non immaginava il motivo per cui era stata chiamata. Forse gli piaceva dialogare con i suoi insegnanti. L'anno scolastico stava per finire, e a giugno il suo periodo di insegnamento alla Madison School sarebbe terminato.

«A me pare che vadano molto bene», gli rispose. Ne era sinceramente convinta, e si augurava di non sbagliare. Non voleva che questa esperienza finisse in modo poco onorevole. Sapeva che se non le avessero rinnovato il contratto presto avrebbe dovuto cominciare a cercarsi una nuova scuola, perciò le occorrevano buone referenze. Le sarebbe dispiaciuto moltissimo lasciare la Madison School, perché durante quell'anno si era affezionata ai suoi allievi.

«Come sai, in autunno torna Carla Bernini. Noi saremo ben contenti di averla di nuovo con noi, ma tu, Victoria, hai fatto un ottimo lavoro. I tuoi studenti ti vogliono un gran bene, e sono entusiasti delle tue lezioni.» Victoria si sentì segretamente sollevata. «Il motivo per il quale ti ho convocata è che abbiamo avuto un cambiamento di programma. Fred Forsatch, l'insegnante di spagnolo, si prende un anno sabbatico per stare un po' in Europa e seguire un corso a Oxford. Pertanto c'è bisogno di un sostituto. Meg Phillips ha una doppia specializzazione, e avrebbe piacere di prendere le sue classi, lasciando vacante un posto nella sezione di inglese. Come sai, insegna soltanto all'ultimo anno, e io ho sentito che tu hai un vero dono con quei ragazzi. Mi stavo chiedendo se ti piacerebbe sostituirlo fino a quando torna Fred. Questo significa che potresti rimanere con noi un altro anno, e dopo... chissà! Che ne dici?»

Victoria era incredula: era la migliore notizia che riceveva da quando, l'anno precedente, le avevano offerto l'incarico.

«Non sta scherzando, vero? Eccome se mi piacerebbe! Non posso crederci!» esclamò, emozionata e felice. Sembrava una delle sue allieve. Il preside si mise a ridere.

«No, non sto scherzando. Sono serio, serissimo: ti sto offrendo un lavoro per l'anno prossimo», rispose lui, visibilmente compiaciuto dal fatto che lei si mostrasse tanto entusiasta. Era proprio la reazione che si era augurato avesse. Conversarono ancora per qualche minuto, poi Victoria tornò in sala professori e lo riferì subito a tutti i colleghi.

165

Quando più tardi, quello stesso pomeriggio, vide il professore di spagnolo, lo ringraziò. Lui rise, vedendola così felice. Anche lui era contento alla prospettiva di rimanere un anno intero in Europa. Lo sognava da tanto tempo.

Quando Victoria tornò a casa era al settimo cielo, sognante. Appena rientrarono gli altri glielo raccontò, e tutti la festeggiarono. La sera stessa telefonò ai suoi genitori per dare la notizia anche a loro, e la reazione fu più o meno quella che si era aspettata. Si sentiva sempre in obbligo di tenerli informati di ciò che la riguardava, malgrado i loro commenti deprimenti.

«Ma in questo modo, tesoro, non fai altro che rimandare il momento in cui ti troverai un vero lavoro. Non puoi continuare a vivere con quello stipendio», fu il commento di suo padre. In realtà, invece, lei riusciva a starci benissimo e senza problemi, in quello stipendio, tanto denigrato da lui. Da quando era andata via di casa non aveva mai chiesto un soldo ai suoi. Era molto parsimoniosa, ed era riuscita anche a risparmiare qualcosa; l'affitto era basso, quindi il suo bilancio era quasi sempre in attivo, o come minimo in pareggio.

«Ma questo è un vero lavoro, papà», insisté, pur sapendo che era inutile cercare di convincerlo. «Io amo quello che faccio, i ragazzi e la scuola.»

«Potresti guadagnare tre o quattro volte di più in una qualsiasi agenzia di pubblicità oppure in un'azienda», ribadì in tono di disapprovazione. Non era rimasto affatto impressionato dalla notizia che la migliore scuola privata di New York si era offerta di rinnovare a sua figlia il contratto per un altro anno, dimostrando di essere molto soddisfatta del suo operato.

«Qui non si tratta di una questione di soldi», obiettò Victoria, senza nascondere la delusione. «È che io sono brava in quello che faccio.»

«Tutti sono capaci di insegnare, Victoria. In sostanza, sei una babysitter di ragazzini ricchi.» Con una sola frase, Jim l'aveva stroncata, dimostrando tutto il suo disprezzo per lei e per la sua professione.

Victoria sapeva che non era vero che tutti possono insegnare, ci vogliono particolari capacità, e lei ne possedeva in abbondanza. Ma per suo padre e sua madre questo non significava niente. Con Christine non aveva potuto parlare perché era a giocare a bridge, ma sapeva già che non si sarebbe congratulata con lei, proprio come il marito, da cui prendeva sempre l'imbeccata! Ripeteva a pappagallo tutto quello che diceva lui su qualsiasi argomento. «Io vorrei che tu riflettessi seriamente, prima di firmare quel contratto», insistette Jim.

Sua figlia sospirò. «L'ho già fatto. È quello che voglio, ed è qui che desidero stare.»

«Tua sorella ci rimarrà molto male, quando saprà che non torni a casa», riprese lui giocando la carta dei sensi di colpa. Ma Victoria aveva già preannunciato a Grace che se le avessero chiesto di rimanere un altro anno avrebbe accettato, e lei aveva capito al volo. Del resto, era la prima a rendersi conto di come sua sorella a casa fosse infelice. I genitori non perdevano mai l'occasione per metterla in imbarazzo o ferirla. Grace era sempre in preda ai sensi di colpa perché con lei erano così pieni di premure e di affetto, mentre si comportavano da mostri con la figlia maggiore. Era tutta la vita che assisteva ai loro soprusi. Ecco perché a un certo punto, quando era ancora piccola, aveva creduto

167

che Victoria fosse una figlia adottiva, perché le pareva impossibile che dei genitori fossero sempre pronti a criticare la propria creatura, a mostrarsi così poco comprensivi con lei. Non erano mai contenti di quello che Victoria faceva, non lo consideravano mai buono abbastanza. E stavolta non fecero eccezione. Suo padre era indispettito, e per niente orgoglioso di lei. Naturalmente fu Grace l'unica a festeggiarla quando le telefonò per darle la buona notizia.

Harlan e John le fecero un mucchio di complimenti, quando lo seppero. L'abbracciarono stretta e si congratularono. John da un paio di mesi era diventato una presenza costante, nel loro appartamento: la storia d'amore con Harlan andava a gonfie vele e anche Bill e Bunny approvavano.

Quella sera Victoria cenò con i due piccioncini, e si sfogò. Descrisse la reazione di suo padre, spiegando che la trattava così da quando era nata.

«Sai cosa ti dico? Dovresti andare da uno strizzacervelli», commentò John con la massima calma.

Victoria era scioccata. Lei, in fondo, non aveva problemi psichici, non soffriva di depressione, ed era sempre riuscita a risolvere da sola le questioni che la riguardavano.

«Non penso di dover arrivare a tanto», ribatté, inorridita e anche un po' offesa. «Io sto bene così come sono.»

«Senz'altro! Certo che te la cavi bene», aggiunse John con convinzione. «Ma dei genitori come quelli ti intossicano la vita. Tu hai il dovere verso te stessa di liberarti dei messaggi negativi che loro ti hanno impresso nella mente e nel cuore. Alla lunga tutto questo potrebbe danneggiarti sul serio.»

Lei un giorno aveva raccontato ad Harlan che l'avevano chiamata Victoria come la grande regina perché secondo loro le somigliava, pertanto si dichiarò pienamente d'accordo con John. «Potresti trovarlo molto utile.» Entrambi erano convinti che il suo problema di peso traesse origine dalle dure, costanti critiche del padre. Era così logico! Quanto alla madre, non sembrava molto meglio del marito. Harlan soffriva per lei, sentendola parlare della sua infanzia e dei soprusi emotivi che aveva subìto per anni. Jim e Christine non avevano mai abusato di lei fisicamente, ma lo avevano fatto psicologicamente, con le parole.

«Ci penserò», mormorò Victoria, cercando di togliersi quel tarlo dalla testa il più in fretta possibile. La proposta di Harlan la sconvolgeva.

Nessuno dei due ragazzi si meravigliò quando con aria assorta, come soprappensiero, lei trangugiò una enorme coppa di gelato. Pensarono che non fosse il caso di insistere con la proposta dello specialista, e Harlan in seguito si guardò bene dal ritornare sull'argomento.

Prima dell'estate Victoria aveva già trovato un lavoro per giugno e luglio in modo da non essere costretta a tornare a casa. Dava lezioni, per un compenso molto modesto, a bambini bisognosi ospiti di un istituto in attesa di essere dati in affido a una famiglia. Harlan disse che lui si sarebbe depresso, a fare un lavoro del genere, invece lei ne era entusiasta. Avrebbe cominciato il giorno dopo la chiusura estiva della Madison School.

Quell'anno anche Grace, che aveva sedici anni, si procurò un lavoretto: alla reception del club al quale erano iscritti tutti loro e dove andavano a giocare a tennis e in piscina. Lei era elettrizzata, e lo erano anche suo padre e sua madre. A loro giudizio il lavoro che Victoria aveva trovato era estremamente sgradevole. Christine le raccomandò di lavarsi spesso le mani per non prendere qualche malattia contagiosa da quei poveri bambini. Lei la ringraziò, ma quel consiglio la contrariò.

Invece Grace divenne oggetto di festeggiamenti, rallegramenti e lodi sperticate per il suo lavoretto. Victoria non era arrabbiata con Grace, ma lo era con i genitori. Tanto.

Prima di cominciare al club, però, Grace sarebbe venuta a trovarla a New York. E stavolta da sola. Le due sorelle si divertirono un mondo. Durante la giornata Grace visitava gallerie e musei o faceva shopping, e di sera Victoria la portava al cinema e al ristorante. Andarono perfino a vedere una commedia a Broadway.

Come al solito, Victoria si organizzò per tornare a casa in agosto, ma solo per quindici giorni. Era anche troppo!

Arrivata a casa dopo le vacanze, si sentì investire dalle solite critiche malevole sul suo lavoro di insegnante e sul suo fisico. Era dimagrita qualche chilo in primavera, ma aveva ripreso tutto con gli interessi. Prima di partire aveva provato una dieta a base di cavolo, che l'aveva aiutata a perdere qualche etto; era deprimente e disgustosa, e dopo pochissimo tempo riguadagnò il poco peso che aveva smaltito tornando più o meno come prima. Insomma, sembrava una battaglia persa, e Victoria era sempre più scoraggiata.

Al ritorno a New York, depressa per le cattiverie subite dai suoi e per essere ingrassata malgrado quella dieta ripugnante, ricominciò a pensare al suggerimento di John di andare da uno specialista. Fu così che, di pessimo umore, si decise a telefonare alla dottoressa, una psicologa, di cui i suoi amici le avevano dato il numero, che le fissò un appuntamento per la settimana successiva. Ma subito dopo se ne pentì. Le sembrava una mossa assurda, senza senso, e pensò addirittura di annullare l'appuntamento, ma poi si

170

accorse di non trovare il coraggio di fare neanche quello. Era confusa, imbarazzata... e così la sera prima del giorno fissato, sola in cucina, si mangiò mezza cheesecake. Cosa avrebbe fatto se quella donna avesse scoperto che lei era una pazza, se le avesse svelato che i suoi avevano pienamente ragione a trattarla male, e che era un totale fallimento? Ma poi riaffiorava la speranza che le dicesse che a sbagliare fossero Jim e Christine, e si convinceva che fosse meglio andare.

Quando arrivò dalla psicologa, tremava da capo a piedi. Aveva avuto mal di pancia e nausea tutto il giorno; non si ricordava neanche il motivo per cui aveva preso l'appuntamento, e quando sedette dove le aveva indicato la dottoressa aveva la bocca arida e la lingua incollata al palato.

La dottoressa Watson, psichiatra e psicologa, era una donna sulla quarantina, alla mano e piena di buon senso. Indossava un tailleur blu marino di sartoria ed era ben truccata, con un bel taglio di capelli. Victoria non si aspettava che avesse tanto stile. Le rivolse uno sguardo pieno di simpatia e le fece un caldo sorriso di benvenuto. Cominciò con il chiederle dove era nata e cresciuta, che studi avesse fatto, quanti fratelli e sorelle avesse, se i suoi fossero sposati o divorziati eccetera. Le domande di routine. Alla parola «sorelle» Victoria si illuminò e si mise a lodare la bellezza di Grace. Il ghiaccio era rotto. Disse che lei aveva un aspetto completamente diverso dagli altri membri della sua famiglia, tanto che aveva perfino pensato di essere stata adottata e che quando sua sorella era piccola lo credeva anche lei.

«Che cosa le ha fatto pensare una cosa del genere?» le domandò la dottoressa Watson con aria apparentemente casuale accomodandosi di fronte a lei in una comoda poltrona. Non c'era il classico divano da psicoanalista, nel suo studio, ma notò subito che sul tavolino c'era una scatola di fazzoletti di carta. Brutto segno. Significava che lì dentro si piangeva come delle fontane.

«Sono sempre stata diversa da loro... Non assomiglio né al papà né alla mamma e neanche a mia sorella. In nessun modo. Loro hanno tutti i capelli scuri: io sono bionda. Loro hanno gli occhi scuri: i miei sono azzurri. Io sono grande e grossa: loro invece tutti e tre snelli. Quando sono agitata, mi abbuffo e metto su peso. Ho sempre avuto un problema con... con il mio peso. Perfino il nostro naso, è diverso. Io assomiglio alla bisnonna.» Poi, d'impulso, tirò fuori l'amarezza accumulata in tutti quegli anni: «Per tutta la vita, con loro, mi sono sempre sentita un'estranea, un'esclusa. Mio padre mi ha chiamata come la regina Victoria perché secondo lui le somigliavo. Io da piccola ero contenta perché credevo che fosse molto bella, dato che era una regina. Poi, a sei anni, ho visto una sua fotografia, e mi sono resa conto di quello che mio padre voleva dire. Cioè che ero grassa e brutta... proprio come lei!»

«E quando l'ha capito cos'ha fatto?» indagò la dottoressa, comprensiva.

«Mi sono messa a piangere. Mi si era spezzato il cuore! Fino a quel momento avevo creduto che il mio papà mi considerasse bella, e tutt'a un tratto avevo capito la crudele verità. Lui ci rideva sempre sopra, e quando è nata mia sorella e io avevo sette anni ha dichiarato che per loro io ero stata la 'torta di prova', cioè quella che si fa per controllare se la ricetta funziona, e poi si butta via, perché solo la seconda volta la torta riesce bene. Grace è sempre stata la bambina perfetta perché assomiglia moltissimo a loro due.

Io no. Io sono sempre stata la torta di prova da scartare; lei il dono divino, il gioiello, il loro tesoro.»

«E tutto questo come la faceva sentire?» le chiese la psicologa con voce pacata, imperturbabile, lo sguardo concentrato sul volto di Victoria rigato di lacrime.

«Oh, è stato terribile! Ho provato le pene dell'inferno! Ma volevo così bene alla mia sorellina che a poco a poco mi sono fatta una corazza. M'importava solo di stare vicino a lei. Però ho sempre saputo quello che pensavano di me. Io non sono mai brava abbastanza, non faccio mai le cose giuste. Forse hanno ragione loro. Cioè... mi guardi, guardi come sono grassa! Mi metto continuamente a dieta, dimagrisco, e quasi subito ricomincio a ingrassare. Mia madre quando mi vede si agita, e mi dice che dovrei mettermi a dieta oppure frequentare una palestra. Mio padre mi passa il vassoio con il purè e poi mi prende in giro quando mi servo e lo mangio.»

Sembrava un racconto horror, ma la faccia della dottoressa rimaneva impenetrabile. Si limitava ad ascoltare piena di empatia e comprensione, lasciandosi sfuggire solo di tanto in tanto un mormorio di commento.

«Per quale motivo pensa che la trattino così? Secondo lei è un problema che riguarda loro o lei stessa? Lei direbbe frasi del genere a sua figlia?»

«No, mai. Forse loro vorrebbero semplicemente che io fossi migliore di quello che sono. L'unico particolare che considerano molto bello di me sono le gambe. Mio padre sostiene che sono uno schianto!»

«Ma... quello che ha dentro? Che genere di persona è? A me sembra una brava ragazza.»

«Io penso di esserlo... spero di esserlo... mi impegno

173

molto in tutto quello che faccio. Eccetto l'alimentazione. Mi piace occuparmi degli altri, ecco, soprattutto della mia sorellina.» Victoria parlava in tono affranto.

«Ci credo, e sono sicura che si comporta bene», disse la dottoressa Watson, con una voce piena di calore umano. «E secondo lei i suoi genitori si comportano bene?... per quanto la riguarda, per esempio.»

«Non proprio... a volte... Sì, mi hanno pagato gli studi, non mi hanno mai fatto mancare niente. Ma mio padre mi butta addosso cattiverie che mi feriscono e che mi addolorano come se fossero osservazioni ovvie. Detesta il mio aspetto e disprezza il mio lavoro.»

«E sua madre?»

«Lei è sempre d'accordo con papà. Per lei lui è sempre stato più importante delle sue figlie. Vive per il marito. Mia sorella è stata un incidente. Solo quando ho compiuto quindici anni ho capito cosa voleva dire. Li ho sentiti pronunciare quella parola prima che lei nascesse, e allora ho cominciato a pensare che sarebbe venuta al mondo rovinata... con gravi handicap. Naturalmente non è successo niente del genere; anzi, era la bambina più bella che avessi mai visto. Fra l'altro fin da piccola lavora come modella per la pubblicità.»

Quello che Victoria aveva fatto del padre era il ritratto di un narcisista patologico con una moglie passivo-aggressiva che gli concedeva tutto, senza una volontà propria. Due pessimi genitori che erano stati indicibilmente crudeli con la figlia maggiore, respingendola e ridicolizzandola per tutta la vita, come se fosse un accessorio non abbastanza di lusso per loro! La sorella minore invece veniva portata in palmo di mano perché era la dimostrazione tangibile che i

174

loro sogni si erano realizzati. Era sorprendente che Victoria non avesse mai odiato la sorellina, e anzi l'avesse amata con tutto il cuore. Era la prova del suo carattere affettuoso, della sua generosità. Lei era felice che Grace fosse tanto bella, e aveva accettato le crudeltà che suo padre e sua madre avevano continuato a dire sul suo conto come se fossero indiscutibili. Era la loro vittima designata.

Ripensando a qualcuna delle confidenze che aveva fatto alla dottoressa, Victoria si sentì imbarazzata, ma erano la sacrosanta verità.

La psicologa le credette in tutto e per tutto. A un certo punto diede un'occhiata a un orologio alle spalle di Victoria e le chiese se volesse tornare la settimana successiva. Prima di ripensarci, Victoria annuì con decisione; sarebbe venuta di pomeriggio, dopo la scuola, perché faceva l'insegnante. La dottoressa le disse che per lei andava bene, le fissò un appuntamento e, consegnandole un promemoria con il giorno e l'ora, le sorrise.

«Secondo me, Victoria, oggi abbiamo già lavorato bene. Mi auguro che lo pensi anche lei.»

«Davvero?» Era meravigliata. Con la dottoressa Watson aveva cercato di essere totalmente schietta, onesta, aperta, ma dopo aver fatto certe affermazioni si era sentita una figlia ingrata. Però aveva solo descritto il suo calvario esistenziale. Si domandò se Christine e Jim avessero agito deliberatamente in modo tanto perfido o se fossero solo degli incoscienti. Avrebbe risolto questo mistero al momento giusto, con l'aiuto della psicologa, decise.

Victoria si accorse di sentirsi più leggera, più sana di mente di quanto fosse mai stata, e tristemente lucida riguardo la sua situazione.

La dottoressa Watson la accompagnò all'uscita. In strada Victoria fu abbacinata dalla luce del sole. Si mise a camminare piano verso casa. Quel pomeriggio aveva aperto una porta, e aveva scoperto di poter illuminare anche i recessi più oscuri del suo cuore. Non poteva più richiuderla.

Meditando su tutto questo, si abbandonò a un pianto liberatorio.

13

VICTORIA scoprì che con il nuovo anno scolastico avrebbe ottenuto un aumento di stipendio più che apprezzabile. Non poteva certo far colpo su suo padre, ma in ogni caso le dava un più ampio margine di sicurezza finanziaria e le permetteva di togliersi qualche piccolo sfizio.

Avrebbe fatto lezione solo agli allievi dell'ultimo anno, che comunque restavano i suoi preferiti. Gli studenti di terza erano sempre stressati e tesi, più problematici; quelli di seconda immaturi e difficili da trattare, perché sotto molti aspetti ancora bambini impegnati a valutare i propri limiti, e spesso senza volerlo si rivelavano maleducati e scortesi. Gli studenti di quarta invece erano ormai in dirittura d'arrivo perché avrebbero presto finito il liceo, e guardavano la scuola con maggiore distacco e con un pizzico di ironia. Si godevano l'ultimo anno che avrebbero passato in famiglia prima di partire per il college. Insomma, a Victoria piaceva lavorare con loro. Qualcuno cominciava già ad avere nostalgia della vita che stava per lasciare, e Victoria lo incoraggiava a confidarsi, ad aprire il suo cuore, a condividere con lei le gioie di quell'ultimo periodo di studio.

Carla Bernini tornò a scuola dopo il congedo di maternità, e fu molto impressionata dal lavoro che Victoria aveva svolto con i suoi studenti. Era una docente degna di grande rispetto, nonostante la giovane età. Diventarono presto buone amiche. Un giorno Carla portò il suo bambino a scuola, per mostrarlo a tutti. Com'era carino, così allegro e sorridente!... Le ricordò Grace da piccola.

Se non intervenivano cause di forza maggiore, Victoria non mancava mai il suo appuntamento settimanale con la dottoressa Watson. A poco a poco si stava verificando in lei un cambiamento, benché appena percettibile, nel modo in cui affrontava la vita, giudicava se stessa e valutava le esperienze del passato con suo padre e sua madre, esperienze dolorose che avevano minato la sua autostima fin da quando aveva l'uso della ragione. Ma adesso finalmente stava facendo qualcosa per togliersi il macigno che le pesava sull'anima.

Da quando aveva cominciato la terapia aveva già compiuto qualche passo positivo: aveva ricominciato a stare attenta alla dieta e frequentava una palestra. A volte, durante gli incontri si accorgeva che le affioravano alla memoria certe cose che i suoi genitori avevano fatto, e riprovava lo stesso dolore di quando le aveva vissute. Era come riaprire una ferita che non si era mai davvero rimarginata. Quelle volte tornava a casa con il cuore in pezzi e depressa, e cercava conforto nel cibo. La sua droga preferita continuava a essere il gelato, però il giorno dopo si sentiva in colpa e tentava in tutti i modi di recuperare mangiando pochissimo e passando più tempo del solito in palestra per espiare i suoi peccati.

La dottoressa Watson l'aveva indirizzata da un dietologo che le aveva dato ottimi consigli su come pianificare i pasti.

Aveva provato anche l'ipnosi, però, non vedendo risultati concreti, aveva lasciato perdere.

Ciò che amava di più, comunque, era il suo lavoro, perché le aveva insegnato tantissimo. E da quando andava dalla psicologa aveva acquistato una maggiore fiducia in se stessa, sebbene non fosse ancora completamente in grado di controllarsi con il cibo. Si augurava che un giorno avrebbe superato anche quella difficoltà, pur rendendosi realisticamente conto che lei aveva una struttura fisica diversa da quella dei genitori e della sorella, e che non sarebbe mai stata come loro.

Pertanto affrontava la scuola con uno stato d'animo positivo. Era arrivato un nuovo insegnante di chimica in sostituzione del professore andato in pensione; sembrava una brava persona, un tipo simpatico, gentile e cortese, sempre cordiale con tutti. Ai ragazzi piaceva perché riusciva a stabilire un contatto con loro, incoraggiandoli e apprezzandoli quando facevano qualcosa di buono e spronandoli a non arrendersi quando commettevano un errore. Un giorno, in sala professori, andò a sedersi vicino a Victoria, che stava mangiando un'insalata e contemporaneamente correggeva i compiti perché voleva restituirli agli allievi quello stesso giorno. Lui a un certo punto tirò fuori da una borsa di plastica un enorme sandwich con affettato e formaggio, pomodori e lattuga. Alle sensibili narici di Victoria arrivò un profumino delizioso. Non poté fare a meno di paragonare quella leccornia alla sua triste insalata. L'aveva condita solo con un po' di limone, rinunciando alle sue salse preferite, perché stava cercando di trattenersi per poter dire alla psicologa che stava facendo dei progressi.

«Salve, non credo che ci conosciamo. Jack Bailey», si

presentò dando un bel morso al sandwich. Aveva i capelli brizzolati benché avesse passato da poco i trenta, e la barba, perciò aveva quell'aria da persona matura tanto utile quando si ha a che fare con gli studenti. Victoria gli sorrise e si presentò a sua volta, masticando la sua lattuga.

«Ho sentito molto parlare di te», le disse lui, sorridendole. «I tuoi studenti ti adorano: dicono che pretendi molto e dai un'ottima preparazione, ma che si divertono alle tue lezioni... certo più che alle mie!»

Queste parole gentili e lusinghiere le fecero molto piacere.

«Non è vero che mi adorano, credimi! Perlomeno non sempre», gli assicurò. «Specialmente quando gli faccio fare verifiche a sorpresa.»

«Da adolescente non sapevo se avrei fatto il fisico o il poeta... Credo che tu abbia fatto la scelta migliore, sai?»

«Ehi, neanch'io sono una poetessa!» si limitò a replicare con semplicità. «Soltanto un'insegnante. A te piace il tuo lavoro?»

«Moltissimo. L'anno scorso insegnavo in una piccola scuola nell'Oklahoma rurale. I ragazzi qui sono di gran lunga più scafati.»

Se era per questo, anche lui era abbastanza scafato, dato che si era laureato addirittura al MIT, da quel che dicevano. «Sono del Texas, ma adoro New York. Dopo la laurea ho vissuto a Boston un paio d'anni, poi sono stato in Oklahoma. Ma il mio posto preferito è la Grande Mela!» si accalorò finendo di mangiare il suo sandwich.

«Anche il mio. Io vengo da Los Angeles. Sono qui da un anno, e ho ancora un mucchio di cose da fare e da vedere.»

«Magari potremmo farle insieme», propose lui scoccandole un'occhiata speranzosa. Il cuore di Victoria palpitò.

Non capiva se parlasse sul serio o volesse solo mostrarsi cordiale e amichevole. Certo che le sarebbe piaciuto uscire con uno come lui! In quegli ultimi mesi aveva frequentato qualche ragazzo, compreso un suo compagno di scuola delle superiori che aveva incontrato per caso a Los Angeles, ma nessuno di loro suscitava in lei un sufficiente interesse. Al momento, la sua vita amorosa continuava a essere praticamente inesistente, e in quella scuola Jack era l'unico uomo che potesse essere preso in considerazione. Aveva portato lo scompiglio tra le insegnanti single, che da quando era arrivato parlavano di lui in continuazione commentando quanto fosse carino.

«Sarebbe divertente», rispose in tono vago, come se non volesse impegnarsi, nel caso lui avesse voluto essere gentile e basta.

«Ti piace il teatro?» le domandò mentre si alzavano. Victoria si accorse che era parecchio più alto di lei; superava di un bel po' il metro e ottanta.

«Moltissimo. Anche se a dire la verità non me lo posso permettere. Ci vado di tanto in tanto, più che altro per concedermi un piccolo lusso!»

«C'è una commedia che mi piacerebbe vedere... La danno in uno di quei teatrini alternativi di Broadway. Sai, ho conosciuto l'autore. Magari ci potremmo andare questo fine settimana, se sei libera.»

Lei si trattenne dal dirgli che per lui era sempre libera. Il suo interesse la lusingava.

«È un'idea fantastica», rispose sorridendogli con entusiasmo, anche se era convinta che alla fine non se ne sarebbe fatto niente. Ormai era abituata agli uomini che all'inizio si mostravano cordiali e pieni di interesse e poi non si facevano più sentire. Lei viveva e lavorava fra donne e ragazzi; finora gli uomini con cui aveva avuto a che fare erano gay oppure impegnati. Un single che fosse anche un buon partito, nella sua vita, era una rarità. La psicologa l'aveva incoraggiata a uscire più spesso, a conoscere gente, ma tutto il suo mondo era delimitato e inquadrato dalla scuola.

«Ti mando una mail», le promise lui mentre uscivano dalla sala professori; le fece un cenno di saluto e si dileguò nella direzione opposta, verso la zona laboratori, mentre lei oltrepassò la classe di Helen e raggiunse la propria. Helen stava chiacchierando con Carla Bernini, e quando passò entrambe si voltarono a guardarla e le sorrisero. Si fermò un momento per scambiare quattro chiacchiere fra colleghe.

«Ehi, salve, ragazze.» Avevano un bel rapporto, nonostante le altre due fossero più anziane di lei; ma quella scuola era un po' come una famiglia, con molti fratelli maggiori che erano i tuoi colleghi, e i fratelli più giovani, gli studenti. Condividevano tutti lo stesso ambiente, in fondo.

«Un uccellino mi ha detto che hai pranzato con un bel tipo nella sala professori...» la stuzzicò Carla. Victoria le sorrise timidamente, un po' confusa e impacciata.

«State scherzando? Eravamo solo seduti allo stesso tavolo, per puro caso. Lasciate stare quel poveretto! Gli corre dietro già mezza scuola. Lui si limita a essere cortese ed educato. Ma voi due avete il radar o avete messo una cimice in sala professori?»

Le due colleghe ridacchiarono, ammiccando. Le scuole erano delle fabbriche di pettegolezzi, dove tutti sapevano tutto di tutti, studenti e insegnanti.

«Ma dai, è carino...» la pungolò Carla. Helen si dichiarò subito d'accordo.

Victoria sbuffò esasperata. «Credetemi, non mi sta facendo la corte. Ha ben altro per la testa che stare dietro a una come me.» A quanto pareva la nuova prof di francese, una parigina doc tutto pepe, lo tampinava, e non faceva mistero delle proprie intenzioni. Perché avrebbe dovuto interessarsi a lei?

«In realtà sarebbe molto fortunato ad avere *una come te*», puntualizzò Carla, sempre più entusiasta. Si era affezionata moltissimo alla giovane collega, che teneva in grande considerazione, anche se aveva ancora tante cose da imparare. Comunque, nonostante fosse una principiante se la cavava davvero bene, meglio di certi loro colleghi che avevano anni di insegnamento alle spalle.

«Grazie per l'incoraggiamento», tagliò corto Victoria entrando nella sua classe. Era impressionante: lì dentro le notizie si diffondevano alla velocità della luce. Si chiese se lui le avrebbe mandato veramente una mail. Aveva molti dubbi, in proposito. Era stato gentile e simpatico a fare quattro chiacchiere con lei durante l'intervallo, ma non si aspettava che da quell'incontro venisse fuori qualcosa di interessante. Il giorno dopo lo disse anche alla psicologa.

«E perché no?» La dottoressa Watson voleva una spiegazione. «Perché ritiene che non ci sarà un seguito?»

«Perché non è niente di così importante... solo quattro chiacchiere mangiando.»

«E se invece lui fosse sincero cosa significherebbe per lei?»

«Penserei che gli sono simpatica, oppure che soffre di solitudine.»

«Allora secondo lei gli uomini la considerano soltanto una tappabuchi per quando non hanno niente di meglio da fare? E se invece lei gli piacesse sul serio?»

«Secondo me, voleva soltanto mostrarsi gentile», insisté Victoria. Le era capitato troppe volte di subire una delusione da parte di uomini che credeva fossero interessati a lei e poi erano spariti!

«Cosa glielo fa pensare?» la incalzò la dottoressa. «Crede di meritare un ragazzo brillante con il quale uscire?»

Victoria rifletté a lungo su quella domanda. «Non lo so. Sono sovrappeso, non sono carina come mia sorella. Ho un brutto naso. E mia madre dice che le donne intelligenti non piacciono.»

La psicologa sorrise, a quella risposta, e Victoria si morse un labbro, nervosa.

«Be', almeno io e sua madre siamo d'accordo su qualcosa, e cioè sul fatto che lei è una persona brillante e intelligente. Ma io, al contrario, sono convinta che agli uomini intelligenti piacciano le donne intelligenti. Sono quelli superficiali a sentirsi minacciati dalle ragazze in gamba. D'altra parte lei non lo vorrebbe, un tipo del genere. Per quanto riguarda il suo naso, secondo me va benissimo così com'è. E il peso non è un handicap insormontabile, ma qualcosa su cui si può intervenire. A un uomo al quale lei piace sul serio non importa troppo del peso. Lei è una donna molto attraente, Victoria: qualsiasi uomo si considererebbe fortunato ad averla accanto.»

Belle parole, ma Victoria non ci credeva fino in fondo. Sull'altro piatto della bilancia pesavano gli insulti del padre, la scarsa, se non inesistente, considerazione da parte dei genitori, il suo senso di fallimento. «Stiamo a vedere se le telefona. Ma se non lo facesse significherebbe solo che ha altri interessi, non che nessun uomo la desidererà mai.»

Victoria aveva quasi ventiquattro anni, e fino a quel

momento nessuno si era innamorato seriamente di lei. Era stata trascurata, ignorata troppo a lungo; si era sempre sentita un oggetto informe e asessuato, che mancava di qualsiasi attrattiva e nessuno poteva desiderare. Era dura adesso cambiare le antiche credenze; bisognava lavorare sodo, non lasciarsi abbattere. Del resto era lì proprio per modificare l'immagine che i suoi genitori le avevano sempre dato di se stessa. Doveva liberarsi di quel fardello, ed era decisa ad andare fino in fondo, per quanto doloroso fosse; non poteva continuare a vivere sentendosi un'eterna sconfitta. Ecco l'eredità che le avevano lasciato suo padre e sua madre: considerarsi antipatica, sgradevole, brutta, perché loro non le volevano bene. Non gliene avevano mai voluto. L'avevano sempre bombardata con i loro messaggi negativi, che adesso andavano cancellati, a uno a uno. Finalmente era pronta a farlo.

Alla fine della seduta Victoria si sentì scoraggiata. A volte era straziante scavare nel proprio passato, far emergere tutti quegli odiosi ricordi e affrontarli, esaminarli a fondo e spietatamente. Avrebbe tanto voluto dimenticare tutte le volte che il padre l'aveva colpita nei suoi sentimenti più intimi e la madre, che non era mai stata pronta a difenderla, aveva fatto finta di non vedere e non sentire invece di essere una mamma amorevole e sollecita. Lo era stata con Grace, ma con lei mai.

A quanto pareva l'unica che le volesse bene era una persona ancora troppo giovane per capire certe cose. Con il loro comportamento i suoi le avevano inculcato la convinzione che nessun adulto intelligente potesse mai volerle bene, dato che loro due non gliene volevano. Ma d'ora in avanti doveva imparare a ricordare a se stessa che erano loro ad avere un serissimo problema psicologico, non lei.

Tornata a casa, accese il computer e controllò la posta. C'era una mail di Grace, che le raccontava tutto quello che faceva a scuola e i suoi problemi di cuore. Si era presa una cotta formidabile per un ragazzo. Un altro! si disse Victoria. Un *bip* l'avvisò che c'era un messaggio in arrivo. Andò a vedere di chi si trattava. Non riconobbe subito l'indirizzo, poi qualcosa scattò nella sua mente: era Jack Bailey! Fu colta dall'ansia. Sicuramente si trattava di una comunicazione scolastica, magari qualche studente che avevano in comune. Invece...

Ciao. È stato bello chiacchierare con te. Sono riuscito a procurarmi due biglietti per quella commedia di cui ti ho parlato. Ti piacerebbe venire a vederla con me sabato? Ceniamo prima o dopo? C'è un ristorantino nelle vicinanze, potremmo andare lì. Fammi sapere se sei libera e se t'interessa. Ci vediamo a scuola.

Jack

Victoria rimase a fissare quel messaggio inebetita, ponendosi mille domande. Era un appuntamento galante o solo un'uscita amichevole? Jack non aveva amici a New York e soffriva di solitudine? Chissà se gli piaceva! Le sembrava di essere un'adolescente come Grace, mentre cercava di leggere tra le righe di quell'invito. Forse era solo una cena e un teatro il sabato sera, e probabilmente non ci sarebbe stato un seguito. Non stava più nella pelle, doveva dirlo ad Harlan, e appena entrò in casa gli raccontò tutto.

«Victoria... È un invito in piena regola, no? Un tizio ti

chiede di uscire. Ti offre una cenetta e una serata a teatro. E se vi divertite tutti e due, lo fate di nuovo. Basta. Cosa c'è di strano? Tu cos'hai risposto?» le domandò con interesse.

«Non ho ancora risposto. Non sono sicura di quello che devo dirgli. Come fai a sapere che è un appuntamento galante?» lo incalzò, emozionata ed eccitata.

«Be', un invito di sabato sera, cenetta e teatro... Siete giovani, fate lo stesso lavoro... Siete entrambi single. Potrei scommetterci.»

«Magari vuole soltanto un'amicizia.»

«Figurati. Comunque, sapessi quante storie d'amore cominciano con l'amicizia! E dal momento che è un tuo collega non penso che sia un serial killer. A quanto pare non è un tossico o un alcolizzato, e neanche un evaso di galera. Non corri alcun pericolo: buttati! Puoi sempre portarti dietro uno spray al peperoncino, se ti fa sentire più tranquilla.» Lei rise. «A parte il fatto che non è che dipenda tutto da lui. Magari se lo conosci non ti piace e decidi che non vuoi più uscirci.» Voleva che Victoria capisse che aveva un grande potere decisionale, in materia d'amore.

«E perché potrebbe non piacermi? È brillante, intelligente, tutt'altro che brutto. È andato al MIT. Ha un sacco di qualità e vale molto più lui come uomo che io come donna.»

«A parte il fatto che è stato lui a invitare te. Giocate alla pari, d'accordo? Valete uguale, e tu hai la stessa libertà di scelta che ha lui.» Parole sagge. Era bello poter contare su di un amico che ti apre gli occhi sulla realtà. Victoria si sentiva sempre così inadeguata che dimenticava di poter avere anche lei voce in capitolo, come tutti. La decisione non spettava soltanto a lui. «E poi non dimenticarti il fattore 'costoletta d'agnello'», concluse Harlan con aria grave, preparando del tè.

«E cosa sarebbe?» domandò lei guardandolo sconcertata.

«Conosci un tizio talmente affascinante, stupendo, mozzafiato. Quando lo incontri ti batte forte il cuore. È brillante, sexy, spiritoso... oltre a essere un gran figo. Magari ha pure la Ferrari. Poi lo vedi mentre mangia una costoletta d'agnello, e ti scade. No, anzi, non mangia: trangugia il cibo come un maiale... e tu non vuoi più rivederlo.»

Victoria scoppiò a ridere.

«Be', si potrebbe insegnargli a essere educato a tavola...» Harlan scosse la testa. «Ma va'! Pensa a com'è imbarazzante presentare ai tuoi amici uno che mangia così la costoletta d'agnello, che fa un rumore disgustoso quando beve il brodo e si lecca le dita. Non puoi uscire con un simile tamarro! Quindi, quando andate a cena nel famoso ristorantino, puoi fargli il test», le spiegò serio.

«D'accordo. Vedrò di fargli prendere la costoletta d'agnello.»

«Fidati. Puoi sopportare tutto il resto, ma quello no.» Adesso ridevano entrambi. Harlan la stava canzonando, ma c'era un pizzico di verità in ciò che diceva. È difficile prevedere cosa ti intenerisce fin nel profondo del cuore o ti disgusta senza appello, la prima volta che esci con una persona. La gente che lasciava poca mancia o non la lasciava affatto, era scortese con i camerieri o rozza e volgare, l'aveva sempre disgustata. Ma non aveva mai preso in considerazione il fattore «costoletta d'agnello».

«Be', allora, cos'hai intenzione di fare?» le chiese Harlan. «Io ti consiglio di accettare. Sono secoli che nessuno ti invita fuori.»

«Invece quest'estate ho avuto un appuntamento, a Los Angeles. Lui era un mio compagno delle superiori, e l'ho incontrato per caso al nostro club», replicò lei sulla difensiva.

«Se non me ne hai mai parlato ci sarà un motivo.»

«Era di una noia mortale. Lavora in un'agenzia immobiliare di proprietà di sua madre e per tutta la cena non ha fatto che parlare dei suoi dolori alla schiena, di mal di testa e alluce valgo. Non ne potevo più.»

«Poveretto! Cos'è, un ospedale ambulante? Come fa a trovare una che va a letto con lui?... Dimmi che non l'hai fatto!»

«No», rispose lei con sussiego, «aveva mal di testa. E quando siamo arrivati al dessert ce l'avevo anch'io. Dopo la cena me ne sono andata a casa. Poi mi ha telefonato un paio di volte, ma io gli ho raccontato qualche balla, tipo che stavo tornando a New York. Per fortuna non l'ho più rivisto.»

«Mmm, comincio a pensare che dovresti proprio uscirci, con il prof di chimica. Chissà, se non ha problemi di salute magari potrebbe funzionare.»

«Hai ragione», ammise Victoria, e andò a rispondere alla e-mail di Jack Bailey. Gli disse che accettava con piacere e pensava che la serata sarebbe stata divertente. Si offriva di contribuire per la sua parte, dal momento che erano tutti e due insegnanti sottopagati e vivevano sulla soglia della povertà. Lui le rispose che non doveva sborsare niente, purché non le dispiacesse cenare in un ristorantino modesto, e le confermò che sarebbe passato a prenderla il sabato sera. Era fatta. Adesso doveva solo decidere cosa mettersi. Ne discusse con Harlan.

«Una gonna corta, molto corta, anzi cortissima», rispose

lui senza un attimo di esitazione. «Se io avessi delle gambe come le tue sarei sempre in minigonna, tesoro!»

Effettivamente le gambe di Victoria facevano passare in seconda linea il suo torso massiccio e squadrato, quasi privo di punto vita. Harlan trovava anche che avesse un bel faccino e un'aria sveglia, che fosse garbata e gentile e con un cervello di tutto rispetto; così bionda con quell'aria sana era la tipica ragazza americana. Cos'altro poteva volere un uomo? Si augurò che andasse tutto bene. Era merito suo se aveva una bellissima storia d'amore con John Kelly da otto mesi. Loro due avevano capito di essere una combinazione perfetta, e il loro rapporto stava diventando talmente solido e serio che avevano addirittura cominciato a parlare di convivenza.

Victoria considerava Harlan il suo migliore amico, si confidava con lui e teneva in grande considerazione i suoi consigli.

Quando quel sabato Jack arrivò puntualissimo alle sette di sera l'appartamento era vuoto. Tutti gli altri erano già usciti e quindi poté guardarsi intorno senza problemi.

«Caspita! Al confronto io vivo in una scatola di sardine», disse in tono pieno di bonaria invidia.

«Abbiamo anche l'affitto bloccato. L'ho trovato appena mi sono trasferita a New York, sono stata fortunata. Ci abito con altre tre persone.»

«Un autentico terno al lotto!»

Gli offrì un bicchiere di vino, e dopo pochi minuti uscirono per andare a cena. Presero la metropolitana per raggiungere il «ristorantino modesto», nel Village; la commedia cominciava alle nove, quindi avevano appena il tempo per cenare.

Victoria aveva seguito i consigli di Harlan, il quale prima di salutarla aveva voluto controllare che tutto fosse come le aveva suggerito. Aveva optato per una gonna corta nera, una maglietta bianca e una giacca di jeans; i sandali con il tacco alto mettevano in risalto le gambe. Era molto carina. Si era truccata leggermente e aveva lasciato i lunghi capelli biondi sciolti sulle spalle. Harlan approvò: era la tenuta perfetta per un primo appuntamento. Sensuale, fresco, semplice. Lui le aveva raccomandato di non indossare qualcosa di troppo scollato: le camicette sexy le poteva sfruttare in seguito. Del resto Victoria non aveva alcuna intenzione di agghindarsi troppo, e si sentiva a suo agio con l'abbigliamento che aveva scelto.

Chiacchierarono per tutta la strada. Jack era un tipo divertente e aveva un gran senso dell'umorismo. Le parlò in toni tragicomici delle scuole in cui aveva insegnato; era chiaro che i ragazzi gli piacevano, e molto, ma gli piaceva anche lei!

Seduti a tavola, Victoria prese a esaminare il menu con aria seria. Adorava il polpettone di carne con il purè, ma non voleva mangiare troppo. Anche il pollo fritto sembrava un'ottima scelta. Alla fine optò per il petto di tacchino alla griglia con fagiolini. Si mangiava bene, in quel posticino. Dovette trattenersi per non scoppiare a ridergli in faccia quando Jack ordinò proprio costolette d'agnello con patate al forno. Le mangiò con coltello e forchetta; nessuna affinità con i cafoni di cui parlava Harlan. A quanto pareva Jack aveva superato la prova e si augurava lo stesso per sé. Come dessert, si divisero una porzione di torta di mele. Finito di cenare, Jack le confidò: «Mi piacciono le donne con un sano appetito», e le raccontò che l'ultima ragazza che aveva frequentato era anoressica. Una cosa da pazzi; non solo non mangiava mai, ma soffriva anche di altri problemi mentali. Victoria invece apprezzava quello che aveva nel piatto.

La commedia piacque a entrambi: era recitata in modo splendido; ne parlarono per l'intero tragitto di ritorno in metropolitana fino a casa di Victoria. Davanti al portone lei lo ringraziò per la splendida serata, ma non gli chiese di salire. Era troppo presto. Ma sembrava proprio un primo appuntamento romantico. Jack le disse che sarebbe stato felice di uscire di nuovo con lei. Salutandosi, si abbracciarono affettuosamente. Victoria era al settimo cielo, quando entrò in casa. Per un attimo si pentì di non avere concluso diversamente la serata, ma poi giudicò che era meglio così.

Con sua grande sorpresa, il giorno dopo Jack le telefonò per proporle una mostra d'arte. Lei accettò, si trovarono in centro e cenarono di nuovo insieme. Il lunedì mattina, al ritorno a scuola, si erano già visti un paio di volte, e Victoria era impaziente di raccontarlo alla sua psicologa. Era una bella vittoria, e in parte era merito della dottoressa.

Le sembrava di avere molto in comune con Jack. All'ora di pranzo si incontrarono in sala professori, e lei apprezzò la sua discrezione perché non fece la minima allusione al fatto che si fossero visti durante il weekend. Non voleva che ne parlasse tutta la scuola. Lui si mostrò cordiale, disinvolto e rilassato, ma niente di più; poi, alla sera, le telefonò per invitarla a cena e al cinema il venerdì successivo.

Mentre cenavano in cucina, Victoria ne accennò ai suoi coinquilini. Era emozionatissima.

«Ah, ma allora la faccenda sta diventando seria», fu il commento di Harlan, che rise guardandola. «Ha superato il test della costoletta d'agnello. Cavolo, Victoria, sei a posto!» Lei rideva come una matta, e quasi non si accorse che stava prendendo un altro pezzo di pane all'aglio, come se volesse festeggiare l'evento. John era un cuoco favoloso, d'accordo, ma doveva trattenersi a tutti i costi. Adesso aveva un'ottima ragione per dimagrire: un uomo!

Anche il venerdì si divertirono; dopo avere cenato andarono al cinema. E si trovarono di nuovo la domenica pomeriggio per fare una passeggiata nel parco. Mentre camminavano lui la teneva per mano. Comprarono un gelato, ma Victoria si impose con uno sforzo di buttarlo via prima di averlo finito. In una settimana aveva perso quasi un chilo, e adesso faceva le flessioni tutte le sere davanti alla televisione.

Perfino la dottoressa Watson era emozionata per quella storia romantica in boccio, anche se non erano ancora andati a letto insieme. Del resto lui non le aveva fatto pressione, e Victoria non voleva mostrare di avere fretta; prima voleva essere ben sicura dei propri sentimenti perché aspirava a una vera relazione, non a del sesso senza amore. Stava cominciando a pensare che Jack fosse quello giusto. La domenica pomeriggio salirono nell'appartamento, e Jack conobbe Bunny e Harlan, che lo trovarono molto simpatico.

Ottobre per Victoria fu un mese emozionante, perché finalmente tutti i suoi sogni stavano diventando realtà. Lei e Jack ormai si vedevano abitualmente tutti i weekend, il venerdì sera e la domenica pomeriggio. E infine lui la baciò. Parlarono a lungo dei loro sentimenti, e concordarono sul fatto che era meglio aspettare un po' prima di portare il loro rapporto a un livello più impegnativo. Preferivano essere cauti, conoscersi bene. Victoria, fra l'altro, si sentiva a suo agio con Jack perché non le faceva pressioni sessuali ed era rispettoso nei suoi confronti, anche se ogni volta l'intimità tra loro aumentava e passavano ore meravigliose insieme.

Victoria gli aveva raccontato qualcosa dei suoi genitori, ma si era tenuta molto sul vago. Non gli aveva parlato della famosa «torta di prova», né del perché l'avevano chiamata Victoria, però gli confessò che i suoi non le avevano mai fatto un elogio ed erano stati molto critici sulla scelta della sua professione.

«Ecco qualcosa che abbiamo in comune», commentò Jack. «Mia madre ha sempre desiderato che io diventassi medico, perché lo era stato suo padre. Mio padre ancora adesso vorrebbe che facessi l'avvocato come lui. Io adoro insegnare, e loro mi criticano perché guadagno troppo poco per mantenere una moglie e dei figli. Eppure mi risulta che i nostri colleghi abbiano famiglia, ti pare? E poi faccio quello che desidero io, non quello che decidono per me il papà e la mamma! Figurati che quando sono andato al MIT mio padre credeva che sarei diventato ingegnere... è rimasto molto deluso quando gli ho detto che avrei insegnato.»

«Mio padre sostiene più o meno le stesse cose. Certo, io non pretendo la luna, ma almeno il rispetto, quello sì, perché il nostro è un lavoro importante: dopotutto abbiamo la responsabilità di formare i ragazzi.»

«Sono d'accordo. A certa gente danno milioni di dollari per colpire una palla da baseball, ma educare i giovani non viene considerato importante. È un vero schifo», aggiunse Jack, e Victoria concordò.

Poi, all'inizio di novembre la situazione cominciò a prendere una piega diversa. Si frequentavano da più di un mese, e Victoria stava cominciando a rendersi conto che presto sarebbero finiti a letto insieme. Se lo aspettava. Si sentiva a suo agio, con Jack, e si stava innamorando. Lui era straordinario: rigoroso, onesto, intelligente, spiritoso, affettuoso... Insomma, proprio le caratteristiche che lei aveva sempre sognato di trovare in un uomo! Inoltre possedeva un notevole sex appeal, il che non guastava. Aveva raccontato tutto a Grace, che era emozionata e felice per lei, mentre a suo padre e sua madre non aveva rivelato niente, e anzi aveva pregato la sorella di non parlargliene. Non voleva sentire i loro commenti negativi, le loro previsioni pessimistiche e di malaugurio. Per Jim e Christine era inconcepibile che un qualsiasi uomo potesse innamorarsi di lei. Eppure Jack la trovava bella, e l'affetto che le dimostrava la faceva rifiorire come un giardino a primavera. Aveva l'aria rilassata, più sicura di sé, ed era sempre contenta.

La dottoressa Watson invece era un po' preoccupata, perché non voleva che quella nuova autostima dipendesse dalla presenza di un uomo nella sua vita piuttosto che da una rinascita interiore, anche se bisognava riconoscere che Jack la stava aiutando a vedere se stessa con un occhio diverso, più benevolo. Sotto la spinta di quell'amore Victoria stava molto attenta all'alimentazione e aveva perso cinque chili senza bisogno di diete drastiche, di disgustose tisane e purganti. Era semplicemente felice, e tutto il resto a poco a poco sarebbe andato a posto da solo.

Lei e Jack stavano progettando di passare il Giorno del Ringraziamento con i genitori ma di tornare a New York per il weekend, in modo da stare insieme qualche giorno.

Una sera Victoria stava proprio riflettendo su tutto questo quando, entrando in cucina, si accorse che John e Harlan

195

erano impegnati in una conversazione molto seria e avevano l'aria preoccupata. Non volendo fare l'impicciona, trovò un pretesto per lasciarli soli. Quei due dovevano avere un grosso problema, si disse. Se la stava squagliando, quando Harlan la bloccò.

«Hai un minuto?» le domandò. Lei esitò. John sembrava sconvolto. Si augurò che non fosse successo niente di brutto. Finora lui e Harlan erano andati così d'accordo! Ormai erano insieme da molto tempo; le sarebbe dispiaciuto moltissimo se si fossero lasciati, perché Harlan ne sarebbe stato devastato emotivamente.

«Certo», rispose, chiedendosi cosa poteva fare per aiutarli. Harlan le fece segno di sedersi, e John si lasciò sfuggire un lungo sospiro. «Avanti, qual è il problema?» esordì. Voleva bene a tutti e due, e si augurava che si trattasse solo di una piccola incomprensione.

«Non so come iniziare...»

«È successo qualcosa fra voi due?» Possibile che uno di loro avesse tradito l'altro? Secondo lei Harlan era un tipo fedele, e anche John. Possedevano entrambi solidi valori morali, ed erano persone oneste, per non parlare del fatto che si amavano.

«No, è successo a una persona amica», rispose Harlan. «Io detesto ficcare il naso negli affari altrui. Mi sono sempre domandato cos'avrei fatto se avessi scoperto qualcosa che poteva addolorare qualcuno a cui volevo bene, ma mi rispondevo che, in ogni caso, lui o lei avrebbe dovuto essere informato della realtà dei fatti. È una situazione non facile, te lo garantisco.»

«E vi ci trovate adesso?» proseguì Victoria continuando a non capire. I ragazzi annuirono contemporaneamente.

John sospirò di nuovo. Avrebbe parlato lui; per Harlan era troppo difficile e penoso, e poi era stato John a scoprire tutto un paio di settimane prima. Ne avevano discusso a lungo, ma si erano augurati che le cose si risolvessero da sole. Invece erano peggiorate, e nessuno dei due voleva che Victoria soffrisse. Era una carissima amica, e le volevano bene come a una sorella.

«Non conosco tutti i particolari, ma si tratta di Jack. Il tuo Jack. La vita, a volte, è molto strana... Sai, un giorno all'Aguillera School, dove lavoro io, parlavo con una collega. Non mi è mai stata simpatica, è una persona piena di sé, che punta gli uomini, li manipola per benino e li sfrutta. Ultimamente nominava sempre un insegnante con il quale ha una relazione, che lavora in un'altra scuola. Lo vede tutti i weekend, ma a quanto pare soltanto un giorno, e questo non le va giù. È convinta che la tradisca, anche se lui nega. Però lo considera una gran brava persona e sostiene che è innamorato pazzo di lei. Stanno meditando di passare insieme il Ringraziamento invece di tornare in famiglia. Lui le ha detto che nel weekend del Ringraziamento deve tornare a casa il sabato sera. Sentendo questo discorso, mi si è accesa una lampadina. Allora le ho chiesto come si chiama e dove insegna. Non gliel'avevo mai domandato perché non me ne fregava proprio niente della sua storia d'amore. Be', sai qual è il nome di quel tizio? Jack Bailey, e insegna chimica alla Madison!» John rivolse a Victoria un'occhiata colma di tristezza: lei sembrava sul punto di svenire e aveva gli occhi pieni di lacrime. «A quanto pare il tuo innamorato tiene il piede in due scarpe, o perlomeno è quello che sta cercando di fare. Volevo parlartene prima che la relazione fra voi diventasse più seria. È chiaro che si divide fra voi due tutti i weekend, e adesso anche per il Giorno del Ringraziamento. Be', sai cosa ti dico? Che è un figlio di puttana! Oltretutto quella con cui se la fa è una donna pessima. E poi è così volgare! Non capisco cosa ci fa con una del genere avendo già te.»

Quando John e Harlan, mettendo insieme i vari tasselli, si erano fatti un quadro completo della situazione erano rimasti nauseati, ed erano indignati con chi stava offendendo e umiliando la loro amica in modo tanto subdolo. Victoria sembrava vicina a un collasso nervoso. Scoppiò in un pianto disperato. Harlan le passò un fazzolettino di carta. Lui e John erano imbarazzati e addolorati. Si erano consultati a lungo se fosse meglio parlare o tacere, ma avevano concluso che una brutta verità è sempre meglio di una bella bugia. Lei doveva sapere con chi aveva a che fare.

«E adesso cosa faccio?...» singhiozzò Victoria.

«Secondo me devi parlargliene», rispose John. «Hai diritto a un chiarimento. Ormai avete un rapporto assiduo, vi vedete spesso.... a quanto pare si vede anche con lei ogni weekend. Fra l'altro lei sostiene che vanno a letto insieme da due mesi.» Gli aveva anche fatto capire che Jack era un amante favoloso, ma preferì non infierire, e tacque su questo punto perché sapeva che Jack e Victoria invece non erano ancora andati a fondo nel loro rapporto. Victoria era convinta che avrebbero fatto l'amore durante il weekend del Ringraziamento, quando gli altri inquilini dell'appartamento sarebbero stati via; stava meditando di invitarlo a stare da lei quando fosse tornato a New York. Le aveva raccontato un sacco di menzogne! Poteva considerarsi fortunato che New York fosse una grande metropoli e non gli era ancora successo di incontrare una delle due quando si trovava in compagnia dell'altra. Comunque per pura coincidenza la tipa che frequentava lavorava con uno dei migliori amici di Victoria. Quante erano le possibilità che accadesse qualcosa del genere? Pochissime. Eppure era successo. Il classico intervento della provvidenza.

«E io, adesso, cosa gli dico? Sei proprio sicuro che è vero?» Lei continuava a sperare che John avesse frainteso.

Lui si rese conto che doveva essere onesto fino in fondo e non lasciare spazio a dubbi. «Sicurissimo. Lei sarà anche una poco di buono, ma che bisogno avrebbe di raccontare delle balle a me? No, è Jack a essere disonesto. Si sta comportando in maniera vergognosa. Ha cominciato a frequentare l'altra contemporaneamente a te. È evidente che voleva divertirsi con tutte e due.»

Victoria era sopraffatta dall'angoscia e dall'imbarazzo. Rimase immobile, impietrita sulla sedia. Poi di colpo rabbrividì.

«Pensate che messo con le spalle al muro confesserà la verità?» domandò, al colmo della disperazione.

«È probabile. Tutto sommato, è stato colto in flagrante! È interessante sentire cosa ha da ribattere, come lo spiega. Vediamo come si giustifica.»

«Io non gli ho mai chiesto se si vedeva con qualche altra ragazza», fece notare Victoria. «Pensavo non fosse necessario.»

«Invece avresti fatto meglio a domandarglielo», rimarcò Harlan, indignato. «Ci sono persone che non confessano mai niente se non glielo chiedi in modo esplicito. Però, dato che il vostro rapporto stava diventando serio, avrebbe dovuto dirtelo spontaneamente...»

Lei annuì e ringraziò John per la notizia che le aveva dato, benché fosse orribile.

Lui era molto imbarazzato. Si era sentito in dovere di metterla al corrente, era la cosa giusta: Victoria doveva sapere.

Rimase seduta con loro in cucina ancora a lungo, rimuginando su quello che aveva appena scoperto. A poco a poco nel suo cuore emersero sentimenti contrastanti. Si sentiva confusa, ferita, offesa, ma anche in collera per il grave torto subìto.

Per tutto il giorno successivo riuscì a evitare di trovarsi a quattr'occhi con Jack, mentre era a scuola: non era pronta ad affrontarlo.

Ma di sera lui le telefonò. «Si può sapere dove ti sei cacciata oggi? Ti ho cercata dappertutto...» esordì con il solito tono di voce affettuoso. Era giovedì; sarebbero dovuti uscire il giorno seguente. Victoria cercò di fare finta di niente, ma era difficilissimo. Non voleva affrontare l'argomento al telefono; di certe cose si parla a faccia a faccia. Era stata male tutto il giorno e di notte non aveva chiuso occhio perché non riusciva a capacitarsi che una persona alla quale voleva tanto bene, alla quale aveva donato il proprio cuore, potesse essere a tal punto sleale nei suoi confronti. Aveva l'anima straziata. Tornò a galla la sua convinzione di non essere degna di amore e si illudeva ancora che Jack potesse darle una spiegazione plausibile. Ma poi si imponeva di accettare la realtà dei fatti: le prove che John le aveva presentato erano schiaccianti.

Gli rispose che era stata impegnata tutto il giorno, che aveva avuto delle riunioni con studenti e genitori sulle domande di ammissione ai college, poi lo invitò a salire da lei per un aperitivo, la sera successiva. Lui si dichiarò entusiasta: gli sembrava un'ottima idea, e fu premuroso e pieno di affetto come sempre. Victoria non aveva mai insistito per passare insieme entrambe le serate del weekend perché non voleva dargli l'impressione di essere invadente, ma adesso voleva proprio vedere cos'aveva da ribattere.

«Possiamo fare qualcosa anche sabato sera... ci sono dei bei film», propose in tono casuale.

«Ehm... magari facciamo domenica pomeriggio», rispose lui. Sembrava dispiaciuto. «Sabato devo stare a casa tutto il giorno perché ho un mucchio di compiti da correggere. Sono indietro, non posso proprio rimandare.»

Allora, lei poteva avere il venerdì sera e la domenica pomeriggio, ma non il sabato, né di pomeriggio né di sera. Aveva lo stomaco stretto in una morsa. Doveva ammettere che John le aveva detto la pura verità. Non aveva certo messo in dubbio la sincerità del suo amico, ma si era augurata che avesse frainteso, capito male. E invece no.

Il venerdì, a scuola, fu distratta e nervosa; durante l'intervallo vide Jack in sala professori, ma tagliò corto dicendogli che aveva un consiglio di classe.

Lui si presentò puntualissimo alla porta del suo appartamento il venerdì sera, attraente, gentile e rilassato come sempre. C'era qualcosa nel suo aspetto, nel suo modo di comportarsi, che lo faceva apparire onesto e sincero. Trasudava integrità morale e affidabilità. Scoprire che era tutta una facciata era una grossa delusione, per Victoria.

Erano usciti tutti. Erano soli. I suoi due amici, in particolare, sapendo quello che aveva intenzione di fare erano andati a casa di John per lasciarla libera, aggiungendo però che in caso di bisogno si sarebbero precipitati.

Gli versò un bicchiere di vino con mani tremanti. Non aveva la minima idea di come cominciare il discorso. Lui si era messo un paio di pantaloni sportivi e un vecchio maglione, ed era affascinante come non mai. Lei invece tutt'a un tratto si rese conto di non avere più nessuna voglia di essere bella. Era brutta: per questo la disprezzavano, la tradivano! Una sensazione terribile, atroce. Non si era neanche presa la briga di lavarsi i capelli e di truccarsi un po'. Il concetto di rivaleggiare con un'altra donna le era totalmente estraneo. Il suo spirito, il suo coraggio, la sua nuova fiducia in se stessa... tutto crollato come un castello di carte! Jack era l'ennesima dimostrazione che suo padre aveva ragione, che lei non era degna di essere amata. E qualcun altro, sì.

Mentre sorseggiava il vino Jack la osservava con attenzione. Si era accorto che Victoria era sconvolta, ma non ne immaginava il motivo.

«Qualcosa non va?» indagò.

Lei posò il bicchiere, con la mano che le tremava sempre di più, il cuore in tumulto. Aveva la nausea. «Può darsi», rispose a bassa voce, poi lo guardò dritto negli occhi. «Sei tu che devi dirmelo. Il compagno di Harlan, John, lavora nel Bronx, all'Aguillera School... A quanto pare, ci lavora anche una tua *amica*. Sai meglio di me di chi si tratta. Lei sostiene che sono due mesi che state insieme e vi vedete ogni weekend. Ne concludo che io sono una povera stupida, e tu un disonesto. Allora, cosa mi rispondi?»

Lui la fissò a sua volta, poi depose il bicchiere e attraversò la stanza per andare a guardare fuori dalla finestra. Infine si voltò di nuovo verso di lei, infuriato. Era stato colto in fallo. Scoperto.

202

«Tu non hai alcun diritto di ficcare il naso nei fatti miei!»
la aggredì, con il tono offeso della persona oltraggiata...
Stavolta però non attaccava: Victoria non gli credeva più.

«Io non ficco il naso. Mi è stato riferito. Ma comincio a
ritenermi fortunata per averlo saputo. D'altra parte, lei va
a spiattellare ai quattro venti che sta con te... e il mondo è
piccolo, caro Jack, anche a New York. Per quanto tempo
intendevi prendermi in giro? E perché non me ne hai mai
parlato?»

«Tu non mi hai mai chiesto niente. Io non ti ho mai
raccontato bugie», ribatté lui sempre più furioso. «Non
ti ho mai detto che c'era un rapporto esclusivo fra noi. Se
volevi approfondire dovevi chiedermelo.»

«Non ti sembra che, al punto a cui eravamo arrivati,
toccasse a te parlare? Sono due mesi che ci vediamo tutti i
weekend. E, a quanto pare, tu hai cominciato a incontrare
lei più o meno contemporaneamente. A proposito: lei cosa
ne pensa?»

«Anche a lei non ho mai detto che il nostro era un rapporto esclusivo», ribatté Jack. Per lui era una cosa norma-
lissima, e chi lo metteva in dubbio era un povero ingenuo.
«In ogni caso non sono affari tuoi. Io e te non siamo mai
andati a letto, Victoria. A parte una piacevole compagnia
e qualche serata divertente non c'è stato altro fra di noi.
Non ti devo nulla.»

«Ah, è così che funziona, secondo te? Mi spiace, ma
io non sono d'accordo. Se io avessi frequentato qualcun
altro, che avessimo o no rapporti sessuali, ti avrei informato. Avrei pensato che te lo dovevo, per non farti sentire
confuso e addolorato qualora lo avessi scoperto. Dovevi
dirmelo. Avevo il diritto di sapere, Jack, se non altro per

il rispetto che si deve a un essere umano. Sai benissimo che non ci limitavamo a uscire a cena, non eravamo dei semplici amici; stavamo provando a vedere se veniva fuori qualcosa di serio. E lo stesso giochetto lo stai facendo con un'altra donna. A proposito, oltre a lei c'è in ballo anche qualcun'altra? Certo, a questo punto diventerebbe una situazione un po' difficile da gestire. Sei stato disonesto, Jack, e lo sai benissimo!»

Mentre proferiva queste amare verità piangeva senza freno.

«Credi pure quello che vuoi», ribatté lui. La persona gentile e rispettosa che Victoria conosceva era diventata antipatica, scostante e gelida. Non gli era affatto piaciuta, quella strigliata. Lui faceva quello che voleva, e se qualcuno ci rimaneva male o soffriva, pazienza. Non era certo l'uomo che Victoria credeva; aveva superato la prova delle costolette d'agnello, ma non quella della lealtà. «Non ti devo alcuna spiegazione», ribadì, guardandola con aria scocciata. «È quello che si fa quando ci si frequenta, quando si esce insieme. Tutto qui! Se non ti va bene... amici come prima. Grazie per il vino», concluse, uscendo in gran fretta e sbattendosi la porta dietro le spalle.

Due mesi con un uomo che le piaceva e nel quale aveva creduto... e lui l'aveva ingannata, le aveva raccontato un sacco di bugie, e quando lei gli aveva buttato la verità in faccia non aveva mostrato alcun rammarico, nessun pentimento. Se ne fregava altamente, di Victoria, era fin troppo chiaro. Lei si lasciò cadere su una sedia. Tremava tutta, ma nello stesso tempo era fiera di se stessa per avere avuto il coraggio di affrontarlo. Era stata una brutta scenata, penosa e sgradevole, ma adesso si sentiva meglio di quando John le aveva detto tutto. Tornò in camera, si buttò sul letto e scoppiò in singhiozzi disperati, la faccia nascosta fra i cuscini, con la morte nel cuore.

Jack era un farabutto, ma Victoria non riusciva a non pensare, nonostante tutto, che se lei ne fosse stata degna lui l'avrebbe amata.

14

VICTORIA partì per Los Angeles per il Ringraziamento ancora sconvolta per la delusione che Jack Bailey le aveva procurato. Le fece piacere rivedere Grace e trascorrere i giorni di festa in famiglia, ma si sentiva a pezzi. Aveva rivelato tutto alla sorella, che fu molto addolorata per lei. Dal modo in cui si era messa a mangiare si capiva fino a che punto fosse offesa e sconvolta per quello che le era successo. Suo padre e sua madre si limitarono soltanto a notare che era aumentata di peso, senza chiedersi il perché. Il sabato Victoria tornò a New York. Non ce la faceva più a sopportarli.

Il lunedì mattina telefonò alla dottoressa Watson e fissò un appuntamento. Avevano già discusso del suo rapporto con Jack, ma per quanto girasse e rigirasse intorno al problema, lei bene o male continuava a prendersela soltanto con se stessa, perché, se fosse stata veramente degna di essere amata, Jack si sarebbe comportato in modo del tutto diverso, non avrebbe avuto bisogno di vedersi con un'altra donna.

«Qui non si tratta di chi è lei», disse la psicologa, «ma piuttosto di chi è *lui*. Della sua mancanza di moralità, della sua disonestà, della sua arroganza. Questo non è stato un fallimento suo, ma soltanto di Jack.» Con la mente Victoria capiva, ma con il cuore no. Il cuore batteva sempre sullo stesso chiodo, e cioè che lei non valeva niente. Del resto, se perfino i suoi genitori non le avevano mai voluto bene, chi poteva volergliene? Ovviamente questo principio si applicava anche a loro, perché l'incapacità di amarla li sottoponeva a un severo giudizio da parte sua e da chi veniva a sapere come si comportavano!

Ma ciò non la consolava, e così si sentiva angosciata, depressa. Quando tornò a Los Angeles per Natale cercò di riempire quel vuoto con una quantità spropositata di gelati. Pareva che non riuscisse a scrollarsi di dosso il passato, che non avesse nessuna voglia di ripartire da capo.

Per fortuna Jim e Christine non sapevano niente del suo rapporto con Jack.

Non li aveva informati per non servirgli su un piatto d'argento un altro modo per criticarla. Si congratulava con se stessa per questo. Se l'avessero saputo avrebbero dato la colpa soltanto a lei. Naturale! Come si faceva ad amare una cicciona così? L'altra sarà magra, avrebbero detto, mica come te. Del resto Victoria stessa ne era convinta. Non aveva mai avuto il coraggio di chiedere a John che tipo fosse, ma non ce n'era bisogno: i messaggi che suo padre e sua madre le lanciavano in continuazione, sia quelli espliciti sia quelli più sottili e subdoli, dicevano che gli uomini amavano soltanto le ragazze come Grace, e non se ne facevano niente di una donna intelligente. Lei non assomigliava a sua sorella, dunque chi poteva desiderarla? Tornò a New York la notte di Capodanno in piena depressione. Trascorse la mezzanotte a bordo dell'aereo, e quando il comandante annunciò che era scoccato l'anno nuovo e fece gli auguri ai passeggeri si tirò una coperta sulla testa e si mise a piangere.

Era stato un vero e proprio tormento rivedere Jack a scuola fra il Giorno del Ringraziamento e Natale. Adesso Victoria non andava più a pranzare in sala professori, ma rimaneva in classe oppure usciva a fare quattro passi lungo l'East River. Si rimproverò: doveva saperlo che non è da furbi avere una relazione con qualcuno che lavora con te, perché poi quando finisce è dura raccogliere i cocci. È più difficile dimenticare, perché vedi quella persona tutti i giorni. Oltretutto nella scuola si era sparsa la voce che lei e Jack filavano e che lui l'aveva mollata. Che umiliazione! Cercava di non farsi vedere e di squagliarsela il prima possibile, anche se era Jack quello che avrebbe dovuto vergognarsi. Prima di Natale le giunse voce che si era messo con l'insegnante di francese. Non si stupì: lei gli dava la caccia dal primo giorno di scuola.

Provò un vago senso di pena per la collega perché era convinta che Jack tradisse anche lei. O forse l'insegnante di francese era più abile e accorta e sapeva porre le domande giuste, per esempio: «Ma il nostro è un rapporto esclusivo o te la fai con qualcun'altra?» Era convinta che lui avrebbe mentito ugualmente. A ogni modo ormai la questione non la riguardava più. Jack Bailey non apparteneva più alla sua vita. Era stato un sogno, qualcosa che si era spezzato prima di arrivare a un lieto fine.

Victoria si sentiva sfiduciata, non sperava più nel futuro. Helen e Carla cercavano di confortarla con tutto l'affetto e la gentilezza possibili, ma lei le evitava perché preferiva crogiolarsi nel proprio dolore. Non voleva sfogarsi con nessuno, né a scuola né fuori, neanche con John e Harlan.

Ormai era tutto finito, senza rimedio. I suoi due amici si rendevano conto che l'impatto della rottura di quella relazione era devastante.

Si divertì, invece, ad accompagnare Grace in gennaio a visitare un certo numero di college a New York. Ne videro tre, ma Grace alla fine avrebbe optato per dei college californiani, probabilmente a Los Angeles. Comunque tutte e due si godettero la piccola vacanza e Victoria fu grata per la distrazione che le si offriva.

Grace preferiva tacere, quando andavano fuori a cena, ma vedere sua sorella che si ingozzava di enormi bistecche con patate al forno e panna acida seguite da macedonie con gelato e panna montata, più varie ed eventuali, la preoccupava non poco.

Victoria si accorse di non avere più neanche un vestito che le andasse bene; perfino i pantaloni più larghi e sformati erano diventati stretti. Si rendeva conto che doveva fare qualcosa, ma non si sentiva ancora pronta a rinunciare al surrogato della «bottiglia sotto il letto», come diceva la sua psicoterapeuta. Alla lunga quei pasti sovrabbondanti avrebbero finito per minare la sua salute, proprio come succede agli alcolizzati, però adesso le davano un minimo di conforto, e non voleva rinunciarvi.

Riuscì ad avere il permesso di far visitare la scuola a sua sorella, che poté assistere alle lezioni. Grace si era divertita un mondo, e aveva fatto colpo sui maschi; molti vollero il suo indirizzo di posta elettronica e l'amicizia su Facebook. Lei distribuì dei foglietti con il suo indirizzo e-mail come fossero caramelle. Insomma, aveva portato lo scompiglio a scuola. Adesso aveva quasi diciotto anni, ed era adorabile. Victoria tutto d'un tratto al confronto si sentì non solo brutta, ma anche vecchia. E depressa al pensiero che, nel giro di pochi mesi, avrebbe compiuto venticinque anni. Un quarto di secolo. E dopo esserci arrivata, cos'aveva lei da mostrare del suo passato? La lingua batteva sempre sullo stesso dente, cioè che non aveva un uomo nella sua vita e che era sempre lì a lottare con il peso. D'accordo, aveva un lavoro e una sorella alla quale voleva bene... ma nient'altro. Non aveva un ragazzo, non aveva mai avuto un legame serio, e tutta la sua vita sociale si riduceva alla compagnia di Harlan e John. Non era abbastanza.

Quando Victoria descrisse alla psicologa le visite che aveva fatto ai college con sua sorella Grace, non mancando di dire che si era divertita un mondo, la dottoressa Watson andò subito alla radice del problema.

«Voglio farle una domanda, sulla quale la pregherei di riflettere», le disse pacatamente. «È possibile che lei inconsciamente voglia rimanere grassa perché così non deve entrare in competizione con la sua bellissima sorella minore? Si considera fuori gara, senza alcuna possibilità di successo, e si nasconde dietro il suo corpo. Forse teme che, se dimagrisse sul serio, sarebbe costretta a gareggiare con lei.»

Victoria negò con veemenza, ma in modo sommario. «Non voglio competere con una ragazzina di diciassette anni, una bambina. Sono una donna adulta, io.»

«Siete donne tutte e due, in una famiglia dove i vostri genitori vi hanno sempre messe in contrapposizione l'una con l'altra; a lei hanno detto che non andava bene ed era tutta sbagliata, mentre sua sorella è sempre stata la perfezione in persona. Sono tutti e due fardelli pesanti da portare, soprattutto il suo. Di conseguenza lei si è ritirata dalla gara.»

Era un punto di vista interessante, un'ipotesi da prendere

in seria considerazione, ma Victoria si rifiutava di farlo. Non voleva neanche sentirne parlare. Era la prova che la sua terapeuta aveva toccato un nervo scoperto.

«Ma io ero già grande e grossa prima che lei nascesse», insisté.

«Grande e grossa in confronto a sua sorella. Però essere in sovrappeso è tutta un'altra cosa.» La psicologa le stava suggerendo che in realtà l'adipe fosse una corazza protettiva a cui Victoria non voleva assolutamente rinunciare; era una sorta di travestimento, una tenuta mimetica che impediva alla gente di vedere la sua bellezza. Perché era bella, sì, ma non come Grace, la «torta riuscita». Perciò aveva preferito ritirarsi dalla gara, rifiutare la competizione e nascondersi in un corpo che la rendeva invisibile alla maggioranza degli uomini giovani, a parte quello «giusto», che a quanto pareva tardava ad arrivare.

La dottoressa Watson sperava di aiutarla a liberarsi di quel peso molto prima di arrivare a quel punto; per se stessa, non per un uomo.

«Sta forse insinuando che non voglio bene a mia sorella?» replicò Victoria in tono offeso.

«No», le rispose tranquillamente la dottoressa, «sto dicendo che non vuole bene *a se stessa*.»

Victoria rimase a lungo in silenzio, poi scoppiò in lacrime e pianse senza ritegno. Ricorse alla scatola di fazzolettini di carta che la dottoressa Watson teneva sul tavolino, di cui aveva già avuto modo di saggiare l'utilità.

In primavera il preside la chiamò e le offrì una cattedra fissa. Ebbe anche la soddisfazione di venire a sapere che a

Jack Bailey non avevano rinnovato il contratto. A quanto pareva gli avevano detto che non era idoneo e che la sua presenza lì non era più opportuna. La sua appassionata relazione amorosa con l'insegnante di francese aveva preso una brutta piega, li avevano visti litigare come furie nei corridoi, urlavano come degli ossessi e si sentivano in tutta la scuola, e la passionale parigina era arrivata a prenderlo a schiaffi addirittura all'interno dell'istituto. Quando quella storia era finita, Jack si era messo a corteggiare la madre di uno studente, cosa che, come tutti sapevano, lì dentro era assolutamente vietata, pena l'estromissione. Il che era puntualmente avvenuto. Victoria provò un gran sollievo quando venne a sapere che se ne andava. Era penoso incrociarlo di continuo nei corridoi e ricordarsi ogni volta di non essere stata all'altezza delle sue aspettative. Comunque Jack era un cretino e aveva avuto quello che si meritava.

Lei invece era emozionata e felice per avere ottenuto quel posto fisso e per non doversi più preoccupare che ogni anno glielo confermassero. La Madison School era diventata casa sua, e il fatto di aver avuto la cattedra la liberava da molte ansie sul suo futuro, almeno dal lato economico-lavorativo. Helen e Carla si erano congratulate con lei e l'avevano invitata fuori a pranzo, poi di sera aveva festeggiato con Harlan e John. Bill aveva lasciato da qualche mese l'appartamento per andare a vivere con Julie, e John usava la sua vecchia camera come studio mentre a dormire andava in quella di Harlan. Era un buon acquisto, ed era contenta anche Bunny, che comunque passava sempre più tempo a Boston; Victoria era convinta che presto si sarebbe trasferita definitivamente, magari per sposarsi.

Non si prese neanche la briga di telefonare a suo padre

e sua madre per informarli che a scuola le avevano offerto il posto fisso, mentre come al solito lo disse a Grace, alla quale mancavano soltanto due mesi al diploma ed era al settimo cielo perché era stata accettata alla USC. Stava già progettando di vivere in un pensionato studentesco. Jim e Christine, finalmente, si sarebbero ritrovati con il nido vuoto. La prospettiva non li entusiasmava, ma Grace era stata irremovibile, e quindi loro, come sempre quando si trattava della figlia minore, avevano ceduto. Sembravano più agitati e sconvolti perché Grace andava a stare in un'università di Los Angeles di quando lei era volata dall'altra parte del Paese, a quattromilacinquecento chilometri di distanza. Ma Grace era la pupilla del padre, la sua piccolina, mentre Victoria si poteva scartare. D'accordo, non l'avevano buttata via materialmente, ma era come se l'avessero fatto.

L'assoluta mancanza di affetto che le dimostravano, la continua disapprovazione cui veniva sottoposta l'avevano gravemente danneggiata. Del resto, lei ormai si era rassegnata: i loro rapporti non sarebbero mai cambiati.

15

Quando Grace prese il diploma Jim e Christine organizzarono una festa in grande stile, mentre con Victoria non avevano fatto troppe smancerie neanche quando si era laureata, come se fosse una cosa dovuta. Lei non aveva potuto invitare nessuno, mentre Grace ebbe il permesso di invitare un centinaio di amici e compagni di scuola a un barbecue nel cortile dietro casa, con Jim che si dava un gran da fare alla griglia e preparava a getto continuo pollo, bistecche, hamburger e salsicce. Però non mancava neanche un raffinato servizio di catering, sebbene i camerieri fossero in jeans e maglietta. I ragazzi invitati si divertirono da matti. Victoria arrivò apposta da New York per il grande ricevimento e la festa della consegna del diploma, fissata per il giorno successivo. Grace, in tocco e toga, era un amore. Quando le consegnarono il diploma Jim scoppiò addirittura in lacrime. Victoria, con una stretta al cuore, non poté non pensare che non aveva visto niente del genere quando a prendere il diploma era stata lei. Quanto alla madre, era esausta per i preparativi della festa ma profondamente commossa di fronte a tale importante evento. Quando tutto fu concluso, le due sorelle si strinsero in un abbraccio.

«Non riesco proprio a rassegnarmi!» esclamò Victoria ridendo e piangendo insieme. «Come è cresciuta la mia piccolina! Ma davvero vai al college?» Se Grace si fosse impegnata di più forse avrebbe avuto la possibilità di entrare in qualche prestigiosa università newyorkese invece di rimanere a Los Angeles, così loro due sarebbero potute stare vicine. E poi le sarebbe anche piaciuto vedere la sua sorellina liberarsi dell'influenza soffocante dei genitori. Le stavano sempre addosso, non la mollavano un momento, e il padre era diventato un peso ingombrante nella sua vita; tentava con ogni mezzo di imporle la propria volontà senza permetterle mai di avere un'opinione personale su nessun argomento.

Victoria non lo sopportava, mentre invece Grace aveva accettato quel controllo serrato sotto moltissimi aspetti, adeguandosi allo stile dei genitori, ai loro gusti, alle loro opinioni politiche, alla loro filosofia di vita. Su quasi tutto si proclamava totalmente d'accordo con loro. D'altra parte, Victoria doveva ammettere che lei e Grace non sembravano neanche figlie della stessa coppia. Grace era stata adorata e messa sul piedistallo, aveva avuto completo appoggio ed era stata sostenuta in ogni sua mossa e decisione, perciò non aveva avuto motivo per ribellarsi alla loro volontà, e tantomeno lasciarli e andarsene per i fatti suoi; faceva, insomma, la brava bambina del papà e della mamma ed era il loro idolo. Invece Victoria era stata non solo ignorata, ma anche ridicolizzata, i suoi non avevano mai approvato un solo gesto, una sola scelta che lei avesse fatto. Aveva avuto i suoi buoni motivi per fuggire il più lontano possibile. Grace, invece, aveva altrettanti motivi, irresistibili e convincenti, per rimanere nelle vicinanze di casa. Era incredibile rendersi conto fino a che punto fossero state diverse le loro esperienze e la loro vita, pur avendo avuto gli stessi genitori, come la notte e il giorno, il positivo e il negativo. La vita di Grace era stata molto più facile di quella di Victoria; lei aveva ricevuto affetto e attenzioni, ecco perché non cercava un distacco netto dalla famiglia. La decisione di vivere in un pensionato universitario era già un grande passo, anche se secondo Victoria non era abbastanza drastica perché era convinta che Jim e Christine fossero persone pericolose, il padre un narcisista e la madre una passivo-aggressiva. Le sarebbe piaciuto molto vedere sua sorella mettere un notevole distacco fra sé e i genitori in modo da poter avere i suoi spazi, ma Grace non desiderava niente del genere, perché era stata in qualche modo plagiata. Anzi, avrebbe fatto di tutto per rimanere vicino alla mamma e al papà.

Victoria, che era molto parsimoniosa e nonostante vivesse a New York non faceva spese pazze, aveva risparmiato per mesi, e così aveva potuto permettersi di fare un bellissimo regalo di diploma alla sorella: un viaggio di tre settimane in Europa insieme, dove erano già state da piccole con i genitori. In giugno sarebbero andate a Parigi, Londra e Venezia, e se avessero avuto il tempo anche a Roma; si sarebbero fermate quattro o cinque giorni in ogni città. Grace era talmente eccitata all'idea che non stava più nella pelle. E Victoria, adesso che aveva la cattedra fissa alla Madison School, non aveva bisogno di cercarsi un lavoro per l'estate, perciò per agosto progettava di andare anche nel Maine con Harlan e John.

Grace, da parte sua, aveva mille faccende in ballo prima

di cominciare il college. Le cose stavano cambiando per tutti, e anche Jim e Christine avrebbero potuto riacquistare la propria indipendenza, con entrambe le figlie fuori casa. Certo, si sarebbero ritrovati sempre tutti insieme per le vacanze, ma per il resto del tempo ognuno si sarebbe fatto la propria vita. Victoria però aveva un lavoro, non una vita vera e propria. In ogni caso se ne sarebbe pur fatta una, presto o tardi: era ancora così giovane! A volte si domandava se sarebbe mai arrivata dove voleva. Spesso ne dubitava, e temeva che non avrebbe mai trovato l'uomo giusto e sarebbe rimasta zitella, che quello fosse il suo destino.

Grace invece aveva uno stuolo di corteggiatori; qualcuno le piaceva, qualcun altro no, e ce n'erano un paio per i quali avrebbe fatto pazzie, ma non sapeva chi scegliere fra i due. Non aveva mai avuto problemi con i ragazzi, lei, mentre Victoria continuava a essere la dimostrazione vivente che suo padre e sua madre avevano ragione. Non era abbastanza carina, e troppo intelligente, per trovarsi qualcuno.

Il giorno dopo la chiusura della scuola, Victoria e Grace partirono per Parigi. Grace era arrivata a New York in aereo con due valigie piene di vestiti estivi. Victoria, che aveva una valigia sola, all'aeroporto si era occupata dei bagagli mentre Grace chiacchierava al cellulare con i suoi amici, e a bordo cominciò a mandare freneticamente messaggi finché l'assistente di volo non la pregò di spegnere il cellulare. Victoria si era impossessata dei loro due passaporti e si occupava di tutto. Più che la sorella, sembrava la mamma di Grace.

Durante il volo di sei ore chiacchierarono, mangiarono, dormirono e guardarono due film. Atterrarono all'aeroporto Charles de Gaulle alle dieci di sera. A New York erano le quattro del pomeriggio, ma nessuna delle due si sentiva particolarmente stanca. Presero un taxi per il centro, e sulla strada si guardarono in giro, eccitatissime. Victoria aveva deciso di usare una grossa fetta dei suoi risparmi per pagare quel viaggio, ma Jim le era venuto incontro con un sostanzioso assegno, che lei accettò con gratitudine.

Victoria, in un francese piuttosto incerto, chiese al tassista di passare da Place Vendôme, davanti all'*Hotel Ritz*, poi di continuare fino a Place de la Concorde per vedere lo spettacolo bellissimo ed emozionante delle luci e delle fontane, e di proseguire infine per gli Champs-Élysées fino all'Arc de Triomphe. Imboccarono il grandioso viale proprio mentre la Tour Eiffel esplodeva in una miriade di luci abbaglianti, fenomeno che si ripeteva regolarmente per dieci minuti ogni ora. Sotto l'arco, un'enorme bandiera francese ondeggiava lentamente alla brezza. Grace e Victoria si guardavano intorno incantate.

«Oh mio Dio! Sai cosa ti dico?» mormorò Grace alla sorella. «Io non torno più a casa!» Victoria sorrise e le strinse forte la mano mentre il tassista faceva un giro intorno all'Arc de Triomphe. Tornarono indietro ripercorrendo gli Champs-Élysées verso la Senna, ammirarono la vista degli Invalides, che ospitavano la tomba di Napoleone, e attraversando velocemente il Pont Alexandre III si ritrovarono sulla Rive Gauche. Avevano prenotato una camera in un piccolo albergo in rue Jacob. Volevano alloggiare in posti economici e consumare i pasti in ristorantini modesti in modo da fare la massima economia, e con i soldi risparmiati visitare tutte le gallerie e i musei possibili. Per quel viaggio avevano un budget molto limitato, ma lo avrebbero ricordato per il resto della loro vita. Victoria stava facendo a sua sorella un regalo fantastico!

Quella sera cenarono in un piccolo bistrot vicino al loro alberghetto, e mangiarono una squisita *soupe à l'oignon.* Dopo cena, andarono a fare una passeggiata lungo la Rive Gauche, non smettendo di chiacchierare neanche un attimo finché, rientrate in albergo, non si buttarono sul letto e crollarono addormentate. Grace aveva ricevuto decine di messaggi dai suoi amici dal momento in cui all'aeroporto aveva riacceso il cellulare.

La mattina dopo fecero colazione con *café au lait* e *croissants* e poi si avviarono a piedi al museo Rodin, in rue de Varenne, dopodiché si diressero verso il trafficatissimo boulevard Saint-Germain, dove presero un caffè nel famoso ristorante d'epoca *Deux Magots,* frequentato da artisti famosi. Il pomeriggio lo passarono ad ammirare i tesori del Louvre.

Cenarono in Place des Vosges, al Marais, uno dei più antichi quartieri della città. Chiusero la giornata in bellezza risalendo la Senna su un *bateau mouche* tutto illuminato.

In cinque giorni a Parigi fecero di tutto: visitarono il Museo Picasso, un'esposizione al Grand Palais, passeggiarono per il Bois de Boulogne, andarono a vedere la reggia di Versailles, entrarono ad ammirare l'atrio dell'*Hotel Ritz* e camminarono in lungo e in largo per rue de la Paix.

Anche a Londra fecero le turiste con la stessa energia profusa a Parigi. Andarono alla Tate Gallery, al Victoria and Albert Museum e al museo delle cere di Madame Tussaud, poi ammirarono i gioielli della Corona alla Torre di Londra, assistettero al cambio della guardia a Buckingham Palace e ne visitarono le scuderie, si recarono all'abbazia di Westminster, percorsero in su e in giù la famosa New Bond Street rimanendo estasiate dalla sua maestosità e ammirando le vetrine che vendevano articoli troppo cari per le loro tasche. Victoria a Parigi aveva deciso di fare una pazzia: ai grandi magazzini Printemps aveva comprato una costosissima borsetta per sé e una per Grace. Ora la sorella minore impazziva, vedendo le magliette e i jeans un po' bizzarri che si vendevano in King's Street a Londra, ma siccome erano entrambe delle ragazze sagge, con la testa sulle spalle, non compravano quello che non si potevano permettere. Anche a Londra andarono al risparmio, e spesso si limitarono a mangiare un sandwich in qualche panineria.

I loro genitori controllavano giorno dopo giorno gli itinerari e i posti in cui andavano solamente perché c'era Grace, se si fosse trattato di Victoria non si sarebbero neanche fatti sentire.

Dopo un paio di settimane decisero di andare in Italia, a Venezia, e lì rallentarono il ritmo. Quando vi giunsero rimasero incantate. Victoria decise di prendere una gondola per raggiungere l'albergo, e Grace si spaparanzò, in estasi, sui soffici cuscini del sedile, sentendosi una principessa. In Italia tutti gli uomini si voltavano a guardarla, e Victoria si accorse che quando giravano a piedi per le calli ogni tanto qualcuno le seguiva, ammirato dalla bellezza della sua sorellina.

In piazza San Marco si comprarono un gelato, e dopo aver visitato la basilica vagarono ore e ore per le calli strette e i campielli e visitarono le chiese piene di tesori d'arte. Al ristorante Victoria ordinò pasta al pomodoro e la divorò in un baleno. Grace non era riuscita a finire tutta la sua, anche se la trovava squisita; era troppo emozionata per mangiare molto, e oltretutto faceva un gran caldo.

Tutte e due dissero che Venezia era la loro città preferita, quindi cercavano di vedere il più possibile finché non si sentivano esauste; allora si fermavano per una bibita o uno spuntino in qualche caffè all'aperto, e, piacevolmente rilassate, si divertivano a guardare la gente che passava. Grace insistette per comprare alla mamma una piccola spilla con un cammeo, cosa che a Victoria non sarebbe mai venuta in mente, anche se fu costretta ad ammettere che era proprio carina e che il pensiero della sorella era tenero e affettuoso. A Jim comprarono una cravatta di Prada, e per se stesse acquistarono qualche ricordino come souvenir.

Nella vetrina di una gioielleria nei pressi di piazza San Marco Victoria aveva visto un braccialetto d'oro che le piaceva da impazzire, ma alla fine decise che non poteva permetterselo; Grace invece, fra le altre sciocchezzuole, si comprò un carillon a forma di gondola che suonava un'antica canzone italiana.

Visitarono Palazzo Ducale e tutte le più importanti chiese segnalate dalla loro guida. Fecero il giro dei canali in gondola, non mancando ovviamente di passare sotto il famoso Ponte dei Sospiri. Si abbracciarono mentre la barca vi scivolava sotto, perché la leggenda diceva che così non si sarebbero mai più separate; anche se valeva solo per gli innamorati, Grace sosteneva che andava bene anche per loro. Decisero di passare una serata elegante, l'unica del loro soggiorno, all'*Harry's Bar*, dove mangiarono divinamente. A Venezia, ogni volta che si sedeva a tavola, Victoria si avventava sul risotto o sulla pastasciutta, e per dessert prendeva sempre il tiramisù. Non lo faceva perché aveva bisogno di conforto, ma perché trovava che la cucina italiana fosse squisita. Indipendentemente dalla motivazione, però, quel sovrappiù di calorie produceva sul suo corpo lo stesso effetto, cioè la faceva ingrassare!

Si rattristarono al pensiero che la vacanza stava per finire, ma si consolarono perché riuscirono a fare una puntata a Roma, ultima tappa del loro viaggio, che raggiunsero in treno. Anche lì non fecero che camminare, vedere negozi, visitare chiese e monumenti. Andarono ad ammirare la Cappella Sistina, visitarono i Musei Vaticani, fecero un giro delle Catacombe, e girellarono a lungo intorno al Colosseo e per i Fori Imperiali. A Roma c'erano così tanti tesori d'arte, e a loro rimanevano solo pochi giorni, ma cercarono di vedere il più possibile.

Erano arrivate alla fine del loro indimenticabile viaggio, ed erano esauste ma felici. Si trattava di un momento importante della loro vita, un bellissimo ricordo che avrebbero serbato per sempre nel cuore.

Giunse la vigilia della partenza. Avevano appena buttato una monetina nella Fontana di Trevi e si erano sedute al tavolino di un caffè all'aperto, in via Veneto, quando ricevettero una telefonata da Jim, che disse di non vedere l'ora che tornassero a casa. Grace si commosse: era emozionata al pensiero di rivederlo. Avrebbero preso un volo diretto da Roma per New York, così Grace avrebbe trascorso un paio di giorni extra con sua sorella prima di prendere un aereo per Los Angeles. Victoria le aveva promesso che in agosto l'avrebbe aiutata a sistemarsi nel pensionato universitario dove aveva fissato una camera.

Victoria era sollevata al pensiero di non dover trascorrere due o tre settimane a casa con i genitori. Desiderava soltanto poter avere un po' di tempo per stare sola a New York a rilassarsi.

Durante il volo da Roma a New York, rievocarono tutto quello che avevano vissuto durante la loro esperienza. Le due sorelle erano sempre andate d'amore e d'accordo e non avevano mai avuto un solo momento di screzio. Grace era adorabile, ed era un piacere stare in sua compagnia. E proprio perché sapevano che la loro opinione riguardo ai genitori era molto diversa erano sempre state attente a non toccare l'argomento. Del resto avevano tante altre cose di cui parlare! Grace, poi, non finiva mai di ringraziarla per quel viaggio: era un dono davvero straordinario.

Più o meno a metà volo, Grace, con circospezione e con un'aria misteriosa ed eccitata, mise in mano a sua sorella un pacchettino avvolto in un'elegante carta di Varese legato con un nastro verde. La ringraziò ancora una volta e le disse che il suo era stato il più bel regalo del mondo.

Victoria aprì cautamente il pacchetto, perché si era accorta che c'era dentro qualcosa di pesante: una pochette di velluto nero conteneva il bellissimo braccialetto d'oro di cui si era innamorata a Venezia e che alla fine, a malincuore, aveva deciso di non acquistare.

«Oh mio Dio... Grace, ma che pazzia hai fatto!» esclamò, senza fiato per l'emozione.

Grace glielo allacciò al polso. «L'ho comprato con la mia paghetta e con i soldi che papà mi ha dato per il viaggio», le confidò tutta orgogliosa.

«Ti giuro che non me lo toglierò mai», mormorò Victoria allungandosi per darle un bacio, con le lacrime agli occhi.

«Non mi sono mai divertita tanto in vita mia!» esclamò Grace felice, «e probabilmente non mi capiterà mai più. Adesso però sono triste al pensiero che è proprio tutto finito.»

223

«Anch'io», confessò Victoria. «Chissà, magari un giorno, quando uscirai dal college e prenderai la laurea, lo rifaremo.» Le sorrise malinconica. A Grace sembrava tanto tempo, ma lei sapeva per esperienza che da quel momento in poi gli anni sarebbero volati. Le pareva ieri che si era diplomata e laureata, e se ci pensava veniva colta da un senso di vertigine.

Chiacchierarono ancora un po', poi si addormentarono. Si svegliarono mentre stavano atterrando a New York. Era stato magico stare insieme, si dissero le due sorelle, già piene di nostalgia l'una per l'altra, mentre l'aereo frenava sulla pista.

Ci volle quasi un'ora per recuperare i bagagli e passare la dogana, e un'altra di taxi. Quando arrivarono a casa di Victoria, Roma, Venezia, Londra e Parigi sembravano così lontane, quasi appartenessero a un'altra vita.

«Oh, come vorrei essere ancora a Venezia!» sospirò tristemente Grace mentre Victoria apriva la porta. Era un weekend, ed erano tutti via. Avevano l'appartamento a loro completa disposizione.

«Anch'io, credimi», dichiarò Victoria mentre leggeva un messaggio di Harlan che le augurava un buon ritorno a casa. Le aveva lasciato un po' di viveri nel frigorifero in modo che avesse almeno il necessario per preparare la colazione. Mentre portava tutto il bagaglio nella sua camera da letto le sembrò che quel ritorno a casa avesse qualcosa di strano.

Quella sera andarono a letto presto, dopo aver chiamato al telefono la mamma e il papà per dire che erano arrivate sane e salve. Grace era sempre molto brava e gentile, e telefonava spesso perché non voleva che si preoccupasse-

224

ro. Non aveva mai attraversato la fase adolescenziale di ribellione nei confronti dei genitori, e Victoria un po' se ne rammaricava: le avrebbe fatto bene dire qualche volta no: dal punto di vista psicologico era molto più sano! Sperava che adesso, andando via da casa, Grace riuscisse a trovare un po' di indipendenza, abitando nel pensionato del college, ma aveva l'atroce sospetto che Jim e Christine l'avrebbero tormentata perché tornasse a casa. Si congratulò con se stessa per l'ennesima volta per aver scelto di andare alla Northwestern, anche se sapeva benissimo che per lei non avevano mai provato l'attaccamento morboso che dimostravano nei confronti di Grace, che era sempre la loro piccolina, la dolce bambina che non sarebbe mai cresciuta.

La mattina dopo Victoria preparò per colazione un toast alla francese: fette di pane bagnate in un miscuglio di uova e latte e fritte; poi presero la metropolitana per andare a SoHo e gironzolarono fra venditori ambulanti, turisti e gente che faceva la spesa. Pranzarono in un piccolo caffè con i tavolini sul marciapiede, ma per quanto l'ambiente fosse abbastanza pittoresco non era neanche lontanamente paragonabile a quello che avevano visto in Europa, si dissero. Rievocarono con toni nostalgici Venezia, il momento culminante del loro viaggio, mentre Victoria ammirava, tutta fiera, il bellissimo braccialetto d'oro che Grace le aveva regalato.

La domenica assistettero a un concerto a Central Park, e cenarono dopo che Grace ebbe preparato i suoi bagagli. Quella sera rimasero sedute al tavolo della cucina a chiacchierare fino a tardi. Gli altri non sarebbero tornati fino al lunedì, e il weekend dopo c'era il ponte del 4 luglio. Grace era piena di progetti per il suo ritorno a Los Angeles, mentre Victoria non sapeva cosa fare, a New York da sola. Harlan e John sarebbero andati a Fire Island, e Bunny a Cape Cod.

La mattina dopo Victoria accompagnò la sorella all'aeroporto. Salutandosi, piansero calde lacrime tutte e due. Era la fine di un bellissimo viaggio, un momento splendido della loro vita nel quale erano state sempre insieme. A Victoria sembrava che le strappassero il cuore dal petto quando Grace la lasciò per salire sull'aereo che l'avrebbe riportata a casa.

Sulla via del ritorno, Victoria ricevette un sms che sua sorella aveva fatto in tempo a mandarle prima che l'aereo decollasse. «È stata la più bella vacanza di tutta la mia vita, e tu sei la migliore sorella del mondo. Ti voglio bene, sorellina, e sempre te ne vorrò.» A Victoria salirono le lacrime agli occhi. Gracie era così dolce!

Appena rientrata in casa telefonò alla dottoressa Watson. Che fortuna! Aveva un'ora libera quel pomeriggio stesso.

Victoria le descrisse con dovizia di particolari, piena di entusiasmo, il viaggio che aveva fatto. Disse che la compagnia di Grace era stata fantastica, che la sorella non aveva creato nessun problema, anzi che era stato molto divertente stare insieme, le mostrò il braccialetto, che adesso portava sempre, e, ridendo, le raccontò che Grace aveva avuto un grande successo con gli uomini italiani, che si voltavano a guardarla quando passava.

«E cosa mi racconta di lei? C'era qualcuno che la guardava?» le domandò la dottoressa.

«Sta scherzando? Fra me e Grace, chi crede che guardassero?»

«Anche lei è una donna che vale la pena guardare», le

disse la psicologa. Secondo lei Victoria si annullava per la sorella; si augurava che prima o poi trovasse il coraggio e l'entusiasmo per affrontare la propria vita.

«Grace è un tesoro, però è un po' troppo attaccata ai nostri genitori. Secondo me non è sano. D'accordo, loro con lei sono gentili e affettuosi, ma la soffocano, sono possessivi. Mio padre, poi, le vuole inculcare le sue idee, mentre lei avrebbe bisogno di pensare con la propria testa!»

«È giovane. Arriverà anche per sua sorella quel momento», considerò la dottoressa Watson con aria filosofica. «O magari invece non succederà niente di simile. Può darsi che Grace assomigli a vostro padre e a vostra madre molto più di quanto lei non pensi, oppure che trovi più comodo fare così, per non avere problemi.»

«Io mi auguro di no», disse Victoria, e la psicologa si trovò d'accordo con lei, anche se sapeva che non tutti erano coraggiosi come quella ragazza, che era riuscita a dare un taglio netto con la sua vita in California e a trasferirsi a New York da sola, senza l'aiuto di nessuno.

«Ma di se stessa che novità mi racconta? Ha stabilito una rotta da seguire, Victoria? C'è un traguardo che vorrebbe raggiungere?»

Lei rise, a quella domanda. Una risata nervosa. «Diventare magra come un'acciuga e avere una vita tutta mia. Incontrare un uomo che mi ami e che anch'io possa amare.» Aveva messo su peso, durante il viaggio, e si sarebbe impegnata per perderlo entro l'estate.

«E cos'ha intenzione di fare perché tutto questo possa realizzarsi?» domandò la psicologa a voce bassa, alludendo soprattutto all'amore.

«Al momento, proprio un bel niente! Sono appena rientrata... Non è facile conoscere gente. Tutti gli uomini che frequento sono sposati, o comunque impegnati, oppure sono gay.»

«Non sarebbe opportuno che allargasse un po' il campo dei suoi interessi e cercasse qualcosa di nuovo? Vogliamo parlare del suo peso?» Victoria era sempre o a dieta o disperata perché era ingrassata.

«Ho mangiato quintali di pasta in Italia e un mucchio di *croissants* a Parigi. E adesso la pago.» Prima di partire si era comprata un libro sull'ultima dieta alla moda, ma non l'aveva ancora letto. «È una battaglia molto dura.» C'era sempre qualcosa che le impediva di dimagrire come avrebbe voluto, e quel qualcosa si frapponeva fra lei e l'uomo dei suoi sogni.

«Senta cosa le dico: uno di questi giorni potrebbe trovare qualcuno che la ama così com'è. Non c'è nessun bisogno di fare una di quelle diete estreme e malsane, sa? Cerchi soltanto di non lasciarsi andare e di ridurre un po' le quantità di quello che mangia, perché è meglio per la salute. E si ricordi che la sua vita amorosa non deve dipendere da quello.»

«Ma nessuno mi amerà mai, se continuo a essere grassa...» ribatté Victoria con aria tetra. Del resto quello era il messaggio che suo padre le aveva ficcato in testa e che aveva assunto quasi la forma di una maledizione.

«Non è vero», rispose la psicologa con la massima calma. «Che lei sia grassa, magra o una via di mezzo non importa: troverà lo stesso il vero amore.»

Victoria non rispose, ma era chiaro che non ci credeva. Lo sapeva benissimo come funzionava, non si faceva illusioni. Nessun ragazzo era mai venuto a bussare freneticamente alla sua porta, nessuno l'aveva mai fermata per strada pregandola di dargli il suo numero di telefono o per chiederle un appuntamento.

«Perché non torna dal dietologo? Mi pareva che avesse funzionato abbastanza bene. Oppure può rivolgersi a un centro di dimagrimento.» Victoria ci aveva già pensato un mucchio di volte, poi alla fine non ci era mai andata. Diceva sempre che aveva troppo da fare, che le mancava il tempo.

«Già! Sto cominciando a pensare di prendere un appuntamento fra qualche settimana.» Prima doveva organizzarsi.

Dato che in Europa aveva messo su un bel po' di chili, aveva ricominciato a portare soltanto vestiti ampi e senza forma. Chiacchierò ancora un po' con la dottoressa Watson del suo viaggio, fin quando l'ora finì. Mentre usciva, si sentì di nuovo bloccata; le pareva che la sua vita fosse arrivata a un punto morto. Aveva bisogno di una consolazione immediata, perciò si comprò un cono gelato dicendosi che tanto non avrebbe fatto nessuna differenza. Il giorno dopo si sarebbe messa a dieta, giurò.

Rientrata a casa, trovò Harlan e John. Era arrivata anche Bunny. Le fecero delle grandi feste, e quella sera quando Bunny tornò dalla palestra cenarono tutti insieme. John aveva preparato una pasta e un'insalata di aragosta. Come si faceva a resistere? Harlan si era accorto che Victoria era ingrassata, ma si guardò bene dal dirglielo.

Bunny annunciò agli amici che si era fidanzata ufficialmente e mostrò l'anello: si sarebbe sposata in primavera. Gli altri tre se lo aspettavano, e si congratularono con lei.

Grace, poco prima, le aveva mandato un messaggio per farle sapere che era tornata a casa e che era andato tutto bene, poi la chiamò al cellulare prima di dormire. Le riferì che il papà e la mamma l'avevano portata fuori a cena e che il giorno dopo sarebbe andata a Malibu con degli amici. La sua estate era fitta di impegni.

Quanto Victoria si coricò, sognò di essere ancora a Venezia, e di passare sotto il Ponte dei Sospiri seduta in gondola di fianco a Grace... e poi sognò il risotto alla milanese che avevano mangiato all'*Harry's Bar*.

Il resto dell'estate passò in un baleno, fin troppo in fretta. Victoria trascorse il weekend del 4 luglio in una pensione negli Hamptons con Helen e un gruppo di colleghe della Madison School single come lei. In agosto invece visitò il Maine con Harlan e John. A New York aveva fatto un caldo terribile, e lei non era riuscita a fare niente a parte starsene sdraiata sul letto e crogiolarsi nella nostalgia per la sorella. Una volta fu colta da raptus e decise di partecipare a una riunione della Overeaters Anonymous, dove c'erano gruppi di sostegno per chi soffre di disturbi alimentari. Ci andò una volta sola e non ci tornò più.

Come aveva promesso, prese un aereo diretto in California per l'ultimo weekend di agosto, e aiutò Grace a sistemarsi nella sua camera al pensionato universitario della USC. Fu una giornata piena di caos, di ricordi dolceamari e di lacrime. Victoria l'aiutò a disfare il bagaglio, mentre Jim montava lo stereo e il computer che Grace aveva portato con sé e Christine piegava accuratamente la biancheria e la metteva nei cassetti.

La camera era molto piccola ed erano in tre ragazze; era difficile trovar posto per tutta la loro roba, tenendo conto del fatto che avevano anche tre scrivanie, ciascuna occupata dal relativo computer. Tutti i genitori e Victoria si diedero un gran da fare e si misero di impegno per aiutarle a sistemarsi, e per la fine del pomeriggio la stanza era un po' più accogliente. Quando Grace accompagnò i suoi parenti all'uscita, era molto scombussolata, e sembrava un po' nel panico. Jim aveva il magone, e anche Victoria si sentiva il cuore stretto. D'altra parte, ormai, bisognava accettare il fatto che Grace era una persona adulta; dovevano aprire lo sportello della gabbia e lasciare che l'uccellino volasse via. I suoi genitori però erano restii a farlo, e Victoria si accorse che lo era anche lei.

Stavano tutti insieme fuori dalla porta del pensionato a chiacchierare, quando un bel ragazzo alto, racchetta da tennis in mano, arrivò lemme lemme con l'aria di chi se ne va a zonzo senza aver niente da fare. Nell'istante in cui vide Grace si bloccò, fulminato. Victoria non poté trattenere un sorriso di fronte all'espressione della sua faccia, ma le era già capitato di vedere altri ragazzi reagire allo stesso modo quando vedevano sua sorella.

«Matricola?» le domandò tanto per attaccare bottone. Grace si limitò ad annuire. Anche lei era rimasta colpita.

Certo che Grace non aveva fatto in tempo a mettere piede nel pensionato che si era già trovata un ragazzo!

«Sei del terzo anno o dell'ultimo?» indagò Grace con aria speranzosa. Lui si mise a ridere.

«Studio amministrazione aziendale», le rispose con un largo sorriso. Era una laurea specialistica, perciò doveva avere qualche anno più di lei. «Ciao», la salutò, poi scrutò tutti a uno a uno. «Mi chiamo Harry Wilkes», si presentò stringendo la mano a Jim, Christine e Victoria. Si domandarono se fosse il figlio del Wilkes che aveva donato la Wilkes

Hall all'università. Chiese a Grace se alle sei le andava di giocare una partita a tennis. Lei, raggiante, rispose che le andava eccome. Allora lui le disse che sarebbe venuto a prenderla per quell'ora, dopodiché trotterellò via felice come una pasqua.

«Be', secondo me non ti rendi conto della tua fortuna.»

«E invece sì, che me ne rendo conto», rispose lei con aria sognante. «È proprio carino.» Poi, come se fosse ormai conquistata da un alieno arrivato da chissà quale pianeta, confidò sottovoce a Victoria: «Vedrai, quello lì me lo sposo».

«Aspetta prima di vedere come se la cava su un campo da tennis!» Victoria ne aveva visti tanti, di ragazzi, entrare e uscire dalla vita della sua sorellina. Sperava che non facesse come sua madre, che al college aveva passato il tempo a cercarsi un marito anziché a divertirsi. Era assurdo che alla sua età cominciasse addirittura a pensare al matrimonio.

«No. Sto parlando sul serio. Vedrai se non lo faccio. Quando mi ha detto ciao, ho sentito che era *lui*», le rispose Grace guardandola seria. Victoria aveva una gran voglia di darle una bella scrollata, magari di rovesciarle un secchio d'acqua addosso perché riacquistasse un minimo di buon senso.

«Ehilà! Questo è il college, cara la mia ragazza! Quattro anni per spassarsela, imparare tante cose, e conoscere ragazzi favolosi. Vedi di non sposarti il primo che incontri.»

«Lascia fare a tua sorella! Figurati se non si trova il partito migliore dell'università!» commentò Jim orgoglioso, sicuro che si trattasse di un rampollo di *quei* Wilkes. «Mi sembra che sia rimasto piuttosto colpito da Grace, quel bravo figliolo!»

«Come una buona metà degli italiani che abbiamo incontrato per strada durante le vacanze. Ehi, cerchiamo di non perdere la testa», provò a dire Victoria nel tentativo di infondere un briciolo di razionalità in quelle zucche. Ma le sembrava di parlare con dei sordi. Era bastato il nome di quel ragazzo perché Jim partisse per la tangente! Grace invece era rimasta incantata dalla sua bellezza. Christine, quando aveva sentito la parola «matrimonio», non aveva capito più niente. Quel povero Harry Wilkes ormai era spacciato, pensò Victoria. Quei tre gli avevano messo le grinfie sopra e non se lo sarebbero lasciato scappare. «Ehi, tu! Stammi un po' a sentire: cerca di non fidanzarti prima del Ringraziamento, quando torno a casa, mi raccomando!» disse scherzando ma non troppo. Poi l'abbracciò, e se ne stettero per un bel po' così, strette l'una all'altra. «Ti voglio bene», sussurrò Victoria con la bocca fra i morbidi capelli ricci di Grace. Sembrava una bambina, così esile tra le sue braccia... Grace alzò la testa e la guardò con gli occhi colmi di lacrime.

«Anch'io ti voglio bene. E poco fa parlavo sul serio. Perché, vedi, riguardo a quel ragazzo... provo una sensazione così strana!»

«Oh, piantala!» sbottò Victoria scoppiando a ridere e dandole una pacca sulle spalle. «Divertiti, al tennis. Poi mi telefoni e mi dici com'è andata.» Lei sarebbe partita per New York la mattina dopo. Del resto, in casa non c'era niente che la trattenesse, dato che Grace se n'era andata.

Tutti e tre insieme, Jim, Christine e la loro figlia maggiore si avviarono verso l'enorme parcheggio per recuperare la macchina con la quale erano arrivati. Victoria sedette dietro. Viaggiarono in silenzio fino a casa, ciascuno assorto nei propri pensieri, riflettendo su tutto ciò che era accaduto in quella giornata.

Victoria rivide Grace neonata, poi una trottolina che faceva i primi passi tentando di attraversare di corsa la camera, più tardi il primo giorno di scuola mentre le dava un bacio salutandola. Tutt'a un tratto, eccola adolescente. E adesso... questo!

16

Anche per Grace gli anni del college passarono fin troppo in fretta... Ed eccola lì in tocco e toga alla cerimonia di conferimento della laurea, alla fine della quale lanciò il tocco in aria. Era fatta. Quattro anni di college erano filati via. Si era laureata in scienze delle comunicazioni, ma non aveva ancora deciso cosa fare. Le sarebbe piaciuto lavorare nel mondo della stampa, per un quotidiano o un periodico, ma non aveva ancora cominciato a guardarsi in giro.

Per adesso voleva godersi l'estate e iniziare a cercarsi un impiego a settembre. Ovviamente aveva la totale approvazione da parte di suo padre. In luglio sarebbe partita per l'Europa con un gruppo di amici e il suo ragazzo, Harry, e avrebbe visitato l'Italia e la Spagna; poi loro due si sarebbero trovati con i genitori di Harry nel Sud della Francia. La previsione che Grace aveva fatto sul proprio futuro il giorno stesso in cui era entrata all'USC si stava quasi avverando. Non erano sposati, ma Harry Wilkes era stato il suo ragazzo fisso per tutti e quattro gli anni del college, con l'entusiastica approvazione di Jim, ovviamente, dato che lui era davvero il rampollo della famiglia del Wilkes

Hall. Harry aveva preso la laurea specialistica in amministrazione aziendale l'anno prima, e adesso lavorava per suo padre in una società finanziaria che si occupava di fondi di investimento. Aveva una posizione molto solida, e Jim lo considerava un ottimo partito.

Quando andarono tutti insieme a pranzo fuori dopo la consegna dei diplomi di laurea – tardi perché la cerimonia si era protratta fin oltre l'una e mezzo –, Harry si unì a loro insieme con cinque o sei compagni e amici di Grace. A Victoria non sfuggì che i due ragazzi parlavano a bassa voce, con l'aria di raccontarsi chissà quali segreti.

Harry le piaceva, anche se secondo lei esercitava un controllo troppo serrato su sua sorella, mentre Victoria avrebbe voluto che al college Grace facesse una vita un po' più avventurosa. Erano sempre insieme. Durante il terzo anno aveva lasciato il pensionato universitario per andare a vivere in un appartamento con lui fuori dall'università, dove stava ancora adesso. Secondo Victoria, lei era troppo giovane per avere una relazione così impegnativa; dopotutto Harry era il suo primo vero ragazzo. Le ricordava un po' suo padre: aveva opinioni ben precise su ogni cosa, che Grace accettava senza mai contestarlo. Victoria non voleva neanche pensare che un giorno potesse diventare uguale alla loro madre: un'ombra del marito, che si annulla per dare più spicco alla personalità di lui e farlo sentire soddisfatto di se stesso, ma che non riesce a essere una vera mamma. Comunque era innegabile che Grace fosse felice con Harry, e si augurò che tutto andasse per il meglio.

Victoria si era molto stupita quando Jim e Christine non avevano sollevato alcuna obiezione di fronte alla scelta dei due ragazzi di convivere. Se si fosse trattato di lei si sarebbero comportati in tutt'altro modo. Quando provò a parlarne con suo padre lui le rispose che non doveva essere così rigida, così antiquata... Ma lei sapeva benissimo che accettava la situazione senza fiatare perché la famiglia di Harry era ricchissima, mentre se Harry Wilkes fosse stato povero non sarebbero stati così accomodanti.

Insomma, era molto preoccupata per sua sorella. Temeva che i suoi l'avessero suggestionata al punto da accettare come giusti gli ideali sbagliati.

Quando finalmente si alzarono da tavola, Grace andò a restituire il tocco e la toga che aveva noleggiato. Consegnò poi il suo diploma di laurea a Victoria affinché glielo custodisse; lei e Harry sarebbero usciti con amici quella sera e dovevano rientrare a casa. Harry guidava la Ferrari che i genitori gli avevano regalato per la laurea. Mentre si allontanavano dai famigliari Victoria vide che i due si baciavano. Il tempo era passato così in fretta! Sembrava ieri che lui si era fermato con la racchetta in mano fuori dal pensionato dove Grace era appena arrivata.

«Mi sa che sto diventando vecchia», commentò con suo padre quando furono in macchina a loro volta. Stava per compiere ventinove anni. «Solo ieri accompagnavo Grace al suo primo giorno di scuola... Gli anni sono volati senza che me ne accorgessi.»

«Oh, sì, davvero. Anch'io mi meraviglio di come il tempo scivoli via. A un certo punto ti fermi a pensarci e ti rendi conto degli anni passati!» esclamò Jim con un'aria nostalgica che stupì non poco Victoria.

Durante i quattro anni del college di Grace, lei era uscita con diversi uomini – un avvocato, un insegnante, un agente di cambio, un giornalista eccetera –, ma nessuno di loro le aveva catturato il cuore, perciò nel giro di qualche settimana o qualche mese al massimo era finita.

Intanto aveva fatto carriera alla Madison School, dirigeva la sezione di inglese. Viveva nello stesso appartamento, ma solo con Harlan e John; lei usava la camera di Bunny come studio. La loro amica si era sposata tre anni prima e aveva due bambini, e si era trasferita da poco a Washington con marito e figli. Lui lavorava al Dipartimento di Stato, anche se in realtà tutti sospettavano che fosse un agente della CIA, mentre lei era la classica mamma che sta in casa a badare alla famiglia. Harlan lavorava ancora al Costume Institute, e John insegnava sempre nella stessa scuola, nel Bronx.

Victoria non andava dalla dottoressa Watson da due anni. Ormai la psicologa non aveva più niente da dirle. Avevano scavato a fondo nella sua psiche, nei più reconditi recessi della sua anima, e alla fine non era rimasto nessun mistero da scoprire. Victoria aveva subìto gravi abusi psicologici dai genitori, che avevano riversato tutto il loro affetto sulla figlia minore e per lei non ne avevano trovato neanche un po'. Non c'era molto altro da aggiungere: la fonte del suo disagio stava lì. Victoria sapeva che non era colpa della sua sorellina, e non smetteva di amarla con tutto il cuore, mentre per merito della psicoterapia era riuscita a staccarsi emotivamente dai genitori. Adesso non provava per loro alcun sentimento, né rabbia né affetto. Erano solo due egoisti convinti di essere il centro del mondo, che non avrebbero mai dovuto avere figli, tantomeno una figlia come lei.

Malgrado tutto, se la cavava benino. La dottoressa Watson l'aveva aiutata molto, moltissimo. D'accordo, non poteva eliminare dalla propria esistenza quel padre e quella madre e doveva sempre confrontarsi con il suo problema di sovrappeso, ma adesso affrontava la vita con più ottimismo e maggiore grinta.

Non aveva ancora trovato l'uomo dei suoi sogni e forse non l'avrebbe trovato mai, ma amava il suo lavoro. Il peso andava su e giù; le sue abitudini alimentari dipendevano dal tempo, dal lavoro, dalla vita amorosa, o piuttosto dal fatto di non averne una, e dall'umore. Al momento era un po' troppo grassa e non usciva con un uomo da almeno un anno, ma la dottoressa Watson le aveva inculcato per bene che la sua stazza non influiva sui suoi rapporti con l'altro sesso.

Harlan però non era d'accordo con questa teoria, e senza peli sulla lingua le faceva notare quando mangiava troppo perché soffriva di solitudine oppure era infelice per qualche motivo. Victoria aveva contribuito all'acquisto di un tapis-roulant e un vogatore che avevano messo in soggiorno, ma non li usava mai, al contrario di Harlan e John che si allenavano tutti i giorni.

Quella sera cenò con i genitori. Si sottoponeva a questo sacrificio almeno una volta quando tornava in famiglia. Suo padre stava cominciando a parlare di ritirarsi dal lavoro nel giro di pochi anni e la madre continuava a essere un'accanita giocatrice di bridge. Ogni volta che vedeva quei due, Victoria si accorgeva di avere sempre meno argomenti di conversazione con loro.

Alle grevi battute di spirito sul suo peso, suo padre adesso aggiungeva qualche commento acido sul fatto che non era sposata, non aveva un ragazzo fisso e probabilmente non avrebbe mai avuto figli. E tutto questo dipendeva dal suo peso. Lei ormai non si prendeva più neanche la briga di discutere, lasciava semplicemente che lui sciorinasse le sue cattiverie e non replicava, tanto poi, per fortuna, se ne sarebbe andata e non avrebbe rivisto nessuno dei due per un bel po'. Il fatto era che quegli stupidi commenti non cambiavano mai, sembravano un disco rotto; Jim a quanto pareva stava diventando un vecchio fissato.

Durante la cena disse che gli sarebbe piaciuto far lavorare Grace come copywriter nella sua agenzia di pubblicità. Mentre Victoria aiutava la mamma a caricare la lavastoviglie Grace entrò in casa inaspettatamente. Da quando viveva con Harry capitava di rado che facesse un salto dai genitori, perciò rimasero tutti meravigliati di vederla, per quanto felici di averla lì con loro. Grace si fermò sulla porta della cucina e li guardò uno per uno; aveva le guance più rosee del solito e gli occhi scintillanti. E Victoria non poté fare a meno di provare un tuffo al cuore quando Grace pronunciò proprio le parole che aveva paura di sentire.

«Sono fidanzata *ufficialmente*!» Sulla stanza calò il silenzio per una frazione di secondo, poi Jim si lasciò sfuggire un urlo di gioia, la prese fra le braccia e girò in tondo come una trottola, come faceva con lei quando era piccola.

«Come sono contento! Dov'è Harry? Voglio congratularmi anche con lui!»

«Mi ha accompagnata e poi è andato via... voleva dirlo subito ai suoi», rispose Grace, sprizzando gioia da tutti i pori. Victoria intanto aveva ricominciato a riporre i piatti nella lavastoviglie senza dire una sola parola. Christine rideva, al settimo cielo, e abbracciava con entusiasmo la figlia minore, che mostrò a tutti l'anello con un grosso brillante che portava al dito, a conferma di ciò che aveva appena annunciato.

«Proprio come abbiamo fatto tuo padre e io!» esclamò

la madre, emozionatissima. «Ci siamo fidanzati la sera della laurea... e sposati a Natale.» Era la millesima volta che lo diceva, non era certo uno scoop. «A quando le nozze?» domandò come se volesse mettersi a organizzare tutto lì, sui due piedi. Jim e Christine non le chiesero se era sicura di quello che faceva, non obiettarono che forse era troppo giovane per sposarsi... Evidentemente, dato che lo sposo si chiamava Harry Wilkes, tutto questo passava in secondo piano. Anzi, *chapeau* a Grace: un vero colpo da maestra. Contava solo la loro soddisfazione personale, non che la scelta fatta fosse la migliore per la loro figlia più piccola.

Victoria si voltò a guardare prima loro e poi la sua sorellina, gli occhi colmi di preoccupazione.

«Non pensi di essere troppo giovane?» azzardò. Grace aveva ventidue anni e Harry ventisette, secondo lei entrambi non erano abbastanza maturi per il matrimonio.

«Ci frequentiamo da quattro anni», precisò Grace, come se questo bastasse a spiegare tutto. Mentre per sua sorella era un fattore negativo perché Grace non avrebbe mai imparato a camminare con le sue gambe e a pensare con la sua testa. Inoltre quel rapporto esclusivo le aveva impedito di conoscere altri ragazzi al college, in modo da avere maggiori elementi per scegliere il compagno della propria vita.

«Anche nella mia scuola ci sono degli studenti che sono insieme da quattro anni, ciò non significa che siano pronti al matrimonio. Senti, non nascondo di essere preoccupata per te: hai ventidue anni. Devi trovarti un lavoro, crearti un'indipendenza economica da sola, prima di prendere marito e sistemarti. Cos'è tutta questa fretta?» Per un attimo le balenò il timore che Grace potesse essere incinta, poi si disse che era improbabile. Del resto Grace aveva dichiarato che avrebbe sposato Harry un secondo dopo averlo conosciuto, ed ecco che la profezia si avverava.

Grace guardò la sorella maggiore con occhi pieni di riprovazione, turbata dalla sua mancanza di entusiasmo.

«Come fai a non essere felice per me? Non ci riesci proprio?» le sibilò in tono petulante. «È possibile che tutto debba sempre essere come credi tu? Io sono felice. Amo Harry. Non me ne importa un bel niente della carriera. A differenza di te, non ho nessuna vocazione particolare. Voglio soltanto essere la moglie di Harry!»

A Victoria non sembrava che fosse abbastanza, ma forse Grace aveva ragione. E poi, chi era lei per decidere qual era la cosa migliore per sua sorella?

«Scusami», mormorò in tono triste. Erano anni che non litigavano. L'ultima volta l'avevano fatto per via dei genitori, che Grace difendeva a tutti i costi nonostante secondo Victoria avessero torto marcio. Anche quella volta era stata lei a lasciar perdere perché sua sorella era troppo giovane per capire... Ma ecco che in questa occasione saltava fuori la sua somiglianza con il padre e la madre. Anche stavolta l'elemento estraneo, la nota stonata, era Victoria, che non era affatto contenta di quella decisione e aveva il coraggio di dirlo. «Io voglio soltanto che tu sia felice, e ritengo che tu sia troppo giovane per sposarti.»

«Secondo me avrà una vita meravigliosa», tagliò corto Jim indicando l'anello con il brillante. Victoria, vedendogli compiere quel gesto, fu colta da un senso di nausea. Certo, una figlia che si sposava con un riccone era l'ultimo tocco di pennello che avrebbe completato il quadro del suo narcisismo. Con quell'anello al dito Grace era diventata un trofeo da esibire, la riprova delle sue abilità paterne.

242

Grace non vedeva il pericolo che la sua scelta poteva implicare, era troppo presa dalla propria vita, troppo impaurita al pensiero di uscire nel mondo – il mondo vero, quello che significava trovarsi un lavoro, conoscere gente nuova, realizzarsi in qualche modo –, così preferiva accasarsi con Harry e non dover pensare a niente.

Mentre Victoria rimuginava questi pensieri, Harry entrò in cucina, raggiante. Grace gli si buttò fra le braccia. Era così felice! Jim diede una bella pacca sulla spalla al futuro genero per complimentarsi e Christine andò a prendere una bottiglia di champagne, la stappò e ne versò una coppa a tutti. Victoria, guardandoli, fu colta da un pizzico di nostalgia. A poco a poco, Grace aveva superato tante pietre miliari: il diploma delle superiori, la laurea al college, e adesso il fidanzamento. Decise di accantonare le proprie perplessità e, per amore di sua sorella, andò ad abbracciare forte Harry. Grace la guardò, visibilmente sollevata. Era chiaro che non voleva che nessuno interferisse con le sue decisioni, che cercasse di ostacolarla o si azzardasse a sfidarla. Che male c'era se finalmente aveva realizzato il suo sogno?

«Allora, quando sarà il gran giorno? Avete già fissato una data?» domandò Jim mentre facevano un brindisi. Harry e Grace si guardavano raggianti; ovviamente fu Harry a rispondere. Non le lasciava mai un minimo di spazio, cosa che Victoria trovava parecchio irritante. In fondo Grace ce l'aveva la lingua, perché ogni tanto non la usava? Si augurò che la data del matrimonio non fosse troppo ravvicinata.

«A giugno del prossimo anno», rispose Harry, sorridendo alla fidanzata. «Ci sono un mucchio di cose da organizzare...» Guardò prima la futura suocera, poi la futura cognata, come se si aspettasse di vederle mollare tutto e trasformarsi in wedding planner seduta stante. «Abbiamo calcolato che inviteremo dalle quattro alle cinquecento persone», continuò. Certo non si poteva dire che avesse rispettato le convenzioni sociali. Non si era consultato con il padre e la madre della sposa per chiedere il loro parere, e soprattutto non aveva chiesto a Jim la mano di Grace ufficialmente! Aveva fatto la domanda di matrimonio a Grace senza sapere se Jim Dawson avrebbe approvato. Quando Christine sentì il numero degli invitati, sbiancò. Così tanti? sembrava che si stesse chiedendo. Jim, invece, aveva un'aria soddisfattissima, stappò un'altra bottiglia di champagne e riempì di nuovo le coppe.

«Care signore, mettetevi subito sotto. C'è un gran lavoro da fare», sentenziò, sorridendo prima a Harry e poi alla moglie e alle figlie. «A me resterà solo da pagare i conti.»

Victoria non poté fare a meno di osservare come suo padre, in nome di un matrimonio vantaggioso, fosse stato prontissimo a rimangiarsi i propri principi e i propri ideali. L'età di sua figlia e tutto il resto non contavano niente. Se lei si fosse azzardata a dire qualcosa l'avrebbero accusata di essere la cicciona zitella che voleva mettere i bastoni fra le ruote alla sua bellissima sorellina per pura e semplice gelosia.

Finita la seconda bottiglia di champagne, Harry annunciò che i suoi genitori avevano intenzione di organizzare presto una cena per trovarsi tutti insieme. Victoria ne approfittò per abbracciare di nuovo stretta sua sorella.

«Ti voglio bene. Scusami se ti ho involontariamente offesa.»

«Per carità! È tutto a posto», le bisbigliò Grace. «Io voglio soltanto che tu sia felice per me.»

244

Victoria rispose facendo segno di sì con la testa. Non sapeva cosa dire.

Poi i due fidanzati se ne andarono per correre dagli amici; la festa di laurea era l'occasione ideale per dare anche a loro la bella notizia e mostrare l'anello. Dopo qualche minuto Victoria sentì che le era arrivato un messaggio al suo BlackBerry e andò a controllarlo. Era di Grace: «Ti voglio bene. Sii felice per me». Replicò con l'unica risposta possibile: «Te ne voglio anch'io. Tanto».

«Ecco fatto! Adesso hai un anno per organizzare le nozze», disse Jim a Christine appena Grace e Harry se ne furono andati. «Ti terrà molto impegnata, sappilo. Dovrai rinunciare a qualche partita a bridge.»

Mentre suo padre faceva questi commenti, Victoria ricevette un altro messaggio, anche questo di Grace.

«Damigella d'onore?» diceva. Sorrise. Sapeva già che avrebbe dovuto partecipare in modo attivo alle nozze, ma del resto non si sarebbe mai sognata di negare a sua sorella, e a se stessa, una cosa del genere.

«Sì. Grazie. Naturalmente!» rispose.

La sua sorellina che si sposava e lei sua damigella d'onore! Che giornata era stata!

17

APPENA rientrata a New York, due giorni dopo la laurea di Grace, Victoria telefonò alla dottoressa Watson, che quella sera stessa la richiamò al cellulare. Dopo i saluti di rito, dato che non si vedevano da un paio d'anni, Victoria le chiese un appuntamento, e la psicologa fece il possibile per trovarle un posto il giorno dopo.

Quando Victoria entrò nel suo studio, la dottoressa non poté fare a meno di notare che, per quanto avesse l'aria più adulta, sostanzialmente era la stessa, non era cambiata. Anche il peso le sembrava invariato dall'ultima volta che si erano viste. Insomma, la situazione apparentemente era stazionaria.

«C'è qualcosa che non va?» le domandò in tono preoccupato. «Ho avuto l'impressione che avesse un problema urgente.»

«Be', penso proprio di sì. Credo di essere in piena crisi di identità... forse ho bisogno di uno scossone.» Negli ultimi due giorni si era sentita inquieta, agitata. Non solo aveva dovuto assistere a quella festa di laurea, che segnava uno spartiacque per sua sorella, ma l'annuncio del fidanzamento era stato un duro colpo. «Mia sorella si è fidanzata qualche giorno fa, lo stesso della laurea, proprio come avevano fatto i nostri genitori. I miei sono entusiasti perché il ragazzo che sta per sposare è pieno di soldi, ma secondo me sono pazzi. A lei non interessa cercarsi un lavoro, e il fidanzato non vuole neanche che lo faccia. Prima voleva diventare giornalista, adesso sembra che non gliene freghi più niente. Ma così finirà come nostra madre e diventerà l'ombra di suo marito! Anche lei asseconda il suo ragazzo in tutto e per tutto, quello che dice è oro colato, e lui ha sempre qualcosa da dire su questo e su quello... un po' come nostro padre. Quando sarà la moglie di Harry finirà per annullarsi... se ci penso mi sembra di impazzire. In questo momento l'unica cosa che vuole è il matrimonio. Secondo me è troppo giovane, oppure la verità è che io sono gelosa perché non ho una vita mia, a parte il mio lavoro che amo tantissimo. Se oso dubitare che sposarsi così giovane sia una cosa stupenda... apriti cielo! Mi tirano fuori la favola della volpe e l'uva... sa, l'uva è troppo acerba eccetera.» Aveva parlato tutto d'un fiato e vuotato il sacco fino in fondo. Del resto con la dottoressa Watson se lo poteva permettere, e le apriva il suo cuore completamente.

«Ed è proprio vero che l'uva è troppo acerba?» le domandò la psicologa, andando subito al sodo.

«Non lo so.»

«Ma, insomma, lei che cosa vuole, Victoria?» insistette la dottoressa. Aveva capito che ormai era il momento di affrontare quel discorso. E Victoria adesso era pronta. «Non per sua sorella. Per se stessa!»

«Lo ignoro», ripeté Victoria, ma ormai la psicologa aveva mangiato la foglia. La sapeva più lunga di lei.

«E invece sì che lo sa. La smetta di preoccuparsi per Grace e pensi a Victoria. Perché è tornata da me? Che cosa vuole *lei*?»

A Victoria vennero le lacrime agli occhi. Certo che sapeva che cosa voleva. Aveva solo paura di dirlo chiaro e tondo, di ammetterlo, perfino a se stessa.

«Voglio una *vita*», disse piano. «E voglio un *uomo*. Voglio quello che vuole mia sorella. La differenza fra me e lei è che lei è troppo giovane per sposarsi e si sposa, mentre io che sono abbastanza matura e adulta non so se troverò mai un marito.» Drizzò la schiena, la voce divenne più salda, si sentì più coraggiosa. «Voglio una vita, voglio un uomo, e per il giugno prossimo voglio perdere dodici chili, o come minimo dieci.» Adesso era tutto chiaro.

«Che cosa dovrebbe succedere in giugno?» chiese la dottoressa Watson sconcertata.

«Ci sarà il matrimonio! Io sono la damigella d'onore, e non voglio che nessuno provi pietà per me, che mi consideri la classica perdente, la persona sconfitta, quella delle due che non è venuta fuori bene. La sorella zitellona e grassa della dolce sposina! Non è così che intendo presentarmi alla sua festa di nozze.»

«E va bene, mi sembra giusto. Abbiamo un anno di tempo, e i suoi propositi mi sembrano del tutto ragionevoli», replicò la psicologa sorridendo. «Mi sembra che almeno lei abbia tre mete: una vita, ha detto – anche se il concetto mi sembra un po' vago –, un uomo, e calare di peso. Non è mica uno scherzo, bisogna lavorarci su.»

«Okay», disse Victoria con un tremito nella voce. Per lei era un momento solenne, un momento illuminante. Era stanca di non avere quello che voleva, aveva tutto il diritto di conquistare quelle cose, anche se finora era stata convinta di non meritarsele a causa del condizionamento genitoriale. «Sono pronta.»

«Lo credo anch'io», commentò la dottoressa soddisfatta. Dopo aver dato un'occhiata all'orologio a muro disse: «Ci vediamo settimana prossima?» Victoria annuì con forza; tutt'a un tratto si era resa conto di avere un mucchio di cose da fare, ed erano molto più impegnative di un matrimonio. Doveva affrontare un serio programma per perdere peso, e stavolta non riacquistarlo più, sforzarsi di uscire di casa, di andare in mezzo alla gente, di conoscere degli uomini, di imparare a vestirsi in modo da risultare più attraente minimizzando i difetti e mettendo in luce i punti di forza del suo corpo. Doveva aprirsi alle opportunità, alle persone, ai luoghi, alle cose... a tutto quello che aveva sempre desiderato senza aver mai trovato il coraggio di darsi da fare per ottenerlo perché riteneva che fosse un'impresa persa in partenza.

Il giorno del matrimonio di Grace anche il suo sogno si sarebbe realizzato, non soltanto quello di sua sorella.

Quando tornò a casa, per la prima volta in vita sua sentì di avere una enorme responsabilità nei confronti di se stessa. Sapeva però di avere un grande potere: quello di cambiare la propria vita. Per prima cosa, andò dritta in cucina, e si mise a svuotare la sua parte di frigorifero. Cominciò dal freezer: tirò fuori le pizze surgelate e le confezioni di gelato e buttò tutto nella spazzatura. In quel momento entrarono Harlan e John. Quell'estate John aveva deciso di lavorare al museo con Harlan.

«Ehi, allora stavolta fai sul serio, tesoro!» esclamò Harlan guardandola stupefatto mentre buttava nel bidone le barrette di cioccolato ripiene, le caramelle e i dolci che si era portata a casa da una festa organizzata a scuola, a cui era seguita la fetta di cheesecake che c'era in frigo. «Si tratta di un messaggio che ci vuoi comunicare oppure stai facendo le pulizie di fino?»

«Per il giugno del prossimo anno voglio perdere dodici chili, e stavolta non voglio più recuperarli.»

«E il motivo di tanta determinazione?...» le domandò un po' guardingo mentre John tirava fuori due birre dal frigorifero, le apriva, e ne allungava una al suo compagno. Per fortuna Victoria non andava matta per la birra, lei preferiva il vino, ma anche quello faceva ingrassare. «Non ci sarà per caso di mezzo un nuovo uomo?» indagò Harlan con aria fiduciosa.

«Sì, peccato che finora non l'ho ancora incontrato.» Si voltò a guardarli. «Grace si sposa il prossimo giugno, e io non ho nessuna intenzione di fare la damigella d'onore extra-large e per giunta zitella. Sono tornata dalla mia psicologa.»

«Ah, ma allora dobbiamo prepararci: ne vedremo delle belle», scherzò Harlan, non nascondendo la propria soddisfazione. Erano tanti anni che Victoria aveva bisogno di darsi una regolata, e lui stava cominciando a perdere le speranze. Mangiava così male, in modo tanto disordinato! «E allora forza, ragazza mia! Coraggio! E se c'è qualcosa che possiamo fare per aiutarti, batti un colpo.»

«Basta gelati. Basta pizza. D'ora in avanti mi alleno tutti i giorni al tapis-roulant. Andrò in palestra e magari anche da un dietologo, da un ipnotista... Faccio tutto quello che devo fare, ma *devo* dimagrire.»

«A proposito: Grace non è un po' troppo giovane per le nozze? Si è appena laureata!»

«Certo che lo è! E anche completamente stupida. Mio padre stravede per il futuro genero perché è ricco sfondato. È il suo ragazzo fisso da quattro anni.»

«Brutta faccenda. Però non si sa mai: magari il matrimonio funziona.»

«Me lo auguro, perché, capisci, per sposare quel ragazzo lei è pronta a rinunciare a se stessa. Il guaio è che è convinta che annullarsi sia la mossa giusta.»

«Da qui a giugno è un bel po' di tempo. Chissà cosa può succedere!»

«È vero», rispose Victoria. Harlan notò che aveva negli occhi un'espressione intensa, determinata, che non le aveva mai visto, come se stesse partendo lancia in resta per una crociata. «Dopotutto anch'io devo dare un nuovo assetto alla mia vita, in tutti i sensi.»

«E puoi riuscirci benissimo», la incoraggiò Harlan.

«Lo so», rispose lei con convinzione. L'unica cosa che le dispiaceva era aver perso tanto tempo prezioso! Per ventinove anni non aveva fatto che credere ai messaggi negativi dei suoi genitori. All'improvviso si era resa conto che il fatto che dicessero o pensassero certe cose non significava affatto che fossero vere! Voleva finalmente liberarsi dalle limitazioni e dalle restrizioni che le avevano imposto con il loro comportamento. Adesso lei era decisa a farlo.

Il giorno dopo andò da un dietologo e tornò a casa con un manuale e una bilancia per pesare tutto quello che mangiava. Il giorno dopo ancora si iscrisse a una nuova palestra dotata di attrezzature all'avanguardia, sauna e piscina. Ci sarebbe andata ogni giorno. La mattina faceva un po' di jogging intorno al laghetto artificiale. Eseguiva diligentemente le attività che le erano state indicate e si pesava una volta alla settimana.

Oramai l'unico argomento di cui parlava con Grace e sua madre era il matrimonio, e cominciava ad averne fin sopra i capelli. Ma i suoi famigliari si erano beccati la febbre nuziale e sarebbero guariti solo dopo il fatidico sì.

Per l'inizio del nuovo anno scolastico aveva già perso quattro chili e si sentiva bene, più in forma, ma era consapevole del fatto che la strada era ancora lunga. Adesso il suo peso si era stabilizzato e non riusciva a dimagrire facilmente come prima, ma lei era decisissima a non scoraggiarsi; le era già accaduto troppo spesso di mandare tutto a monte dopo i primi insuccessi. Stavolta non avrebbe mollato.

Aveva ricominciato ad andare regolarmente dalla psicologa. Alla dottoressa Watson confidava i sentimenti che nutriva per i genitori e la sorella e quello che lei voleva per se stessa. Cosa, quest'ultima, che prima non aveva mai fatto.

Anche i suoi studenti si accorsero che qualcosa era cambiato, che era diversa da prima, più forte e più sicura. Helen e Carla la incoraggiavano, in questa fase di grande mutamento, e le dicevano che erano orgogliose di lei.

La sua spina nel cuore, però, era che Grace non avesse più neanche la minima intenzione di trovarsi un lavoro. Figurarsi se cominciava a cercarselo proprio adesso che si era fidanzata! Victoria continuava a essere convinta che non fosse la cosa giusta da fare. Grace sosteneva di non avere tempo per dedicarsi a un impiego. Ma nella vita c'era qualcos'altro, oltre a matrimoni da preparare e diventare mogli di uomini facoltosi, pensava Victoria. La dottoressa Watson non si stancava di ripeterle che quelli erano affari di sua sorella, non suoi, e che lei avrebbe fatto meglio a concentrarsi su se stessa. Lei ubbidiva, ma era lo stesso inquieta e turbata per Grace.

In tutto il mese di settembre riuscì a perdere soltanto un chilo. Ne aveva già persi cinque, perciò era più o meno a metà strada. In ottobre Grace le annunciò che aveva intenzione di venire a trovarla durante quel weekend per vedere un po' di abiti da sposa e scegliere quelli per le damigelle, e logicamente si aspettava che lei l'aiutasse. Victoria invece non ne aveva molta voglia. D'altra parte, Grace era la sua sorellina, le voleva un bene dell'anima e non era mai stata capace di negarle nulla, quindi acconsentì nonostante dovesse correggere un pacco enorme di compiti.

La psicologa le chiese per quale motivo non avesse pregato sua sorella di venire a New York in qualche altro momento. Dopotutto il matrimonio era a giugno!

«Non me la sono sentita», rispose Victoria francamente.

«Perché?»

«Perché a lei non sono capace di dire di no. Non lo faccio mai.»

«E perché avrebbe preferito che non venisse questo weekend?»

«Perché ho del lavoro da sbrigare», rispose Victoria con finta disinvoltura. La dottoressa la fissò, in attesa di una risposta sincera.

«È proprio quella la ragione?»

«No. La verità è che non ho perso tutto il peso che speravo, e ho una paura matta di sentirmi in imbarazzo se sceglie un vestito da damigella d'onore che mi sta male. Le altre damigelle hanno più o meno la sua corporatura, sono snelle, slanciate, ben lontane dalla mia taglia. Non vorrei fare una figuraccia, in mezzo a quel gruppo di leggiadre fanciulle.»

«Per giugno prossimo anche lei avrà la loro taglia», la rassicurò la psicologa. Ne era sicura perché stavolta vedeva Victoria più risoluta che mai.

«E se non ci riuscissi?» rispose angosciata. Il suo sogno sarebbe stato di arrivare a una small, ma si sarebbe anche accontentata di una media se fosse stata sicura di riuscire a mantenere il peso.

«Perché pensa che non ci riuscirà?»

«Perché ho paura che mio padre abbia ragione: io sono la classica perdente. E Grace glielo ha dimostrato per l'ennesima volta. Lei sta per sposarsi a ventidue anni con l'uomo perfetto, quando arriverà il suo matrimonio io sarò una trentenne... e non solo non sono ancora sposata, ma non ho neanche un ragazzo, non esco con nessuno. Faccio semplicemente l'insegnante in una scuola superiore, ecco!»

«Un'insegnante molto brava», le ricordò la dottoressa, «direttrice della sezione d'inglese nella migliore scuola privata di New York. Non è cosa da poco!»

Victoria sorrise, ascoltandola.

«A parte il fatto che lei è la damigella d'onore, perciò può portare un abito che assomigli a quello delle altre damigelle ma che abbia delle varianti che lo rendano più adatto alla sua corporatura. Se ci pensa, chiedendo il suo aiuto lei le sta offrendo la possibilità di fare la scelta che preferisce, non trova?»

«Niente affatto», chiarì Victoria. Conosceva la sua sorellina: dal giorno delle nozze in poi probabilmente avrebbe obbedito in tutto e per tutto a Harry, ma su determinate cose Grace aveva delle idee ben precise sulle quali nessuno poteva mettere il becco. «Mi offre soltanto l'occasione di essere presente mentre *lei* sceglie i vestiti.»

«In tal caso può cogliere l'opportunità di fare qualcosa di diverso da quello che vuole sua sorella», suggerì la psicologa.

«Ci proverò», stabilì Victoria, ma sembrava poco convinta.

Grace arrivò il venerdì mattina mentre lei era ancora a scuola; Victoria le aveva lasciato la chiave sotto lo zerbino, così poté entrare. Quando Victoria tornò a casa la trovò che si allenava sul tapis-roulant.

«Niente male, quest'aggeggio», commentò la ragazza.

«'Niente male'?!» replicò Victoria. «Quell'affare costa un patrimonio.»

«Di tanto in tanto dovresti provarlo anche tu», ribatté Grace scendendo con un salto.

«È quello che faccio», continuò Victoria, tutta orgogliosa per il peso che era riuscita a perdere fino a quel momento, e nello stesso tempo delusa perché sembrava che sua sorella non se ne fosse accorta. Ma lei adesso pensava soltanto alle nozze e tutto il resto non esisteva, tanto che voleva partire subito per il giro dei negozi più famosi, di cui aveva preparato un elenco, e cominciare immediatamente a far compere. Victoria però era stata a scuola tutto il giorno ed era stanca morta, distrutta. E la mattina dopo prestissimo c'era una riunione della sezione di inglese. Comunque si fece forza e in cinque minuti si preparò, poi uscirono per il giro di quei famosi negozi. L'anello di fidanzamento di Grace, con l'enorme brillante, catturava gli sguardi. «Non hai paura che qualcuno ti dia una botta in testa e te lo rubi?» chiese Victoria preoccupata, come se Grace fosse ancora la

255

bambina che aveva accompagnato a scuola il primo giorno delle elementari.

«Sta' tranquilla: nessuno crede che sia un brillante vero», rispose l'altra con aria furba mentre scendevano dal taxi davanti a Bergdorf.

Salirono nel reparto degli abiti da sposa e cominciarono a guardarsi intorno. C'erano tantissimi modelli, ma Grace, dopo averne esaminato qualcuno, scosse la testa. Nessuno le sembrava adatto. Victoria invece li trovava favolosi. Grace per il momento lasciò perdere gli abiti da sposa e chiese di vedere quelli per le damigelle. Sarebbe stata una cerimonia nuziale molto tradizionale e solenne. Harry avrebbe indossato il tight, mentre i *garçons d'honneur* – che erano il corrispettivo delle damigelle per la sposa –, sarebbero stati in mezzo tight. Per Grace i colori più adatti per gli abiti delle damigelle erano il pesca, l'azzurro chiaro e lo champagne, tutte nuance adatte alla carnagione e ai capelli biondi di Victoria. Il rosso invece le sarebbe stato malissimo. Grace le assicurò che mai aveva pensato di far vestire di rosso le sue damigelle. Era molto decisa e convinta delle proprie scelte, come un generale al comando delle sue truppe. Sembrava che si stesse occupando dei preparativi di un grande evento di portata nazionale come un importante concerto rock, una fiera mondiale o una campagna presidenziale. Del resto c'era da capirla: si trattava del giorno più bello della sua vita, e lei aveva tutte le intenzioni di presentarsi come la stella dello spettacolo. Victoria si chiese come se la stesse cavando la loro madre, alle prese con un problema del genere. Non doveva essere facile organizzare tutto quanto, anche perché si era accorta che Jim non badava a spese pur di fare bella figura; ci teneva che i Wilkes rimanessero colpiti e che la figlia preferita fosse orgogliosa di quello che in famiglia si faceva per lei.

Focalizzata com'era sui suoi affari personali, Grace non si era ancora accorta che la sorella era dimagrita, e questo amareggiò e deluse Victoria, che però si buttò tutto dietro le spalle, e si concentrò sugli abiti che Grace continuava a scegliere. Quando lasciarono il grande negozio, ne aveva trovati almeno tre che le piacevano. Le damigelle sarebbero state dieci. Victoria non poté fare a meno di pensare che se si fosse sposata lei difficilmente sarebbe riuscita a mettere insieme dieci amiche che potessero fare le damigelle. Ma Grace era sempre stata una creatura fortunata, e quel matrimonio, di cui sarebbe stata la regina incontrastata, segnava la sua apoteosi. Stava cominciando ad assomigliare ai loro genitori più di quanto lei stessa volesse ammettere. Del resto, Jim e Christine si consideravano delle stelle, mentre Victoria era una meteora capitata per caso sulla Terra e trasformata in un mucchio di cenere.

Lasciato Bergdorf andarono da Barneys, e infine da Saks. Per il giorno successivo Grace aveva preso addirittura un appuntamento con Vera Wang in persona. Avrebbe voluto incontrare anche Oscar de la Renta, ma non aveva fatto in tempo a contattarlo. Victoria stava cominciando a rendersi conto che quel matrimonio sarebbe stato un evento straordinario, qualcosa di grosso. I Wilkes, secondo l'usanza, avrebbero offerto la cena della vigilia, quando si faceva la prova generale della cerimonia. Per capire che si trattava di una serata importante bastava vedere l'invito, che pregava gli uomini di presentarsi in smoking e le signore in abito da sera. Quindi occorrevano due toilette. Christine aveva deciso di vestirsi in beige al matrimonio e in verde smeraldo alla cena della vigilia. Aveva già tutto pronto, aveva trovato ciò che cercava per entrambe le occasioni da Neiman Marcus, perciò Grace adesso poteva concentrarsi soltanto su quello che occorreva a lei.

Neanche il reparto sposa di Saks le piaceva, perché lei stava cercando qualcosa di veramente straordinario. Niente sembrava abbastanza speciale per lei. Victoria rimase un po' sconcertata dalla sua sicurezza e dalla sua capacità decisionale. Tutt'a un tratto Grace trasalì e si lasciò sfuggire un'esclamazione di sorpresa: aveva visto quello che le pareva il più adatto per le damigelle.

«O mio Dio!» esclamò estasiata come se si fosse trovata davanti al Santo Graal. «Eccolo! Non avevo mai pensato a quel colore!» Era senza dubbio un abito favoloso, anche se Victoria non riusciva a immaginarselo a un matrimonio, soprattutto moltiplicato per dieci. Il marrone, di solito, si usava in autunno, provò a dire la commessa. Era un modello lungo, di raso pesante, scollato e senza spalline, lievemente arricciato tutt'intorno alla vita appena sotto la linea dei fianchi, e poi si allargava a campana scendendo fino a terra, come un abito da sera. Victoria trasalì: un taglio del genere stava bene solo a un'anoressica con il seno piatto, e avrebbe fatto sembrare il suo fondoschiena grosso come un baule. Poteva immaginare fin troppo bene come sarebbe apparso su di lei, anche se fosse riuscita a dimagrire ancora più di quello che sperava.

«Piacerà a tutti», tubò Grace, in estasi. «E poi, potranno metterlo anche in seguito, a qualsiasi cerimonia importante, quelle in cui per gli uomini è richiesto lo smoking.» Il vestito era costoso, ma non sarebbe stato un problema per la maggior parte delle damigelle, e Jim aveva promesso di coprire la differenza se Grace avesse scelto una toilette che non tutte le damigelle potevano permettersi. Per Victoria, ovviamente, avrebbe provveduto interamente lui. Il problema era un altro: su di lei sarebbe stato orribile. Aveva un taglio assolutamente inadatto al suo seno e ai suoi fianchi, per non parlare del marrone scuro, che avrebbe contrastato troppo con i suoi colori.

«Io quel vestito non posso metterlo», sentenziò. «Sembrerei una mousse al cioccolato gigante... Non se ne parla proprio! Figuriamoci! Neanche se riuscissi a perdere venticinque chili. Ho il seno troppo grosso. E poi quel colore mi sta male, ecco!»

Grace la guardava con occhi imploranti. «Ma è una toilette da favola...»

«Sì, senz'altro», concordò Victoria pronta, «ma per chi ha la tua figura. Su di te sarebbe perfetto. Addosso a me fa schifo. E poi non sono neanche sicura che lo facciano della mia taglia!»

«Può ordinare la taglia che vuole», intervenne la commessa, ansiosa di aiutarle e di facilitare l'acquisto. Era un modello molto caro, e per lei sarebbe stata un'ottima vendita.

«Potremmo averne dieci per il giugno prossimo?» domandò Grace un po' preoccupata, ignorando nel modo più totale le suppliche di sua sorella, che la pregava di avere pietà di lei.

«Sono sicura di sì. Probabilmente potremmo farglieli avere addirittura per dicembre, se lei mi fornisce le taglie giuste.» Grace approvò, sollevata. Victoria aveva le lacrime agli occhi.

«Grace, non puoi farmi una cosa simile. Sarò orribile, con quel vestito addosso!»

«Niente affatto. E in ogni caso, non hai detto che volevi dimagrire?»

«Ma non potrei indossarlo ugualmente. Porto la quinta di reggiseno! Per infilarmi quel vestito dovrei essere magra come te.» Grace la guardò con gli occhioni umidi: aveva la stessa espressione che la commuoveva tanto quando era piccola.

«Ci si sposa una volta sola nella vita», le disse con aria determinata. «Io voglio che tutto sia perfetto per Harry, che questo sia il matrimonio che ho sempre sognato. Tutti scelgono sempre il rosa, o il celeste e i colori pastello. Nessuno ha mai pensato al marrone per le damigelle della sposa. Saranno le nozze più chic che Los Angeles abbia mai visto.»

«Con una damigella d'onore che sembra un elefante.»

«Per quell'epoca sarai calata... Lo so benissimo! Ci riesci sempre, quando ti metti d'impegno.»

«Non è questo il punto. Per togliermi di dosso tutta la ciccia dovrei fare la liposuzione e la plastica riduttiva al seno! E poi quelle pinces intorno al corpino a vita lunga... Ti prego, non farlo!»

Ma Grace con il pensiero era già ai piccoli mazzi di orchidee nere, che in realtà sono marrone scuro, che avrebbero completato la toilette. Niente, ormai, sarebbe riuscito a dissuaderla da quell'idea, e infatti fece subito l'ordinazione al negozio mentre Victoria, immobile al suo fianco, aveva soltanto una gran voglia di piangere. Era evidente che alla sorella non sarebbe importato se al suo matrimonio lei sarebbe sembrata un mostro mentre le sue amiche, esili e magre come lei e qualcuna addirittura anoressica, sarebbero state elegantissime, con quell'abito marrone senza spalline; molto bello, niente da dire, ma non addosso a lei.

Comunque rinunciò a cercare di farle cambiare idea e andò a sedersi in un angolo, in silenzio, mentre Grace forniva alla commessa le taglie, che le avrebbe confermato una volta tornata a casa. Quando uscirono dal negozio aveva l'aria euforica. Non stava più nella pelle da tanto era eccitata e felice, mentre Victoria, rannicchiata in fondo al taxi, si chiuse in un mutismo totale. Si fermarono davanti a un negozio di alimentari sulla via del ritorno, e senza rifletterci sopra Victoria prese tre enormi confezioni di gelato e le posò sul banco. Grace non se ne accorse neppure: tanto, era abituata a vederla acquistare gelati! Non immaginava neanche lontanamente che da quattro mesi Victoria non ne toccava uno. Era un po' come vedere un alcolizzato in via di recupero che mentre si sta disintossicando si presenta al banco di un bar e ordina una vodka con ghiaccio.

Rientrate a casa, Grace chiamò al telefono la madre mentre Victoria portava in cucina quello che avevano comprato. In quel momento arrivò Harlan. Vedendo tutto quel gelato fissò Victoria con aria incredula e inorridita.

«E quello, *cosa sarebbe*?»

«Lei ha ordinato per le damigelle dei vestiti marrone scuro, a vita bassa, arricciati, scollati e senza spalline... ma io non posso mettere un abito del genere!»

«Diglielo, e ordinate qualcos'altro», ribatté lui, togliendole le confezioni di gelato dalle mani e buttandole nel secchio della spazzatura. «O forse quel modello, a ben pensarci, non è poi così brutto come credi.»

«È favoloso. Ma non addosso a me. Non posso portare quel colore, per non parlare della linea!»

«Diglielo», riprese lui in tono fermo. Sembrava la sua psicologa.

«L'ho fatto, ma non mi ascolta, come se fosse sorda. Vuole che il suo matrimonio sia perfetto, sostiene che sarà l'unico della sua vita, che deve essere fantastico. Sì, per tutti, ma non per me.»

«Tua sorella è una ragazza simpatica, buona e brava. Prova a spiegarglielo.»

«L'unica cosa che le importa è che lei è la sposa. Oggi avremo visto almeno un centinaio di abiti per le damigelle. È convinta che le sue nozze siano l'evento del secolo.»

«In ogni caso non ti servirà rinunciare alla dieta», azzardò Harlan, nel tentativo di infonderle coraggio. E pensare che fino a quel momento era stata così brava! Non voleva che mandasse a rotoli tutto quello che aveva ottenuto con tanta fatica per colpa di uno stupido vestito.

Intanto, Grace aveva chiamato al telefono una per una tutte le sue future damigelle, descrivendo loro il modello favoloso che aveva ordinato. Victoria, seduta al tavolo della cucina, si sentiva inutile. Non sperava più in niente; era diventata di nuovo una persona che non esisteva, che non contava nulla. Grace, adesso che tutto girava intorno a lei, non la stava neanche ad ascoltare. Era un rospo troppo grosso da mandare giù. Pensando a quel vestito, si sentiva cogliere da una profonda depressione; non sapeva cosa fare, perché ormai aveva capito che Grace non le avrebbe dato retta.

Quella sera mangiarono in cucina con John e Harlan, e Grace si dilungò a descrivere anche a loro tutti i particolari della cerimonia nuziale. Alla fine della cena Victoria aveva solo voglia di vomitare.

«Magari sono soltanto gelosa», mormorò ad Harlan quando sua sorella uscì dalla cucina per telefonare a Harry prima di andare a letto.

«Figuriamoci! È che, francamente, mi sembra che la ragazza stia un po' esagerando, con questa storia del matrimonio. Si comporta come una bambinetta isterica fuori controllo. Tuo padre sta creando un mostro, lasciandole fare quello che vuole in tutto e per tutto.»

«È che queste nozze sono l'occasione per lui di mostrare la propria importanza.» Victoria aveva l'aria depressa. Per la prima volta in vita sua non apprezzava la compagnia di sua sorella. Anzi, non vedeva l'ora che se ne andasse.

Il giorno dopo le cose non funzionarono molto meglio. Victoria, dopo la riunione della sezione di inglese, accompagnò Grace all'appuntamento con Vera Wang. Insieme esaminarono una decina di abiti da sposa, valutando tutte le possibilità, e alla fine la stilista si offrì di mandarle una serie di figurini, sulla base di quello che Grace le aveva descritto, cercando di accontentarla in ogni suo desiderio. La felice futura sposa manifestò tutto il suo entusiasmo.

Pranzarono al *Serendipity*. Grace ordinò un'insalata, e Victoria ravioli al formaggio e un gelato al caffè con panna montata. Divorò tutto in un batter d'occhio. Grace non fece una piega perché era abituata a vedere sua sorella che mangiava in quel modo. Quando rientrarono nell'appartamento Victoria era esausta, avvilita, e si sentiva anche gonfia perché non mangiava così tanto da parecchi mesi... Harlan le leggeva in faccia il senso di colpa.

«Cos'hai fatto oggi?»

«Ho conosciuto Vera Wang», gli rispose lapidaria.

«Di questo non me ne frega niente, e lo sai benissimo. Cos'hai mangiato a pranzo?»

«È meglio che non te lo dica. Ho mandato all'aria la mia dieta», gli confessò abbacchiata.

«Non ne vale la pena, Victoria», cercò di farla ragionare lui. «Ti sei messa troppo d'impegno, hai lavorato troppo duro per ottenere un risultato, in questi ultimi quattro mesi. Non mandare tutto a farsi fottere!»

«Questo matrimonio comincia a innervosirmi. Quando penso all'abito che dovrò mettere mi viene voglia di suicidarmi. E mia sorella non la riconosco più. Alla sua età non dovrebbe neanche pensare a sposarsi, né con Harry né con chiunque altro, perché lui finirà per comandarla a bacchetta, per dirigere la sua vita né più né meno come sta facendo mio padre. La verità è che lei sta sposando nostro padre, ecco», gli confidò, afflitta e profondamente depressa.

«E lascia che lo faccia, se è quello che vuole. È abbastanza grande per decidere per conto suo e per compiere le sue scelte, anche se sono sbagliate. Tu non puoi mandare a rotoli la tua vita per quello che fa lei. Servirà solo a renderti profondamente infelice e scontenta di te stessa. Prova un po' a dimenticarti di questo matrimonio! Mettiti addosso quel vestito, se proprio sei obbligata, sbronzati alla festa di nozze, e poi tornatene a casa tranquilla e serena.»

Victoria non poté fare a meno di ridere.

«Mi sa che hai ragione. Sto esagerando. A parte il fatto che mancano ancora otto mesi. Magari sarò così dimagrita che avrò un corpo da favola!»

«Non se mandi la dieta a farsi friggere, te ne rendi conto?»

«Be', stasera faccio la brava. Rimaniamo a casa, e lei domani torna a Los Angeles. Io, appena lei parte, mi rimetto a dieta.»

«No, non domani. Adesso», insistette Harlan, dopodiché se ne tornò in camera sua. Allora Victoria si mise a marciare vigorosamente sul tapis-roulant per espiare i propri

264

peccati. Grace, invece, ordinò una pizza al ristorante di cui aveva trovato il bigliettino sul frigorifero. Dopo mezz'ora arrivò, e quando Victoria se la trovò davanti si rese conto che non sarebbe riuscita a resistere. Grace ne mangiò una fetta, e lei la divorò fino all'ultima briciola. Aveva pensato di mangiarsi pure la scatola che la conteneva perché Harlan non la vedesse... ma lui se ne accorse ugualmente. La guardò con aria di biasimo come se avesse davanti un'assassina! E infatti era così, perché stava assassinando se stessa. Lo sguardo del suo amico la fece sentire piccola piccola; avrebbe voluto sparire.

Il giorno seguente uscirono a pranzo. Per ringraziarla del suo aiuto, Grace la invitò al *Carlyle* per un brunch e Victoria si fece servire un piatto di uova strapazzate, ma quando Grace ordinò una cioccolata calda e dei biscottini, si accorse che anche a quelli non riusciva a resistere... e li ordinò anche per sé.

Al momento della partenza Grace la ringraziò di cuore e la strinse in un abbraccio affettuoso. Le disse che era stato un weekend splendido, che si era divertita moltissimo, e che l'avrebbe tenuta informata sui figurini che Vera Wang aveva promesso di mandarle per il vestito da sposa e per tutto il resto. Victoria, ferma sul marciapiede, continuò a sbracciarsi per salutarla fino a quando il taxi si allontanò, ma appena scomparve alla vista non riuscì più a trattenersi e scoppiò in lacrime. Quel fine settimana era stato una tortura, un disastro. Le pareva di essere tornata indietro e che tutti i suoi sforzi fossero inutili e destinati al fallimento. E, come se non bastasse, al matrimonio di sua sorella sarebbe sembrata una balena di cioccolato. Arrivata a casa, si infilò sotto le lenzuola e si augurò di morire.

18

Per Victoria fu un sollievo tornare a scuola il lunedì. Quello, se non altro, era un mondo che conosceva, e sul quale esercitava un certo controllo, quel controllo che a quanto pareva stava perdendo sua sorella Grace con la faccenda del matrimonio. Solo vedersela intorno le aveva procurato la depressione; il suo effetto su di lei era stato disastroso e le aveva fatto perdere la bussola sul suo problema alimentare. Il pomeriggio dopo la scuola sarebbe andata dalla dottoressa Watson; le disse che stava male, che era molto abbattuta.

«Mi sembrava di essere impazzita; ho cominciato a mangiare tutto quello che mi capitava sotto gli occhi. Erano mesi che non lo facevo. Stamattina mi sono pesata, e ho messo su quasi un chilo.»

«Lo riperderà», la rassicurò la dottoressa. «Ma per quale motivo ritiene che sia successo? Come lo spiega?»

«Ho cominciato di nuovo a sentirmi invisibile, come se niente di quello che dicevo avesse importanza. Ormai mia sorella è diventata una di loro.»

«Forse lo è sempre stata.»

«No, non è vero. Ma l'uomo che sta per sposare asso-

266

miglia in tutto e per tutto a mio padre. E adesso io sono ancora più in minoranza. E poi, ciliegina sulla torta, ha ordinato un vestito per le damigelle che mi sta malissimo.»

«E perché non gliel'ha detto? Perché non si è fatta sentire?»

«Ho provato, ma non mi ha neanche ascoltata e l'ha chiesto anche per me. Si sta comportando come una ragazzina viziata e insopportabile.»

«A volte succede, alle spose, di diventare totalmente irragionevoli.»

«Infatti. Vuole un matrimonio da sogno... e invece non dovrebbe sposare quel ragazzo. Finirà come mia madre, ma io non voglio che le succeda.»

«Se la situazione è quella che mi descrive, non ci può fare niente. E non può cambiarla», le ricordò la dottoressa. «L'unica persona che può controllare è se stessa!»

Victoria adesso stava cominciando a rendersene conto, ma soffriva terribilmente. Comunque quando uscì dallo studio della psicologa si sentiva più leggera. Rientrata a casa, fece un'ora di tapis-roulant, e poi se ne andò in palestra.

Rientrò alle otto di sera, talmente stanca che si infilò subito a letto. Grace le aveva mandato due messaggi per ringraziarla di nuovo, e Victoria cominciò a sentirsi in colpa per il fatto di non aver gradito il weekend che avevano passato insieme e per non essersi divertita neanche un po'. Non vedeva l'ora che sua sorella si sposasse e finisse tutta quella storia, così avrebbero potuto ritornare a essere buone sorelle come una volta. Intanto però aveva davanti otto lunghi mesi.

Il giorno dopo, prima della scuola, Victoria andò dal dietologo e confessò tutti i suoi peccati prima di accettare di mettersi sulla bilancia per vedere quanto pesava. Aveva già perso mezzo chilo di quelli che aveva guadagnato durante il weekend, e provò un vero sollievo. Era tornata sulla pista giusta.

Stava uscendo dall'aula alla fine della terza ora quando vide una delle sue allieve che piangeva disperata in corridoio. Quando si accorse che Victoria si avvicinava si precipitò di corsa nei bagni femminili. Victoria, preoccupata, la seguì.

«Come va? Stai bene?» indagò guardinga. La ragazza si chiamava Amy Green; era una brava allieva, ma Victoria aveva sentito che i suoi stavano per divorziare.

«Sì, bene», le rispose Amy, prima di scoppiare in un altro accesso di pianto convulso. Victoria le mise in mano qualche fazzolettino di carta, e Amy si soffiò il naso. Ma sembrava imbarazzata.

«C'è qualcosa che posso fare?» La ragazza fece segno di no con la testa, ammutolita per l'angoscia. «Vuoi venire un minuto nel mio ufficio?» Amy rimase incerta per un momento e poi annuì. Victoria era sempre stata molto gentile e premurosa; si fidava di lei.

L'ufficio di Victoria era lì accanto. Appena furono entrate, chiuse la porta e le fece segno di sedersi. Le versò un bicchiere di acqua minerale e glielo porse. Ma Amy aveva ricominciato a piangere e singhiozzare in modo incontrollabile. Doveva essere qualcosa di grave. Victoria sedette dietro la scrivania e rimase in silenzio, aspettando che si calmasse. Quando finalmente si decise ad alzare gli occhi e guardarla, si spaventò: la ragazza era sconvolta, terrorizzata.

«Sono incinta», singhiozzò. «E non me n'ero neanche accorta! L'ho scoperto soltanto ieri.» Non era difficile indovinare chi fosse il ragazzo; lo frequentava da due anni, ed era bravo e simpatico. In giugno avrebbero preso il diploma tutti e due. Quella notizia cancellò all'istante il matrimonio di Grace dalla mente di Victoria.

«E l'hai già detto a tua madre?» le chiese a voce bassa, passandole degli altri fazzolettini di carta.

«Non posso. Mi ammazzerebbe. È già fuori di sé per il divorzio.» Suo padre se n'era andato con un'altra donna, almeno così si vociferava. «E adesso, anche questo!... Non so cosa fare.»

«Justin lo sa?»

Amy annuì. «Siamo appena stati dal dottore. Adoperavamo il condom, ma si è rotto. Io avevo smesso di prendere la pillola perché mi dava la nausea.»

«Cazzo!» sbottò Victoria senza riuscire a trattenersi, e Amy rise fra le lacrime.

«Può dirlo un'altra volta, sa?»

«Okay. Allora... cazzo!» Stavolta scoppiarono a ridere tutte e due, anche se stavano parlando di una faccenda molto seria. «E hai già pensato a come risolvere il problema?» Era una questione che la ragazza avrebbe dovuto discutere con suo padre e sua madre, ma Victoria se non altro poteva ascoltarla.

«Non so. Sono troppo giovane per avere un bambino. Ma un aborto... non me la sento. Mi cacceranno dalla scuola?» Adesso era di nuovo in preda al panico, e sembrò anche pentita per essersi confidata con la professoressa.

«Non lo so», rispose Victoria con franchezza. Insegnava in quella scuola da diversi anni, ormai, ma non le era mai capitato di affrontare un problema del genere. Aveva sentito parlare di studentesse che erano rimaste incinte anni addietro, ma non sapeva quali provvedimenti fossero stati presi. Per certe questioni di solito gli studenti si affidavano prima allo psicologo della scuola, in seguito al docente responsabile della disciplina e infine al preside. Lei era solo una professoressa d'inglese, per quanto direttrice di sezione. Ma era una donna, e anche se non si era mai trovata in quella situazione poteva capire la sua allieva. E poi sarebbe stato un vero peccato che Amy non prendesse il diploma: era una ragazza intelligente, e aveva mandato la richiesta di iscrizione a Yale, ad Harvard e ad altri college di prim'ordine.

«Vediamo se si riesce a trovare una soluzione, eh?» Però secondo lei difficilmente avrebbero permesso a una studentessa incinta di frequentare le lezioni. «Io penso che prima di tutto tu debba parlare con tua madre.»

«Ne morirà!»

«No, sta' tranquilla: sopravviverà. Sono cose che succedono a molte persone. Tu devi semplicemente cercare la soluzione giusta per te, e nessuno come la tua mamma ti può aiutare. Se vuoi posso venire anch'io, quando decidi di parlarle...»

«No. Credo che andrebbe su tutte le furie se sapesse che mi sono confidata con un'insegnante prima di farlo sapere a lei», rispose Amy con un sorriso. Bevve un sorso d'acqua; si era un po' calmata, ma doveva prendere delle decisioni difficili, e aveva soltanto diciassette anni! Aveva davanti un futuro brillante, ma con un figlio a cui badare sarebbe stato tutto molto più difficile. «Justin ha detto che vuole venire anche lui con me dalla mamma. Desidera che io tenga il bambino, e magari chissà... un giorno potremmo sposarci.» La ragazza era triste, mentre parlava. Non

270

era pronta né per avere un figlio né per il matrimonio, ma l'idea dell'aborto la faceva inorridire.

Victoria scrisse rapidamente il numero del proprio cellulare su un pezzo di carta e glielo diede. «Chiamami in qualsiasi momento, a qualsiasi ora. Farò tutto quello che posso per aiutarti. E se decidessi di rivolgerti al preside... be', potrei accompagnarti da lui.» Non voleva che quella ragazza venisse allontanata dalla scuola o sospesa dalle lezioni; sperava che riuscisse almeno a finire l'anno. Del resto era la stessa cosa che voleva Amy.

Pochi minuti dopo uscirono insieme dal suo ufficio. Victoria strinse Amy in un forte abbraccio prima di lasciarla correre via per raggiungere Justin in mensa. Dopo pranzo, li vide che uscivano insieme dalla scuola. Si augurò che stesse andando a casa a parlare con la madre.

Il giorno dopo Amy stette a casa; telefonò a Victoria e la informò che lei e la mamma avevano fissato un appuntamento con il signor Walker per quel pomeriggio, dopo le lezioni, e voleva sapere se poteva essere presente anche lei. Victoria rispose di sì, e quando Amy e sua madre arrivarono la trovarono fuori dallo studio del preside ad aspettarle. Sembrava che Amy non avesse fatto che piangere, e sua madre aveva l'aria afflitta e depressa. Appena scorse la professoressa di inglese la ragazza le fece un gran sorriso, e sua madre la ringraziò per il suo sostegno.

Il preside, che le stava aspettando, si alzò in piedi per accoglierle quando entrarono nel suo ufficio, e le invitò ad accomodarsi. Si preoccupò nel vedere Victoria. Amy non aveva mai dato problemi, e non immaginava neanche lontanamente il motivo di quel colloquio. Forse aveva a che fare con il divorzio dei genitori, pensò. Si augurava che lei non dovesse interrompere gli studi, perché era un'ottima allieva: sarebbe dispiaciuto a tutti, se avesse lasciato la Madison School. Quando la signora Green lo informò che Amy era incinta rimase sconcertato. Era la prima volta che capitava una cosa del genere da quando lui era preside. Povera Amy, che brutta situazione! La signora Green disse che il bambino sarebbe nato in maggio e che Amy aveva deciso di tenerlo. Se ne sarebbe occupata lei, quando Amy avrebbe cominciato il college. Se l'avessero accettata alla Barnard sarebbe potuta persino rimanere a casa con il piccolo. La mamma di Amy era decisa, e si capiva che le avrebbe dato tutto l'appoggio e il sostegno possibili. E Amy sembrava meno agitata e sconvolta del giorno prima.

«Adesso abbiamo bisogno di sapere», riprese la signora Green, cercando di controllarsi e di parlare con tutta la calma possibile, «se Amy può continuare a frequentare la scuola o se dobbiamo tenerla a casa.» In quel momento la preoccupazione più grossa era questa, perché se la ragazza avesse dovuto interrompere le lezioni il suo curriculum scolastico sarebbe stato negativo. Un bel pasticcio!

«Amy, te la sentiresti di venire a scuola?» le domandò il preside a bruciapelo, andando dritto al nocciolo della questione. «Non credi che sarebbe troppo difficile per te affrontare tutti i pettegolezzi che sicuramente ci saranno?»

«No, dal momento che io tengo comunque il bambino.» Rivolse un sorriso pieno di gratitudine alla sua mamma; Victoria capì che non era stata una decisione facile, ma che era quella giusta. Era molto più traumatico avere un figlio e rinunciare a lui dandolo in adozione a chissà chi, piuttosto che affrontare i commenti dei compagni. E se sua madre era disposta ad aiutarla avrebbe potuto continuare

272

a studiare. «Preferirei seguire le lezioni», rispose Amy con franchezza. Il preside annuì. Gli dispiaceva rovinare la carriera universitaria a una ragazza così dotata, pensò, cominciando a calcolare quando la gravidanza sarebbe diventata evidente.

«Ti potrei far seguire le lezioni privatamente, ma mi viene il dubbio che una soluzione del genere ti possa penalizzare. Per quando è prevista esattamente la nascita del bambino?»

«Per i primi di maggio», rispose Amy.

«Con le vacanze di primavera arriveremmo più o meno alla fine di aprile. E se frequentassi la scuola fino ad allora e poi rimanessi a casa? Potresti tornare a scuola alla fine di maggio, fare gli ultimi esami e prendere il diploma con la tua classe in giugno. Dal punto di vista della maturità non dovrebbe scombussolarti troppo... Credo che potremmo farcela. Una volta uno studente si è ammalato di mononucleosi ed è rimasto assente dalle lezioni molto più a lungo. Mi dispiacerebbe se perdessi l'anno. Certo, per me è una novità, è la prima volta che mi capita, ma vediamo di far quadrare tutto; basta che tu sia convinta», conclude guardando prima la madre e poi la figlia. Amy annuì, commossa, e scoppiò di nuovo in lacrime, stavolta di sollievo.

Victoria non aveva pronunciato una parola; si era limitata a dare il suo tacito appoggio. La mamma di Amy ringraziò profusamente il preside, dopodiché uscirono tutte e tre dall'ufficio. Justin le stava aspettando fuori, la faccia stravolta dall'angoscia. Appena lo vide, Amy gli sorrise e lui l'abbracciò. Quel ragazzo si stava comportando in modo molto maturo. Victoria sperò con tutto il cuore che la questione si risolvesse per il meglio. Se Amy aveva l'appoggio della mamma avrebbero trovato le soluzioni giuste.

«Mi hanno dato il permesso di restare», annunciò la ragazza, raggiante. «Il signor Walker è stato così gentile! Rimarrò fino alle vacanze di primavera, ma posso tornare a seguire di nuovo le lezioni dopo la nascita del bambino, così riesco a fare gli ultimi esami e a prendere il diploma.» Justin emise un sospiro di sollievo: si era tolto un grosso peso dalle spalle. Erano due bravi ragazzi, meritavano di essere aiutati.

«Grazie», disse Justin a Victoria e alla mamma di Amy.

«Io non ho fatto niente», lo corresse Victoria. Ma Amy la smentì.

«Sì, invece! Eccome se ha fatto qualcosa! Ieri è stata ad ascoltarmi, e mi ha aiutata a raccogliere il coraggio per dirlo alla mamma. E così ne abbiamo discusso subito e abbiamo preso la nostra decisione.»

«Mi fa molto piacere», ribatté Victoria commossa. «Secondo me, avete fatto una scelta saggia, sebbene non facile.»

«Professoressa, la ringrazio di cuore per l'appoggio che ha dato a mia figlia», disse la donna a Victoria con voce rotta dall'emozione prima di allontanarsi con i due ragazzi che si tenevano per mano.

Victoria non poté fare a meno di pensare a sua sorella. Per fortuna non le era successo niente del genere, anche se è tutt'altro che raro. Comunque la signora Green le era parsa una persona molto comprensiva, e così Amy e Justin avevano potuto affrontare con serenità la situazione. Erano due giovani coraggiosi.

Il giorno seguente Amy, che dopo tanti giorni di angoscia aveva un aspetto migliore, andò a cercarla in classe per ringraziarla ancora, con Justin alle calcagna come sempre. In fondo una studentessa incinta rendeva l'anno scolastico che stava per cominciare ancora più interessante.

Certo che con i ragazzi non c'era il pericolo di annoiarsi! pensò Victoria.

19

Come ogni anno, Victoria tornò a Los Angeles per il Giorno del Ringraziamento. Stavolta sarebbe stata diversa dalle altre perché Harry si sarebbe unito a loro in una specie di preludio alla festa di nozze. Quando arrivò a casa il mercoledì sera tardi, Victoria trovò sua madre agitatissima e superindaffarata. Grace era fuori con Harry, a cena con la sorella di lui, la quale il giorno dopo sarebbe partita per passare la festa con i suoi suoceri. I coniugi Wilkes erano fuori città, ecco perché Harry avrebbe trascorso il Ringraziamento con i Dawson.

Jim e Christine erano in fibrillazione: sembrava che aspettassero un capo di Stato straniero! Comunque, appena arrivata, Victoria si diede da fare per aiutare sua madre ad apparecchiare la tavola per l'indomani. Aveva tirato fuori non soltanto le tovaglie e i tovaglioli della nonna, ma anche i bicchieri di cristallo antichi. I piatti erano quelli che avevano usato per il loro matrimonio.

«Caspita, mamma! Non stai un po' esagerando? Non li hai mai usati, questi piatti!»

«Infatti. Sono più di trent'anni che non li tocco», ammise lei leggermente imbarazzata. «Ma me lo ha chiesto tuo padre; sostiene che Harry è abituato alle cose belle, raffinate ed eleganti, e non vuole che pensi che noi non siamo all'altezza.»

Victoria avrebbe preferito un bel barbecue nel cortile dietro casa con i piatti di carta. Le sembrava talmente assurdo, se non ridicolo, organizzare tante cerimonie per un ragazzo di ventisette anni che dopotutto sarebbe diventato uno della famiglia! Ma quei due avevano la mania di ostentare il meglio che possedevano; molto probabilmente Harry si sarebbe sentito più a suo agio con i piatti di tutti i giorni, che peraltro erano più che decorosi. Invece così la vacanza si sarebbe trasformata in un impegno molto più gravoso del solito per tutti.

Grace tornò a casa a mezzanotte e si mise a farneticare, in estasi, sulla sorella di Harry, dicendo che si era divertita moltissimo con lei, il marito e i loro due bambini, ovviamente tutti adorabili al massimo grado. Victoria sentì un pizzico di nostalgia per i giorni lontani nei quali sua sorella parlava di qualcos'altro che non fossero i Wilkes e il matrimonio. E poi non aveva ancora digerito il rospo del vestito marrone. Purtroppo non sembrava che Grace avesse riacquistato la ragione, dall'ultima volta in cui l'aveva vista, a New York, ed era impossibile affrontare un qualsiasi discorso che non riguardasse i preparativi del Grande Evento.

«Forse dovresti trovarti un impiego», attaccò Victoria cercando di ficcare un po' di sale in zucca a Grace. «Così potresti pensare a qualcos'altro, e non solo al giorno in cui sposerai Harry.»

«Non credo che Harry sarebbe d'accordo», rispose Grace

in tono mellifluo, come sempre quando sentiva parlare di lavoro.

«Ma... Victoria, Grace non ha tempo!» soggiunse Christine spazientita. «Ha troppo da fare per il matrimonio. Abbiamo ancora da ordinare gli inviti e da scegliere un mucchio di roba. Harry vuole trovare un appartamento, e lei deve aiutarlo anche in questo. Stiamo ancora aspettando i figurini che ci ha promesso Vera Wang, e anche Oscar de la Renta ne sta preparando qualcuno per diversi modelli da sposa sullo stile di quelli delle damigelle. Non ha ancora scelto la torta. Dobbiamo prendere accordi con il catering, con il fiorista e con i musicisti. Non siamo ancora sicuri sulla scelta della chiesa. E poi ci saranno le prove del vestito, e quando è pronto farsi fare le fotografie eccetera eccetera. Poi bisognerà fare le prove generali in chiesa. Non ha tempo per andare a lavorare. Organizzare un matrimonio è faticoso, sai?»

Victoria si sentì esausta solamente ad ascoltare sua madre snocciolare la lista dei loro impegni. E del resto che Christine fosse stanca era evidente. Per lei e per sua figlia Grace quella delle future nozze era diventata una vera e propria fissazione. Ridicolo! La stragrande maggioranza della gente va a lavorare e intanto organizza il proprio matrimonio. Ma Grace no, lei non poteva.

«Tutta questa roba costerà un patrimonio», osservò Victoria con suo padre la mattina dopo, mentre la mamma stava controllando la cottura del tacchino, in tailleur di Chanel di lana bianca e grembiulino. Che elegantoni erano diventati, nella sua famiglia! Lei invece si era infilata un paio di pantaloni grigi di lana e un maglione bianco; gli altri anni non si sognavano neanche di mettersi tutti in ghingheri, ma molte cose erano cambiate, dal fatidico giorno del fidanzamento. Lei però non aveva nessuna voglia di adeguarsi alle nuove abitudini.

«Hai ragione da vendere», le confermò suo padre. «Ma loro sono una famiglia molto importante, e io non voglio che Grace si senta imbarazzata. Non aspettarti niente di simile, casomai dovessi sposarti anche tu», la mise in guardia. «Se dovessi trovare qualcuno disposto a prenderti in moglie, farai meglio a decidere per la classica fuga d'amore. Noi non possiamo permetterci tutto questo una seconda volta.»

Era uno schiaffo in pieno viso. Pareva che Jim sentisse il bisogno di informarla che Grace meritava un matrimonio degno di una principessa, mentre lei «casomai si fosse sposata», evento che lui considerava estremamente improbabile, avrebbe fatto meglio a farlo in segreto perché i suoi genitori non le avrebbero organizzato un bel niente. Che padre amorevole! E anche molto chiaro, non c'è che dire. Come al solito, era la figlia di serie B. Se loro viaggiavano in prima classe, per lei c'era soltanto un posto sul vagone merci. Jim non rinunciava al piacere perverso di farle capire che la considerava un vero fallimento. Già che c'erano, potevano attaccare un cartello sulla porta della sua camera con la scritta NON TI VOGLIAMO BENE, dato che suo padre e sua madre glielo ripetevano a ogni piè sospinto in mille modi. Si pentì di essere venuta a casa; avrebbe potuto festeggiare il Ringraziamento con John e Harlan, che avevano invitato degli amici; lì sì che sarebbe stata la benvenuta! Nella casa dov'era nata, invece, veniva giudicata una reietta. Non parlò più del matrimonio, che riteneva un argomento scottante e sgradevole. Quando, a mezzogiorno, arrivò Harry, la situazione peggiorò, se possibile.

Jim e Christine correvano avanti e indietro come galline impazzite. Suo padre si mise a servire champagne invece di vino, sua madre stava per avere una crisi di panico perché temeva che il tacchino non fosse cotto a dovere. Victoria, mossa da umana pietà, era andata ad aiutarla in cucina. Harry e Grace se ne fregavano alla grande di tutto quel trambusto e ridacchiavano e parlottavano in giardino.... Quando arrivò il momento di andare in tavola, Jim e Harry cominciarono a discutere di politica. Harry spiegò a tutti i presenti che cosa ci fosse di sbagliato nel loro Paese e come si potevano riaggiustare le cose secondo lui, e Jim si dichiarò d'accordo su tutto. Ogni volta che Grace tentava di intervenire nel discorso, Harry la interrompeva subito oppure finiva la frase per lei. Insomma, sembrava non avesse più il diritto di manifestare un'opinione su un argomento che non fosse la loro festa di nozze. Ecco perché lei non parlava d'altro! Victoria cominciava a trovare il suo futuro cognato pomposo e insopportabile. Le venne una gran voglia di mettersi a urlare, a sentire tutti quegli sproloqui. Grace, per far piacere a Harry, fingeva di essere la classica oca giuliva che non capisce niente, mentre Christine non faceva che correre avanti e indietro dalla cucina alla sala da pranzo. Dopo un po' Victoria ne ebbe fin sopra i capelli, e uscì in cortile a prendere una boccata d'aria. A un certo punto Grace venne fuori a cercarla; Victoria la squadrò da capo a piedi, disperata.

«Senti, bambina, tu sei molto più intelligente di quello che vuoi far credere. Ma ti rendi conto di cosa stai facendo? Harry non ti lascia aprire bocca, non ti permette di dire una sola parola. Non puoi accettare di stare con un uomo che ti mette sotto i piedi in continuazione e ti ordina sempre come e cosa devi pensare.»

«Non è vero! Harry non fa niente del genere», esclamò Grace, irritata da queste parole. «È meraviglioso, con me!»

«Non ne dubito, ma ti tratta come una bambola senza cervello.» Grace, sconvolta, scoppiò in lacrime, mentre Victoria cercava di abbracciarla e consolarla. Ma l'altra si liberò con uno scrollone.

«Come puoi parlare così?»

«Perché ti voglio bene, e non sopporto di vedere che ti stai rovinando completamente la vita.»

«Non è vero. Io lo amo, lui mi ama e mi rende felice. Solo questo conta.»

«Harry è uguale a papà: anche lui non dà mai retta alla mamma, non l'ascolta, come non ascolta nessuna di noi due. E noi dobbiamo soltanto pendere dalle sue labbra. La mamma va a giocare a bridge, è il suo unico svago. Vuoi diventare così anche tu? Dovresti cercarti un lavoro, subito, fare qualcosa di intelligente. Sei una ragazza in gamba, Grace, ma ho capito che questo è considerato un peccato, anzi una colpa, nella nostra famiglia. Invece nel mondo reale è un bene.»

«La verità è che sei semplicemente gelosa!» esclamò Grace, infuriata. «E sei arrabbiata per il vestito marrone», sibilò. Sembrava una bambina petulante.

«Non sono affatto arrabbiata. Mi dispiace soltanto perché ti ostini a volermi far mettere addosso qualcosa che mi sta male e mi farà apparire orribile. Ma, se per te è importante, lo indosserò senza fare discussioni. Certo, avrei preferito che tu avessi scelto qualcosa che mi stava bene, che avessi pensato anche a me, e non soltanto alle tue amiche. D'altra parte è il tuo matrimonio, e quindi sei tu che detti legge. Spero solo che non rinunci al tuo cervello quando sarai davanti all'altare per sostituirlo con una fede nuziale. Sarebbe un pessimo cambio.»

«Sei cattiva!» gridò Grace, girandole le spalle e rientrando in casa furibonda. Victoria, che era rimasta fuori, cominciò a chiedersi se non fosse il caso di piantare in asso, conservando un minimo di decenza, tutta la baracca, prendere un aereo e tornarsene a New York. Oh, subito non sarebbe stato abbastanza presto! Che schifo di vacanza. Rientrò in casa e prese il caffè con gli altri senza aprire bocca. Grace si era seduta sul divano vicino a Harry. Dopo qualche minuto Victoria decise di andare in cucina ad aiutare la mamma con i piatti, perché dovevano essere lavati a mano tutti, dal primo all'ultimo, delicati e preziosi com'erano, mentre suo padre era rimasto in soggiorno a chiacchierare con il futuro genero. Si domandò se quelle tre persone erano la sua famiglia o quella di qualcun altro. In quella casa tutti avevano un posto ben preciso e un ruolo altrettanto definito, all'infuori di lei. No, anzi, un ruolo ce l'aveva, e nient'affatto piacevole: quello della disadattata, della spostata, dell'esclusa.

«Il tacchino era buono, mamma», osservò mentre asciugava i piatti.

«Io invece l'ho trovato asciutto. Ma ero così nervosa che l'ho lasciato in forno un po' troppo. Volevo che tutto fosse perfetto per Harry.» Victoria avrebbe voluto chiederle il motivo di tutto quel disturbo per il fidanzato della loro figlia. In fondo non era né un re né il papa. Non aveva mai visto tanto trambusto in casa sua, né tante premure per qualcuno che era venuto a pranzo. «Lui è abituato al meglio», aveva soggiunto sua madre con un sorriso. «E Grace con lui avrà una vita meravigliosa.» Victoria non ne era altrettanto sicura; anzi, era convinta che alla lunga anche Grace non l'avrebbe trovata così favolosa. D'accordo, era bello e intelligente, veniva da una famiglia facoltosa, ma cento volte meglio restare zitella che diventare moglie di uno così! Harry era totalmente privo di sensibilità, era prepotente e pieno di sé, a parte il fatto che non rispettava Grace come persona e la considerava alla stessa stregua di un bell'oggetto decorativo. Proprio come Jim, o magari anche peggio.

Victoria non aprì bocca per il resto della serata, ma il giorno dopo cercò di riappacificarsi con la sorella. Si erano trovate a pranzo da *Fred Segal*, che era sempre stato uno dei loro posti preferiti, ma Grace era ancora imbronciata per quello che Victoria le aveva detto il giorno prima. Però, più o meno a metà pranzo, si rasserenò. La sorella maggiore invece era talmente sconvolta che si mangiò un piattone di pasta con il pesto e divorò tutto il pane che c'era nel cestino. Stare in famiglia le faceva venire solo voglia di abbuffarsi in modo incontrollabile.

«Quando riparti?» le chiese Grace mentre pagava il conto. Sembrava che intendesse fare pace con lei, e Victoria ne fu sollevata. Non voleva tornare a New York rimanendo in pessimi rapporti con lei.

«Credo che me ne andrò domani», rispose a voce bassa. «Ho moltissimo lavoro da sbrigare.»

Grace non fece obiezioni. L'intimità e l'armonia di una volta erano svanite. Secondo lei era tutta colpa della pressione alla quale si sentiva sottoposta per i preparativi del matrimonio, ma Victoria capiva che invece si trattava di qualcosa di ben più profondo, e ne era infinitamente rattristata. A poco a poco stava perdendo la sua sorellina. Non era mai successo prima, forse perché Harry aveva aggiunto il peso della propria personalità a quella dei loro genitori ed era diventato anche lui uno di *loro*. Non si era mai sentita sola come in quel momento: un'orfana. Che tristezza! Stranamente stavolta il cibo abbondante non servì a smorzare il dolore. Il Giorno del Ringraziamento non aveva neanche toccato la torta di zucca ricoperta di panna montata, di cui andava ghiotta, per non sentire i soliti commenti sarcastici di suo padre. Con loro era impossibile dialogare; non c'erano speranze.

Prenotò un posto sul volo del sabato mattina; la sera del venerdì era rimasta a cena con i genitori. Grace era da Harry, e Victoria le telefonò per salutarla prima di partire. Si erano ripromessi di vedersi a Natale, ma lei aveva deciso che non sarebbe tornata a Los Angeles per le feste. Si guardò bene dal dirlo, anche perché sarebbe stato inutile. Si sarebbe presentata solo per il matrimonio di Grace. Decise di passare i restanti giorni del lungo weekend con Harlan e John. Adesso erano loro la sua vera famiglia. Le si stringeva il cuore, al pensiero di aver perso la sorella minore che era stata la sua alleata per anni e anni, ma un po' di lontananza avrebbe fatto bene a tutti.

Suo padre l'accompagnò all'aeroporto, e Victoria lo baciò prima di congedarsi, ma si accorse di non sentire più niente per lui. Jim le raccomandò di aver cura di se stessa, di riguardarsi, probabilmente con le migliori intenzioni del mondo, ma nella sua voce non c'era l'amore di un padre. Lei lo ringraziò, si avviò verso il controllo della sicurezza, lo oltrepassò... e non si voltò più indietro. Quando l'aereo decollò, e poté dire di aver lasciato Los Angeles, provò un enorme sollievo.

Finalmente tornava a New York. A casa.

20

Le giornate fra il Ringraziamento e Natale erano sempre caotiche, a scuola, però Victoria andava ugualmente tutte le settimane a controllare il proprio peso dal dietologo, indipendentemente dagli altri impegni. Del resto nessuno lavorava seriamente, in quel periodo; erano tutti troppo ansiosi di partire per le vacanze, studenti e professori. Chi andava alle Bahamas, chi a trovare la nonna a Palm Beach oppure dei parenti in altre città. Qualcuno andava a sciare ad Aspen, Vail, Stowe, e addirittura, quei pochi che se lo potevano permettere, in Europa, a Gstaad, Val d'Isère, Courchevel. Quelle località di alto livello, raffinate ed eleganti, erano le mete dei ragazzi più ricchi.

Un giorno Victoria sentì Marjorie Whitewater, una delle sue allieve, discutere dei suoi progetti per le vacanze con due compagne, alla fine dell'ora: annunciò allegramente, come se fosse la cosa più normale del mondo, che sarebbe entrata in una clinica a farsi fare la riduzione al seno. Era il regalo di suo padre. Le altre due erano interessatissime. Poi una annunciò ridendo che invece lei stava per farsi fare l'opposto: sua madre le aveva promesso, come regalo per il diploma, una protesi al seno. A quanto pareva tutte e tre giudicavano quegli interventi di chirurgia plastica con la massima indifferenza.

Victoria trasalì e non riuscì a trattenersi. «Ma non è molto doloroso?» interloquì. A lei sembrava terrificante, non avrebbe mai avuto il coraggio di fare un'operazione simile. E se il risultato non le fosse piaciuto? Si era lagnata delle dimensioni del suo seno per tutta la vita, ma liberarsene, sia pure in parte, le sembrava esagerato. Certo, non poteva negare di averci pensato a lungo, ma non aveva mai preso seriamente in considerazione la questione.

«Non è poi così tremendo», le spiegò Marjorie. «Mia cugina si è operata l'anno scorso e adesso ha un aspetto da favola.»

«Io mi sono rifatta il naso a sedici anni», raccontò una delle altre due. Stava diventando una tavola rotonda sui vantaggi della chirurgia plastica fra adolescenti. Victoria rimase sconcertata da tanta disinvoltura, oltre che dalla cultura che si erano fatte sull'argomento. «Ci ho sofferto parecchio», raccontò la ragazzina alle compagne, «però mi sono subito innamorata di quello nuovo e certe volte mi dimentico addirittura che non è più quello che avevo quando sono nata. D'altra parte, quello vecchio lo odiavo!» Le altre due si misero a ridere.

Victoria confessò timidamente: «Anch'io odio il mio naso. L'ho sempre odiato». Quella conversazione apparentemente frivola si stava facendo intrigante.

«Allora dovrebbe cambiarlo e farsene uno nuovo», le consigliò una delle ragazze con la massima nonchalance. «Non è niente di che, sa? E mia madre l'anno scorso si è fatta il lifting al viso.» Le altre non nascosero di essere positivamente colpite. Victoria sembrava ipnotizzata da quello che sentiva: non le era mai venuto in mente di ritoccarsi il naso! Poco prima l'aveva detto più che altro per scherzare, ma in verità non l'aveva mai considerata un'opzione che potesse andar bene per lei. Si domandò se fosse molto costoso, ma preferì non chiederlo alle sue allieve.

Quella sera ne accennò ad Harlan. «Tu, per caso, conosci qualche chirurgo plastico?» gli domandò con aria di finta indifferenza mentre spignattavano insieme ai fornelli per preparare verdura e pesce al vapore; Victoria era tornata a stare molto attenta alla dieta, e stava cominciando, a poco a poco ma con regolarità, a perdere peso.

«Veramente, no. Perché?»

«Sto meditando di rifarmi il naso.» Lo disse come se parlasse di un cappello o di un paio di scarpe da comprare. Lui si mise a ridere.

«Ma dai! E come mai?»

«Oggi mi è capitato di ascoltare delle mie allieve che chiacchieravano in corridoio. Devi sapere che queste ragazze sono una vera e propria enciclopedia della chirurgia estetica. Una di loro si è rifatta il naso due anni fa, un'altra si riduce il seno durante le vacanze... addirittura come dono di Natale, figurati! La terza vuole ingrandirselo l'estate prossima: regalo di diploma. Mi sa che sono l'unica in tutta la scuola che è rimasta come mamma l'ha fatta!»

«Ragazzine *ricche*», soggiunse John. «Ti garantisco che nessun mio studente si fa fare lavoretti al naso o alle tette per Natale.»

«Immagino. Comunque... non so quanto possa comportare, ma stavo pensando di regalarmi un naso nuovo per Natale. Siccome non torno a casa, ho tutto il tempo che voglio.»

«Ah, resti qui davvero, allora!» esclamò Harlan, stupito dal fatto che avesse intenzione di rimanere a New York. «E quando l'hai deciso?»

«Al Ringraziamento. Non ho nessuna voglia di passare le feste con quei pazzi scatenati, compreso il mio futuro cognato. Sono insopportabili. Non torno a casa fino a quando non si sposa Grace.»

«Ma... gliel'hai detto? Lo sanno già?»

«Non ancora. Pensavo di annunciarlo fra un po'. E così mi è venuto in mente che tu magari potevi conoscere un chirurgo. Mica posso chiederlo alle mie allieve.»

Harlan non ne parlò più, ma il giorno dopo le diede l'indirizzo di tre chirurghi plastici. Li aveva ottenuti da persone di sua conoscenza che gli avevano riferito di essere state molto soddisfatte del lavoro. Victoria era emozionata e felice. Il giorno dopo ne chiamò un paio. Uno era in partenza per le vacanze, un'altra, una donna, le fissò un appuntamento per la fine della settimana per valutare una possibile rinoplastica. Victoria disse ad Harlan che si sentiva come un rinoceronte che vuol farsi togliere il corno, e lui rise di cuore.

Il venerdì pomeriggio andò all'appuntamento con la dottoressa Carolyn Schwartz, che aveva un bell'ufficio luminoso e allegro in Park Avenue, non molto lontano dalla scuola, tanto che lo raggiunse a piedi dopo l'ultima ora. Era una giornata fredda ma soleggiata, e dopo essere rimasta chiusa a scuola tutto il giorno una bella camminata era quello che ci voleva. La dottoressa Schwartz era simpatica, giovane; le spiegò l'intero procedimento e la informò di quanto costava. Era una cifra più che ragionevole; poteva permettersela senza problemi. La dottoressa le spiegò che per almeno una settimana avrebbe avuto la faccia piena di lividi, che però a poco a poco sarebbero scomparsi. Al momento di tornare a scuola avrebbe potuto nascondere quelli ancora evidenti con un trucco più pesante. Lei aveva un posto libero il giorno dopo Natale. Victoria prima la fissò per un lungo momento, e poi scoppiò a ridere.

«Aggiudicato. Facciamo questo naso nuovo prima di ripensarci.» Erano anni che non si sentiva così emozionata e felice.

La dottoressa le mostrò al computer una serie di foto per valutare il naso più adatto alla sua fisionomia, dopo averla fotografata di profilo e di fronte. Victoria ne scelse uno simile a quello di sua sorella, così da poter ritrovare anche in se stessa qualcosa dei lineamenti più caratteristici della loro famiglia. La dottoressa le suggerì una modifica che si adattasse alla sua faccia; Victoria replicò che le avrebbe portato in studio un'immagine della sorella, dopo aver esaminato quelle che aveva a casa, perché il naso di Grace era stupendo, diversamente dal suo che sembrava un torsolo di cavolo. La dottoressa rise e le assicurò che il suo naso non era niente male, anche se poteva essere senz'altro migliorato. Con l'aiuto del computer visualizzò le varie possibilità che le si offrivano, e a Victoria piacquero tutte. A ogni modo, era sempre meglio di adesso.

Quando uscì dallo studio del chirurgo estetico le sembrava di camminare sulle nuvole. Il naso che aveva odiato tutta la vita e per cui suo padre l'aveva sempre presa in giro stava per sparire per sempre e non tornare mai più. Ciao ciao.

Raccontò tutto ad Harlan e John appena rientrata a

casa. Loro si stupirono per tutta quella fretta. Victoria gli chiese speranzosa se potevano andarla a prendere alla clinica dopo l'operazione. Loro risposero all'unisono che sarebbero andati tutti e due perché erano entrambi in ferie.

Con la dottoressa Schwartz Victoria aveva anche valutato la possibilità di una liposuzione, che a volte le sembrava una scelta più facile di certe diete ferree alle quali doveva sottoporsi, oltre al fatto che i suoi problemi sarebbero stati risolti molto più rapidamente. Ma quando sentì la descrizione dell'intervento rabbrividì per il raccapriccio e decise di rinunciare e limitarsi al naso.

Gli ultimi giorni di scuola trascorsero fra le solite tensioni e l'eccitazione che accompagnava l'avvicinarsi delle vacanze. Victoria dovette alzare la voce più di una volta con i suoi studenti perché si sbrigassero a fare i compiti che aveva assegnato per casa e glieli consegnassero. Li esortò a lavorare, durante le vacanze, ai saggi da mandare ai college in aggiunta alla domanda di ammissione. Purtroppo sapeva benissimo che solo pochi l'avrebbero ascoltata, mentre quasi tutti se ne sarebbero infischiati altamente, così in gennaio avrebbero dovuto correre per fare le cose in tempo.

Nell'ultima settimana di lezioni, si verificò un brutto fatto: un ragazzo di terza fu sorpreso a sniffare cocaina in bagno da un suo compagno che era entrato all'improvviso. Furono convocati i genitori e lo studente venne sospeso. Il preside insistette affinché i genitori mandassero il figlio in un centro di disintossicazione. Per fortuna non era un allievo di Victoria: non le sarebbe piaciuto trovarsi coinvolta in una faccenda simile; lei aveva già i suoi studenti di cui occuparsi. Amy Green se la cavava molto bene a scuola, e la gravidanza procedeva nel modo migliore, anche se al momento non si vedeva ancora e probabilmente nessuno l'avrebbe notata per parecchio tempo. Insomma, tutto filava a meraviglia.

Poco prima di Natale si decise finalmente ad avvertire i suoi che non sarebbe tornata a casa. Le risposero che erano delusi e dispiaciuti, ma lei ebbe l'impressione che in realtà fossero sollevati. Erano troppo impegnati con i futuri sposini e stavano organizzando un invito a cena per i Wilkes prima della loro partenza per Aspen.

Grace le telefonò per dirle che era meravigliata e addolorata che non tornasse a casa. Victoria era un po' imbarazzata, così, tanto per giustificarsi, le confessò che aveva intenzione di rifarsi il naso. Non aggiunse che, anche senza la rinoplastica, non sarebbe lo stesso tornata a Los Angeles per Natale.

«Ma perché? Che sciocchezza! A me il tuo naso piace.»

«Be', invece a me no. Sono stata costretta a sopportare il naso della bisnonna tutta la vita, e adesso voglio cambiarlo.»

«E che tipo di naso ti fai?» le domandò Grace.

«Il mio, cioè una versione personalizzata del tuo e di quello della mamma», rispose Victoria. Grace si mise a ridere. «L'abbiamo scelto al computer, e mi dona molto di più di quello che ho adesso.»

«Farà male?» chiese Grace preoccupata. Victoria fu commossa dalla partecipazione di sua sorella: indipendentemente da tutto lei era l'unica che le volesse bene, in quella famiglia.

«Non lo so. Sarò addormentata.»

«Ma io intendevo dopo!»

«Mi daranno degli antidolorifici da prendere una volta tornata a casa. La dottoressa ha spiegato che per qualche settimana mi rimarranno sulla faccia i lividi e il naso resterà lievemente gonfio per parecchio tempo, anche se non si noterà. Ma siccome non ho progetti di nessun genere questo mi sembra il momento giusto per risolvere la faccenda. Entro in clinica il giorno dopo Natale.»

«E così non fai neanche il Capodanno!» commentò Grace in tono partecipe. Victoria si mise a ridere.

«Tanto, non ho nessuno con cui passarlo. Almeno sto a casa per uno scopo. Harlan e John vanno a sciare nel Vermont... ma non preoccuparti: me la caverò benissimo da sola. Puoi venire a tenermi compagnia, se vuoi.»

«Harry e io abbiamo intenzione di partire per il Messico, per Capodanno», le rispose in tono di scusa.

«Allora sono contenta di rimanere qui!»

«Mandami una foto del naso nuovo. Quando i lividi saranno passati.»

Alla fine della telefonata Victoria si sentiva di ottimo umore, così decise di andare in palestra. Fuori si gelava, ma certo questo non bastava per interrompere le sue nuove, sane abitudini. Da un po' di tempo si comportava molto bene, e anche a casa si allenava spesso con il tapis-roulant.

La dottoressa l'aveva avvertita che subito dopo l'intervento avrebbe dovuto evitare l'esercizio fisico, almeno per un po', e quindi voleva approfittare del tempo libero per fare più ginnastica che poteva, per non perdere tono muscolare durante la convalescenza.

Quando arrivò in palestra cominciava a nevicare. Tutti erano indaffarati con il Natale e avevano già preparato l'albero; lei l'avrebbe fatto durante il weekend con Harlan e John insieme con qualche amico. Sarebbe stato divertente. Victoria pedalava di gran lena su una cyclette immersa in questi piacevoli pensieri, quando notò l'uomo di fianco a lei, che pedalava a sua volta: un bel tipo dal profilo virile che sembrava intento a conversare con una magnifica ragazza vicino a lui. Li fissò per qualche minuto, come ipnotizzata. Erano una coppia talmente bella... e sembrava anche che andassero molto d'accordo. Ridevano di continuo. Sentì una fitta di tristezza, e provò invidia per il loro rapporto. Lei aveva messo l'iPod, perciò non poteva sentire quello che si dicevano, ma l'espressione dei loro volti, affettuosa e piena d'amore, era eloquente. Le si strinse il cuore. Lei non poteva neanche sognarsi di stare con un uomo come quello.

Lo scrutò di soppiatto un'altra volta: aveva dei begli occhi azzurri intensi, capelli neri, mascella quadrata, una profonda fossetta sul mento, le spalle larghe, le gambe lunghe... E che belle mani! A un certo punto lui si voltò e le sorrise, e lei diventò rossa come un peperone. Doveva essersi accorto che lo stava fissando insistentemente. Victoria distolse lo sguardo, ma non le sfuggì che lui le aveva lanciato una seconda occhiata, soprattutto alle gambe, mentre scendeva dalla cyclette. Lei indossava felpa e leggings, lui maglietta e calzoncini corti. Certo che quei due dovevano avere una relazione molto solida, dal momento che la ragazza non era per niente seccata dal fatto che lui la guardasse con tanto interesse. Victoria gli sorrise, poi andò a farsi la doccia e se ne tornò a casa. Non vedeva l'ora di rifarsi il naso. Le dispiaceva soltanto di dover rinunciare alla palestra, ma si ripromise di lavorare con doppio impegno appena avesse potuto riprendere l'attività fisica.

Avrebbe cominciato l'anno con un corpo più tonico e snello e un naso più carino, pensò piena di speranza.

21

VICTORIA trascorse un Natale tranquillo, a casa con Harlan e John, e, sebbene un po' triste perché non vedeva Grace, il fatto di non essere costretta a viaggiare durante le vacanze e di stare alla larga dall'isterismo prematrimoniale dei suoi, all'apice anche se mancavano ancora sei mesi, la rasserenava. Jim e Christine erano ormai partiti per la tangente, completamente fuori di testa: meglio stare alla larga. Era la prima volta che non tornava a casa per le feste, e questo la faceva sentire strana ma nello stesso tempo in pace con se stessa.

La sera della vigilia, lei, Harlan e John si scambiarono i regali, poi andarono tutti insieme alla messa di mezzanotte per rispettare la tradizione. Le piacque moltissimo assistere al rito solenne nella cattedrale di St. Patrick's, e anche se nessuno di loro era particolarmente devoto lo trovarono commovente. Tornati a casa, si fecero una tisana e se ne andarono a letto. Il giorno dopo Victoria parlò con Grace più di una volta. La sua sorellina minore faceva la spola fra la casa dei genitori e quella dei futuri suoceri; era entusiasta perché per Natale Harry le aveva regalato un paio di splendidi orecchini di brillanti.

La sera Victoria era nervosa perché il giorno dopo sarebbe entrata in clinica. Secondo le istruzioni preoperatorie che le avevano dato non poteva né mangiare né bere niente dopo la mezzanotte, e neanche prendere dell'aspirina. Era la prima volta che Victoria subiva un intervento chirurgico, e quindi non sapeva cosa aspettarsi, a parte ritrovarsi con un naso che le piaceva di più, diverso da quello che le aveva procurato tanto dolore per tutta la vita.

Non vedeva l'ora di cambiarlo. Non si illudeva certo che questo bastasse a trasformarla e a farla diventare improvvisamente bellissima, però l'avrebbe aiutata a sentirsi diversa. Continuava a guardarsi il naso nello specchio dicendosi che fra poco non sarebbe stato più così.

A poco a poco si stava liberando, o almeno cercava di farlo, di tutte le cose che l'avevano sempre resa infelice... per esempio le feste di Natale con i suoi tutti gli anni. Per la prima volta trascorse la festività in mezzo a gente che la circondava di calore umano e affetto.

Il pensiero di avere intorno suo padre e sua madre adesso le risultava insopportabile. Non voleva più stare con chi non le voleva bene. Per anni e anni aveva cercato di rovesciare la situazione e di cambiare la situazione, ma non ne era stata capace; adesso non ne aveva più voglia. Era il primo passo verso la sanità mentale. E la rinoplastica era un altro, perché per lei aveva un profondo significato psicologico in quanto non si sarebbe più sentita condannata a essere brutta e ridicolizzata. Stava cominciando ad assumere il pieno controllo della sua vita.

Si alzò presto e si mise a girellare per l'appartamento

in preda all'ansia, prima di uscire. Guardando l'albero di Natale si chiese come si sarebbe sentita al ritorno a casa. Sperava di non soffrire troppo. Comunque era terrorizzata, quando alle sei del mattino salì sul taxi per raggiungere la clinica. Se si fosse trattato di qualcos'altro forse si sarebbe tirata indietro e avrebbe annullato tutto. Al colmo del terrore, superò la porta a doppio battente che portava al reparto chirurgia in day hospital. Da quel momento in poi fu come risucchiata in un meccanismo ben oliato. La accolsero, le fecero firmare alcuni documenti e le misero al polso un braccialetto di plastica con il suo nome e cognome, le fecero un prelievo del sangue, controllarono la pressione arteriosa e le condizioni cardiache. L'anestesista venne a parlarle e la rassicurò dicendole che non avrebbe sentito niente e si sarebbe addormentata subito; le chiesero se soffriva di allergie, e Victoria rispose di no. La pesarono, le fecero indossare un camice bianco e un paio di calze elastiche per evitare il rischio di embolia. Notò con disappunto che la loro bilancia segnava quasi un chilo in più rispetto alla sua. Doveva ancora farne di strada, prima di vincere la guerra contro il peso!

Infermiere e tecnici di laboratorio andavano e venivano, qualcuno le infilò nel braccio l'ago di una fleboclisi, e prima di accorgersene si ritrovò sul tavolo operatorio con la sua dottoressa che le sorrideva e le accarezzava una mano, mentre l'anestesista le parlava... Nel giro di un attimo si addormentò.

Si svegliò intontita. Una voce lontanissima continuava a ripetere il suo nome. «Victoria... Victoria... Victoria?... Victoria...» Voleva che stessero zitti e la lasciassero dormire.

«Hmm... ma cosa...» Tentavano di svegliarla, ma lei si riaddormentava.

«L'intervento è finito, Victoria», disse una voce. Qualcuno le infilò una cannuccia in bocca e le diede da bere dell'acqua. Ne prese un sorso, e lentamente cominciò a svegliarsi. Aveva la faccia piena di cerotti, però non sentiva male. Quando fu un po' più sveglia le diedero delle pastiglie di antidolorifico. Per tutta la giornata non fece che svegliarsi e riaddormentarsi, mentre gli infermieri la coprivano affinché non avesse freddo. A un certo punto la informarono che se voleva tornarsene a casa doveva svegliarsi sul serio, una volta per tutte. Le alzarono il letto e la costrinsero a sedersi, mentre lei richiudeva gli occhi e si riappisolava. Poi, a cucchiaiate, le fecero inghiottire una gelatina di frutta. Finalmente, attraverso le palpebre socchiuse, Victoria riconobbe Harlan fermo in piedi accanto al suo letto. John si era preso un brutto raffreddore e quindi non era potuto venire.

«Ciao... ma si può sapere cosa ci fai qui?» gli chiese, meravigliata di vederlo. Era ancora intontita... come ubriaca. «Ah, già... ho capito. Adesso mi alzo... A quanto pare sono sopravvissuta!» esclamò.

Harlan si mise a ridere. «Eccome! Piuttosto, non sai se potrei avere un po' di quella roba che ti hanno messo in corpo? Sembra che faccia un certo effetto.»

Lei rise, ma provò un dolore lancinante alla faccia, sulla quale le avevano applicato del ghiaccio. Harlan si trattenne dal commentare che conciata così sembrava un giocatore di hockey con la maschera per non procurarle dell'altra sofferenza, poi dovette uscire perché un'infermiera era venuta ad aiutarla a vestirsi; quando ebbe finito la fece accomodare su una sedia a rotelle.

«Come ti sembro? È carino il mio naso?» gli domandò, intontita come non mai.

«Sei favolosa», rispose Harlan. L'infermiera sorrise: era abituata ai pazienti appena usciti dall'anestesia. Aveva fatto indossare a Victoria i pantaloni di felpa di una tuta, una camicetta e un golfino abbottonati davanti in modo da non dover farli passare dalla testa, le aveva tolto le calze elastiche, le aveva messo le scarpe e i calzini e le aveva tirato indietro i capelli con una fascia affinché non cadessero sul naso. Le diede la ricetta per l'antidolorifico, da prendere all'occorrenza, e le istruzioni su come comportarsi durante il decorso postoperatorio. Harlan nel frattempo era andato a chiamare un taxi, e nel giro di un minuto era lì. Quando uscì, Victoria si stupì di vedere che era buio. Erano le sei di sera e lei era rimasta lì dentro per dodici ore. L'infermiera spinse la sedia a rotelle di fianco allo sportello del taxi; Harlan aiutò Victoria a salirci e la sistemò ben bene sul sedile posteriore poi ringraziò e salutò l'infermiera, la quale lo avvertì che siccome la paziente era pesante era meglio che non tentasse di prenderla in braccio, perché avrebbe potuto perdere l'equilibrio e Victoria poteva farsi male. Harlan si augurò che non avesse sentito.

«Cos'ha detto?» biascicò lei.

Infatti non aveva sentito. Meno male. «Ha detto che sembri una che si è presa una sbronza formidabile e che vorrebbe avere le tue gambe.»

«Già», convenne lei annuendo, «tutte vorrebbero le mie gambe, ma il culo me lo lasciano volentieri.» L'autista le sorrise dallo specchietto retrovisore, mentre Harlan gli dava il loro indirizzo. Anche se era un tragitto piuttosto breve, Victoria finì per appisolarsi di nuovo, il mento appoggiato al petto. Si mise addirittura a russare. Non era una visione romantica, ma Harlan guardandola sentì un moto d'affetto: le voleva un gran bene, era la sua migliore amica. Arrivati davanti a casa, la svegliò.

«Okay, Bella Addormentata. Orsù, eccoci giunti al castello. Di grazia, alzate le vostre principesche chiappe e uscite dal taxi.» Harlan rimpianse di non avere la sedie a rotelle anche lì, ma per fortuna Victoria gli fece capire che non ne aveva bisogno. Si sentiva ancora un po' disorientata, le girava la testa, ma con il suo aiuto riuscì a salire nell'ascensore e a entrare nell'appartamento in pochi minuti. Lui la fece accomodare sul divano, in modo che potesse togliersi il cappotto in tutta tranquillità. John li accolse in vestaglia, e sorrise quando la vide. Victoria sembrava un'aliena, con quelle bende che le coprivano gran parte della faccia, due buchi per gli occhi e uno per la bocca e una stecca a proteggere il naso. Si trattenne dal fare commenti e si augurò che non andasse a guardarsi nello specchio. Per tutta la giornata le avevano lasciato dei batuffoli di cotone nel naso, in modo da evitare un'eventuale emorragia, ma fortunatamente la ferita aveva sanguinato molto poco così l'infermiera glieli aveva tolti prima che venisse dimessa.

«Dove vuoi stare?» le chiese Harlan premuroso. «Sul divano o a letto?»

«A letto... Ho sonno...» rispose dopo un bel po'.

«Hai fame?»

«No, ho sete...» ribatté passandosi la lingua sulle labbra. L'infermiera le aveva dato della vaselina da spalmarci sopra. «E ho freddo», aggiunse.

Harlan le portò un bicchiere di succo di mela con una cannuccia, come gli avevano raccomandato di fare, poi la condusse nella sua camera, l'aiutò a spogliarsi e a mettersi in pigiama, e cinque minuti più tardi dormiva come un ghiro appoggiata a un mucchio di cuscini per tenere la testa alta.

Harlan tornò in soggiorno.

«Accidenti! Sembra reduce da uno scontro frontale fra due tir», commentò John. Harlan annuì.

«Le hanno detto che sarà piena lividi, il naso si gonfierà e si ritroverà con gli occhi pesti. Ma è felice, o almeno lo sarà. Voleva un naso nuovo e l'ha ottenuto. Magari a noi può sembrare una cosa poco importante, ma per lei dal punto di vista psicologico è fondamentale. E allora perché non farlo?»

John si dichiarò pienamente d'accordo. Passarono una serata tranquilla sul divano a guardarsi due film, dando un'occhiata a Victoria di tanto in tanto per vedere se era tutto a posto.

Il giorno dopo Victoria si svegliò con la sensazione di essere passata sotto uno schiacciasassi. Era piena di dolori in tutto il corpo, ma soprattutto al naso, era stanca morta e le sembrava che l'avessero drogata. Decise di far colazione e di prendere un antidolorifico. Non aveva intenzione di esagerare, ma quando ci voleva…. Per pura e semplice abitudine aprì il freezer, e stava fissando con evidente interesse un grosso barattolo di gelato quando Harlan entrò.

«Altolà», la bloccò. Era la voce della sua coscienza. «Hai uno splendido naso nuovo. Vedi di non rovinare l'effetto ingozzandoti di gelato, ok?» L'amico richiuse lo sportello del freezer, aprì il frigorifero e le mise in mano una bottiglietta di succo di mela. «Come ti senti?»

«Così così, discretamente. Intontita. Un po' sbattuta. E mi fa anche un male cane. Oggi ho intenzione di starmene a letto a dormire. Adesso mi prendo un antidolorifico.» Il gonfiore era aumentato. D'altra parte gliel'avevano preannunciato, perciò non si preoccupò.

«Buona idea», convenne lui. Afferrò una fetta di pane integrale, la tostò, la spalmò di uno strano burro ipocalorico e gliela mise in mano. «Vuoi che ti prepari delle uova?» Ma lei fece segno di no con la testa. Si era imposta di non abbandonare comunque la dieta, specialmente adesso che non poteva fare ginnastica o andare in palestra.

«Grazie per essere venuto a prendermi ieri e avermi aiutata in tutto», gli disse cercando di sorridere, anche se faceva fatica con tutti quei cerotti sulla faccia. Non vedeva l'ora che passasse quella settimana per liberarsi delle bende, che le davano un fastidio tremendo. Si era imposta di non guardarsi nello specchio per non spaventarsi... In ogni caso il naso era coperto dalla garza e dalla stecca.

Per i due giorni successivi non fece che dormire; quando si svegliava girellava per la casa come uno zombie. Comunque era tranquilla, serena. Del resto aveva scelto apposta quel periodo. Harlan aveva noleggiato qualche film, che lei guardò anche se aveva mal di testa. Aveva parlato per telefono con Helen ma non voleva attorno nessuno all'infuori di John e Harlan. Non se la sentiva ancora di vedere gente, anche per non spaventare nessuno!

Per Capodanno si sentiva abbastanza bene, e a poco a poco cominciò a fare a meno degli antidolorifici. Harlan e John erano andati a sciare nel Vermont, di conseguenza lei passava le serate sola soletta davanti al televisore, tutta gongolante all'idea di avere un bel nasino anche se non l'aveva ancora visto. Quella sera Grace la chiamò dal Messico. Era a Cabo San Lucas con Harry e un gruppo di amici.

301

«Favoloso!» disse. Adesso, come fidanzata e presto futura moglie di Harry, faceva una vita splendida ed era felice, ma Victoria non la invidiava perché al solo pensiero di doversi sorbire la compagnia di Harry le venivano i brividi!

«Allora... come va il naso nuovo?» le domandò Grace. Le aveva telefonato parecchie volte, in quella settimana, e le aveva anche mandato dei fiori: un gesto tenero che aveva commosso Victoria. I suoi non sapevano niente dell'intervento, perché quella era una decisione sua, soltanto sua, e poi era sicura che loro l'avrebbero disapprovata, o come minimo avrebbero fatto qualche commento poco gentile. Grace le aveva promesso che non avrebbe detto niente.

«Veramente non l'ho ancora visto», disse Victoria. «La settimana prossima mi tolgono la fasciatura. Il decorso postoperatorio è andato benissimo, quindi il naso dovrebbe essere a posto. In linea di massima, dovrei poter tornare a una vita normale nel giro di una o due settimane. Mi rimarrà ancora qualche livido e un po' di gonfiore per qualche tempo; posso cercare di nasconderli con del trucco più pesante.» Tolti la fasciatura e i punti, avrebbe potuto mettere sul naso soltanto un cerotto. «Raccontami di te. Ti diverti?» domandò, con un po' di nostalgia per la sua sorellina.

«Qui è fantastico. E abbiamo una suite da favola», cinguettò Grace.

«Mi sa che continuerai a fare la mocciosa viziata anche quando sarai la signora Wilkes», la prese garbatamente in giro Victoria. Preferiva di gran lunga la sua vita, il suo lavoro di insegnante, almeno non c'era nessuno che le diceva cosa doveva pensare, fare e dire. Non l'avrebbe sopportato. Grace invece stava bene così: aveva Harry, e questo le bastava, proprio come faceva la loro madre con il marito. Victoria provò una gran pena per tutte e due.

«Lo so», rispose Grace con una risatina. «E mi piace alla follia esserlo. Bene, fammi sapere se sei soddisfatta del tuo naso, mi raccomando!»

«Appena lo vedo, ti telefono!»

«A ogni modo, quello vecchio per me andava benissimo», ripeté Grace. «Non era orribile, soltanto un po' a patata.»

«Quello nuovo sarà senz'altro meglio!» esclamò Victoria. «Divertiti. Ti voglio bene... E buon Capodanno!»

«E io ti auguro che l'anno nuovo sia fantastico anche per te!» Victoria si rese conto che sua sorella parlava sul serio: augurava anche a lei di sposarsi.

Finita la telefonata, si sdraiò sul divano per guardare un altro film. A mezzanotte dormiva sodo. Un Capodanno molto tranquillo, ma lei era contenta che fosse stato così.

22

Otto giorni dopo la dottoressa Schwartz le tolse la fasciatura, e quando vide quello che c'era sotto commentò che era molto soddisfatta del risultato e che tutto procedeva per il meglio. Fino a quel giorno Victoria era stata tanto tenace da evitare di guardarsi nello specchio per non spaventarsi, e si consolava pensando che se aveva un aspetto orrendo era per una buona causa. Quando finalmente si vide era emozionata e felice, sebbene avesse ancora la faccia piena di lividi e un po' gonfia. La dottoressa le indicò i punti dove il gonfiore era maggiore e quelli nei quali avrebbe dovuto aspettarsi presto un certo miglioramento, ma tutto considerato le sembrava di avere un aspetto soddisfacente. Fece un urlo di gioia. Le era stato fatto davvero un ottimo lavoro! Si sentiva un'altra.

L'unico particolare che la lasciò sconcertata erano i lividi; anche se l'avevano avvisata non immaginava che sarebbero stati così evidenti. Aveva due occhi neri… come se l'avessero presa a pugni, e il resto della faccia coperto da macchie violacee. La dottoressa le assicurò che tutto sarebbe scomparso al più presto e che era normale, e le consigliò di coprire, fra qualche giorno, quelli che si notavano troppo, con un trucco più accentuato del solito. Comunque, la consolò, per quando fosse tornata a scuola avrebbe avuto un aspetto più che presentabile, e nel giro di qualche mese sarebbe stato completamente a posto. Le mise un cerotto sul naso e la mandò a casa. Le disse che, nei limiti, poteva riprendere la sua attività normale, purché non si trattasse di sport estremi, per non correre il rischio di battere il naso. Poteva andare in palestra, ma senza strafare. Quindi niente jogging, niente esercizi pesanti, niente nuoto, niente corsa eccetera. Ma lei non li faceva mai, soprattutto con quel freddo, poi. La dottoressa aggiunse anche «niente sesso», ma disgraziatamente quello per lei non era un problema.

Al settimo cielo, tornando a casa si comprò una bella Caesar salad, a base di crostini, formaggio e lattuga, condita con la maionese. Aveva perso qualche chilo a furia di mangiare poco, anche perché durante la convalescenza non aveva una gran fame e gli antidolorifici le toglievano l'appetito. Non aveva toccato neanche un gelato, del resto come avrebbe potuto con Harlan che la guardava a vista?

Dopo pranzo si preparò per andare in palestra. Indossò leggings e pantaloncini da ginnastica, una vecchia felpa dell'università, la giacca a vento e un paio di scalcagnate scarpe da corsa. Era una giornata limpida e fredda, a New York, anche se le previsioni dicevano che presto sarebbe nevicato.

Entrata in palestra, decise di scaldarsi un po' pedalando con la cyclette, ma scelse la marcia più leggera perché era fuori esercizio e voleva ricominciare gradatamente. Si mise l'iPod e cominciò a pedalare, ascoltando la musica con gli occhi chiusi. Li riaprì soltanto dopo una decina di minuti e trasalì notando che di fianco a lei c'era lo stesso bell'uomo

305

che aveva visto prima di Natale, abbronzato come se fosse stato a sciare. Stavolta era solo, non c'era nessuna affascinante ragazza in sua compagnia. E la stava fissando! Oh, Dio... si ricordò di essere piena di lividi! Le sembrò che la guardasse in modo compassionevole, dispiaciuto di trovarla in quello stato. Le disse qualcosa, e lei dovette togliersi l'auricolare per sentire.

«Mi piacerebbe sapere com'è conciato l'altro, quello con cui ha fatto a pugni», la prese garbatamente in giro. Victoria sorrise, ma si vergognava come una ladra per la sua faccia pesta e malconcia. Si domandò se avesse indovinato il motivo per cui era ridotta così. Lui tornò subito serio: «Mi scusi, non volevo essere inopportuno, ma sembra che lei soffra molto. Deve essere stato un brutto incidente. Macchina o sci?» andò subito al sodo.

Victoria esitò un attimo, confusa. Non sapeva cosa ribattere. «Naso rifatto» le sembrava molto peggio, e temeva che lui la giudicasse ridicola.

«Macchina», rispose lapidaria continuando a pedalare.

«Come immaginavo. Ma non ce l'aveva, la cintura di sicurezza? Oppure è stato l'airbag? La gente non si rende mai conto di quanto è facile rompersi il naso con l'airbag. È successo a un mucchio di persone che conosco.» Lei non poté che annuire, sentendosi completamente scema. «Comunque l'assicurazione di quello che le è venuto addosso dovrebbe darle una bella sommetta», riprese lui, mostrandosi pieno di simpatia e comprensione e partendo dal presupposto che tutta la colpa fosse di quello con il quale si era scontrata e non sua. «Mi scusi. Sa, io sono avvocato; mi occupo in continuazione di vertenze di questo genere. Durante i periodi di vacanza, poi, la gente si sbronza e... c'è da meravigliarsi che gli incidenti mortali non siano ancora di più. Lei può considerarsi fortunata.»

«Sì, è vero.» Molto fortunata, infatti ho un naso nuovo, pensò.

«Io sono appena stato a sciare nel Vermont con mia sorella. Si ricorda?... quella ragazza che era qui con me l'altra volta. Poverina, stava sciando tutta tranquilla quando un ragazzino che aveva perso il controllo dello snowboard le è finito addosso. Così adesso se ne è tornata a casa con una spalla rotta, che le fa un male cane. Per fortuna la prende con filosofia.»

Victoria lo fissò. Sembrava quasi che lui ci tenesse a farle sapere che la bella ragazza con la quale l'aveva visto la volta precedente era la sorella. Ma allora dov'era sua moglie? Provò a controllare, senza farsi notare, se portava la fede, e notò che non ce l'aveva; ma erano moltissimi gli uomini che non la portavano, non significava niente. E anche se non era sposato e non aveva una ragazza, non riusciva a immaginare come uno così potesse nutrire un minimo interesse per una come lei, che in fondo aveva pur sempre una certa stazza anche con il naso nuovo.

«Ha studiato alla Northwestern? Mia sorella si è laureata lì», disse indicando la sua felpa.

«Anch'io», replicò Victoria con una voce rauca che non aveva niente a che fare con l'intervento chirurgico. Era troppo affascinata da quel tipo per parlare in tono normale.

«Ottima università. Però un tempo schifoso. Io volevo andarmene dal Midwest, dove sono cresciuto, e di conseguenza ho scelto la Duke.» Era nel North Carolina, ed era una delle migliori università del Paese. Victoria incoraggiava i suoi studenti a fare domanda di ammissione lì. «Mio fratello è andato ad Harvard, e i miei se ne vantano ancora adesso. Io invece non ce l'ho fatta. Però mi sono laureato in giurisprudenza alla New York University, ecco perché sono finito qui. E lei... è nata a New York o viene da fuori?» Caspita, che parlantina! Victoria trovava che quella conversazione avesse qualcosa di surreale. Era davvero lei quella che stava pedalando accanto a un uomo stupendo che le stava raccontando la propria vita? Inoltre si comportava come se la sua faccia fosse normale e non tutta nera e blu. Sembrava quasi che la trovasse bella. Sospettò che ci vedesse poco.

«Io vengo da Los Angeles. Mi sono trasferita qui dopo il college. Insegno in una scuola privata.»

«Mmm, interessante... Medie o superiori?»

«Ultimo anno delle superiori. Insegno inglese. Certe volte i ragazzi sono insopportabili e indisciplinati... però mi ci sono affezionata.» Sorrise, mentre lui continuava a pedalare impassibile.

«Un'età difficile, per quanto mi ricordo. Quando studiavo alle superiori ho fatto vedere i sorci verdi a mio padre e mia madre. Rubavo la macchina a papà e un paio di volte gliel'ho pure sfasciata. C'è da dire a mia discolpa che con tutto il ghiaccio che c'è nell'Illinois non è difficile. Mi considero fortunato se non ci sono rimasto secco!»

Raccontò che era cresciuto in un quartiere residenziale di Chicago. Secondo lei era uno dei più eleganti perché anche in palestra si capiva che non gli mancavano i soldi: i capelli avevano un buon taglio, parlava in modo forbito, era educato, corretto, gentile, e portava al polso un costosissimo orologio d'oro. Victoria al confronto sembrava una senzatetto, ma d'altra parte quando andava in palestra era sempre conciata così. Oltretutto non si faceva la manicure da prima dell'intervento chirurgico per non essere costretta a spiegare all'estetista perché aveva la faccia così fasciata; in quei giorni era rimasta rintanata in casa. E adesso, invece, eccola lì che conversava con l'uomo più affascinante che avesse mai incontrato!

Le loro cyclette si fermarono quasi contemporaneamente e scesero entrambi. Lui annunciò che andava a fare la sauna, e le tese la mano rivolgendole un caldo sorriso.

«A proposito, mi chiamo Collin White. Possiamo darci del tu?»

«Victoria Dawson. Sì, certo!» Si strinsero la mano e poi si divisero: lei raccolse la sua roba e si defilò, mentre lui si avviava alla sauna, fermandosi lungo la strada per scambiare qualche parola con un tipo che conosceva. Tornando a casa a piedi, Victoria pensò a lui. Si sentiva molto meglio dopo aver fatto un po' di esercizio fisico in palestra e quella simpatica chiacchierata. Sperava di rivederlo.

La dottoressa aveva avuto perfettamente ragione: per il giorno del suo ritorno a scuola ormai riusciva a coprire con un po' di trucco ben studiato quasi tutti i lividi rimasti. Aveva ancora qualche leggera ombra intorno agli occhi, ma nel complesso aveva un aspetto più che discreto, e il gonfiore al naso era molto diminuito. Era così felice! Non le sembrava di avere solo il naso nuovo, ma tutto il viso! Non stava nella pelle per la curiosità di vedere la faccia dei suoi quando l'avrebbero rivista, e si chiedeva se si sarebbero accorti del cambiamento. A lei la differenza sembrava enorme.

Aveva appena finito l'ultima ora e terminato di aiutare qualche ragazzo con i saggi, quando si accorse che tre studentesse erano rimaste in classe a chiacchierare. Una era quella che aveva deciso di farsi ridurre il seno durante le vacanze e le altre le sue migliori amiche. Stavano sempre insieme.

«Com'è andata?» chiese Victoria guardinga, non volendo sembrare una ficcanaso. «Non troppo doloroso, spero.»

«È stato meraviglioso!» esclamò la ragazza, tirando su la felpa e mostrandole il reggiseno dal momento che in aula non c'era nessun compagno maschio. «Sono innamorata delle mie nuove tette! Mi pento di non averlo fatto prima!» Poi fissò Victoria intensamente per un attimo, come se la vedesse per la prima volta. In effetti un po' era vero. «Oh, mio Dio! Allora l'ha proprio fatto!» esclamò la ragazza fissando il naso a occhi sgranati. Si avvicinarono anche le altre due. «Ma è stupeeendooo!» squittì. Le sue due amiche si unirono ai festeggiamenti. Victoria arrossì fino alla radice dei capelli.

«Te ne sei accorta? Si vede molto?»

«Sì... no... cioè, ecco... voglio dire... non è che lei prima fosse un mostro! Però c'è una differenza, sa? Poca, ma significativa. E del resto è così che deve essere! Non bisogna pensare che la gente si metta a urlare di gioia quando si rende conto che ti sei rifatta il naso. Il risultato deve essere che hai un aspetto diverso ma migliore di prima e nessuno riesce a capire il perché. Il suo è un naso favoloso! Però, stia attenta, sa? Guardi che diventa come una droga! Mia madre non riesce a stare lontana dal chirurgo plastico. Il lifting, gli zigomi, le labbra, le tette nuove. Adesso si è prenotata per la liposuzione perché vuole snellire le cosce. Io invece sono tutta contenta con le mie tette», concluse gongolante.

«E io adoro il mio naso», confessò Victoria felice. Con quelle ragazze, molto più sofisticate di lei e avvezze al chirurgo plastico nonostante la giovane età, poteva parlare a cuore aperto. «Anzi, devo dire la verità: ho deciso dopo aver parlato con voi. Mi avete dato coraggio. Non avevo mai trovato la forza di farlo.»

«È stata un'ottima idea», si congratulò la sua allieva dandole il cinque.

Uscirono tutte insieme dall'aula e in corridoio passarono di fianco a Amy Green e Justin. Lei rivolse a Victoria un largo sorriso. A scuola non aveva parlato con nessuno della sua gravidanza perché fino a quel momento non si notava molto, anche se c'era da aspettarsi che qualcuno prima o poi se ne sarebbe accorto. Ma Amy stava molto attenta a non ingrassare troppo e a vestirsi in modo da nascondere la pancia. Justin la proteggeva come una guardia messa a sorvegliare il diamante più bello del mondo. Facevano tenerezza. «Quello lì sembra il suo cagnolino», commentò una delle tre alzando gli occhi al cielo con aria esasperata mentre Amy e Justin passavano di fianco a loro.

Victoria salutò le studentesse e si diresse verso il suo ufficio a prendere del materiale che doveva portare a casa. Le lodi per il naso nuovo le avevano fatto enormemente piacere. Anche lei ne era entusiasta. Come un lampo, le venne la tentazione di ridursi il seno, ma ricordando quello che le ragazze le avevano detto, e cioè che la chirurgia plastica può diventare una droga e che certe donne non riuscivano più a fermarsi, pensò che fosse meglio lasciar perdere. Decise che si sarebbe fermata al naso. Di tutto il resto si sarebbe liberata con fatica, ma da sola, per conto suo. Al matrimonio mancavano ancora cinque mesi: c'era tempo.

Quella sera, in palestra, incontrò di nuovo Collin White e chiacchierarono piacevolmente mentre pedalavano. Lui le parlò dell'importante studio legale di Wall Street nel quale lavorava e le spiegò che la sua specialità era il contenzioso civile. Lei a sua volta gli raccontò del suo lavoro di insegnante alla Madison School. Conversarono del più e del meno per un po' e quando scesero dalle cyclette Collin la invitò a prendere un drink nel bar di fronte alla palestra. Victoria, tutta spettinata e vestita a casaccio com'era, con i soliti fondi di guardaroba che usava per fare ginnastica, non riusciva a crederci. Davvero quell'uomo favoloso la stava invitando e aveva piacere di stare in sua compagnia? Lui, credendo che Victoria non avesse sentito, glielo chiese di nuovo. Allora era vero! Lei annuì con forza; si diedero appuntamento fuori e andarono a prendere i cappotti.

Ordinarono entrambi un bicchiere di vino, e Victoria gli chiese come stava sua sorella, se la sua spalla era migliorata.

«Le fa ancora male. Purtroppo ci vuole tempo, e con una spalla rotta non si può fare molto, a parte aspettare. Può considerarsi fortunata che non ci sia stato bisogno di operare.»

Lui le disse che aveva trentasei anni, e lei replicò che ne aveva ventinove.

Poi si misero a parlare delle loro famiglie. Victoria gli disse che aveva una sorella di sette anni più piccola, che si era laureata alla USC l'anno precedente e che si sarebbe sposata nel giugno di quell'anno.

«Un po' giovane, no?» fu il commento di lui. «Soprattutto di questi tempi.»

«È quello che penso anch'io. I miei si sono sposati alla sua età, appena usciti dal college, ma ai loro tempi era più normale. Oggi nessuno convola a nozze a ventitré anni. Io avrei preferito che aspettasse, ma Grace non ne vuole sapere.

Ormai è focalizzata solo sul matrimonio. E anche i miei genitori sembrano impazziti», gli spiegò con un sorriso triste.

«Ti è simpatico, il tuo futuro cognato?» le domandò Collin guardandola con attenzione. Victoria ci meditò a lungo, poi rispose: «È un bravo ragazzo, ma non fa per lei. È un tipo autoritario, crede di avere sempre ragione e non le lascia neanche aprir bocca! Io non sopporto di vederla rinunciare alla sua personalità e alla sua indipendenza». Non gli disse che Harry era ricchissimo. Sarebbe stato molto meglio se fosse stato povero, perché erano i soldi a renderlo così pieno di sé.

«C'è mancato poco che anche mia sorella sposasse un tipo del genere! Non era una cattiva persona, ma non era adatto a lei. Si erano fidanzati l'anno scorso dopo essersi frequentati per tre anni. Mia sorella aveva trentaquattro anni e aveva una paura matta di perdere una magnifica occasione per sposarsi e avere dei bambini. Alla fine si è resa conto dell'errore che stava facendo e quindici giorni prima del matrimonio si sono lasciati. È stato un bel pasticcio. Lei era sconvolta, però mio padre e mia madre sono stati bravissimi ad affrontare la situazione. Io sono convinto che abbia fatto la scelta giusta: le donne fanno molti errori, certe volte, perché sentono l'orologio biologico che ticchetta. Sono stato fiero di mia sorella perché ha avuto il coraggio di dare un taglio netto a tutto e tirarsi indietro prima di fare un passo sbagliato. Ha trentacinque anni, è ancora giovane; un giorno troverà l'uomo giusto. Speriamo che faccia in tempo anche ad avere dei figli, ma in ogni caso è meglio sola piuttosto che legata all'uomo sbagliato. Non è facile incontrare persone brave e buone», continuò con aria assorta.

Victoria non poteva credere che una donna come la sorella di Collin non avesse almeno dieci uomini che le facevano la corte.

«Da quando si sono lasciati, non ha più trovato nessuno», continuò, «ma ormai le è passata e dice che non rifarebbe più l'esperienza. Grazie a Dio si è svegliata in tempo.»

«Come vorrei che lo facesse anche mia sorella!» esclamò Victoria con un sospiro. «Ma è una bambina. Ha ventidue anni, ed è tutta eccitata al pensiero dell'abito da sposa, della festa di nozze e dell'anello. Ha perso di vista quello che è veramente importante, e io penso che sia un po' immatura per arrivare a capirlo. Quando si renderà conto, ormai sarà sposata con Harry e pentita di quello che ha fatto. Molto pentita.»

«Hai provato a parlarle?»

«Sì, ma non vuole ascoltarmi e comincia subito ad agitarsi. Pensa che io sia gelosa. E invece, credimi, non lo sono neanche un po'. I miei fin dal primo momento si sono dimostrati a dir poco entusiasti all'idea di quel matrimonio, e sono molto impressionati dalla posizione sociale del futuro genero. La sua famiglia è molto ricca.» Victoria tacque, assorta nei propri pensieri. «Fra l'altro assomiglia moltissimo a mio padre. E ti assicuro che con tipi del genere è inutile lottare.»

«È come se tu nuotassi controcorrente», osservò lui. «Di' la tua opinione e lascia che le cose vadano come devono andare. E poi, chissà, magari sarà un buon matrimonio», concluse con aria filosofica. «Le persone vogliono cose diverse, e non sono le stesse che vorremmo noi o quello che desideriamo per loro.»

«Spero che sia come dici tu, ma ho molti dubbi», soggiunse Victoria in tono triste.

«Siete molto diverse, voi due? A parte la differenza di età.» Victoria era una donna intelligente e piena di buon senso, con i piedi per terra e la testa sulle spalle; da come ne parlava, la sorella minore sembrava una pazzerella capricciosa e incostante, oltre che viziata, e magari anche testarda e impulsiva. «Lei assomiglia di più ai nostri genitori», rispose Victoria. «Io sono sempre stata isolata in famiglia perché non assomiglio a nessuno di loro, non penso né tanto meno mi comporto come loro. E non ho le stesse aspirazioni. A volte sembra che mia sorella e io non abbiamo gli stessi genitori. E forse è proprio così, perché ci hanno trattato, e ci trattano, molto diversamente; quindi le sue esperienze di vita e la sua infanzia sono state completamente diverse dalle mie.»

Collin White annuì, come se comprendesse molto bene e trovasse quello che aveva detto Victoria molto familiare. A quel punto guardò l'orologio e chiese il conto. «È stato un piacere chiacchierare con te», disse mentre pagava. «Avresti voglia di uscire a cena, una volta o l'altra?» le domandò speranzoso mentre Victoria lo fissava con tanto d'occhi. Era impazzito? Perché avrebbe dovuto aver voglia di uscire con lei un uomo così bello, buono e simpatico? «Per esempio la settimana prossima?» insistette lui, come se volesse farle capire che non lo aveva detto tanto per dire qualcosa ma ci teneva sul serio. «Qualcosa di semplice, se ti fa piacere.»

Non voleva portarla in un ristorante di lusso solo per fare colpo. Victoria era una persona gentile, con la quale era piacevole chiacchierare. Preferiva andare in un bel posticino intimo in modo da passare una bella serata con lei e conoscerla meglio. Quella ragazza gli piaceva, anche se aveva la faccia coperta di lividi.

«Sì, certo», rispose pronta Victoria quando si accorse

che lui aspettava una risposta. Si disse che sicuramente la invitava solo perché voleva fare amicizia, parlare con qualcuno, non si trattava di un appuntamento amoroso.

«Cosa ne diresti di martedì? Lunedì sera ho una riunione con i soci.»

«Certo... sì... D'accordo...» Victoria si sentiva una scema, a rispondergli con quelle frasette smozzicate...

«Posso avere il tuo numero di telefono oppure la tua e-mail?» le chiese; Victoria glieli scrisse su un pezzo di carta e glielo diede. Collin memorizzò subito il numero sul cellulare, si infilò in tasca il pezzo di carta e la ringraziò. «È stato un vero piacere conoscerti, Victoria», esclamò. Lei si sforzò di non dare troppa importanza al fatto che era un gran bell'uomo. Le sembrava troppo strano.

«Anche per me», rispose con un filo di voce. Collin White le piaceva, ma era sempre stata convinta che quel tipo di uomo non degnasse di uno sguardo le donne come lei. Avrebbe dovuto essere in compagnia di qualche ragazza bellissima, favolosa... uno schianto come sua sorella, per esempio. Il mondo era proprio strano.

Si lasciarono davanti alla palestra, e quando Victoria entrò in casa raccontò tutto ad Harlan, non mancando di precisare che non si trattava sicuramente di un appuntamento vero e proprio, e che lui voleva semplicemente che fossero amici.

«Come fai a saperlo? Te l'ha detto lui?»

«No, naturalmente. È troppo gentile ed educato, ma si capisce! Dovresti vederlo. Sembra un divo del cinema o un capitano d'industria... o un modello. E guarda me», disse indicando quello che indossava. «Di' la verità: se tu fossi

316

etero ti verrebbe mai in mente di proporre a una come me di uscire?»

«Perché? Lui va in palestra con lo smoking, per caso?»

«Molto spiritoso. No, ma gli uomini come lui non invitano quelle come me. Qui si tratta semplicemente di amicizia, non illuderti che si possa profilare qualcosa di diverso all'orizzonte. Credimi, lo so per esperienza.»

«A volte, le più belle storie d'amore cominciano proprio in questo modo. Non rinunciare fin dal principio. A parte il fatto che tu sei solo condizionata da quello che i tuoi genitori ti hanno ripetuto per tutta la vita e ti sembra impossibile che gli altri possano avere di te un'idea totalmente diversa. Sai cosa penso? Che se quest'uomo ha un briciolo di cervello e due occhi per vedere ha capito che tu sei una brava persona, colta, spiritosa, con un'intelligenza brillante, una gran bella figliola con un paio di gambe favolose, e che può considerarsi l'uomo più fortunato del mondo se riesce ad averti.»

«Guarda che non è un appuntamento romantico», provò a insistere lei.

«E io sono pronto a scommettere cinque dollari che invece lo è», ribatté Harlan, molto sicuro di sé.

«Ma io come faccio a capire se lo è davvero?»

Harlan ci pensò un po' su. «Allora, se ti bacia evidentemente è un appuntamento romantico; ma, se è educato, non lo farà la prima volta che uscite. Secondo me è troppo intelligente per commettere un simile errore. Se ti invita di nuovo a uscire, se sembra interessato, se fa quei piccoli gesti gentili come accarezzarti una mano e guardarti negli occhi… Oh, Victoria, portami con te, così ti avviso se è un appuntamento romantico o no!»

317

«Posso capirlo da sola», rispose lei piena di sussiego. «Ma non lo è.»

«Però, ricordati: se lo è, mi devi cinque dollari. E basta che succeda una sola delle cose che ti ho elencato. Vedi di non barare: quei soldi mi fanno comodo.»

«Allora comincia subito a risparmiare perché sei tu quello che sgancerà la grana», ribadì lei.

«Non dimenticarti del naso nuovo», ribatté Harlan, prendendola garbatamente in giro. «Quello cambia le carte in tavola.»

«Che stupida! Non ci avevo pensato!» esclamò lei ridendo. «La seconda volta che mi ha vista avevo la faccia che sembrava pestata con il tritacarne e senza un filo di trucco.»

«Oh, mio Dio!» esclamò Harlan scandalizzato, alzando gli occhi al cielo. «Hai ragione: non è un appuntamento amoroso. È *vero amore*. Raddoppio la posta. Facciamo dieci dollari.»

«Affare fatto. Comincia a metter via i centesimi.»

Harlan le diede una spinta amichevole, fraterna, mentre uscivano insieme dalla cucina e tornavano nelle rispettive camere.

Lei aveva un fascio di compiti da correggere. Il mistero se quello con Collin White fosse un appuntamento romantico o no sarebbe stato risolto molto presto, dopo cinque giorni, quando sarebbero andati a cena insieme. Lui non le aveva proposto di vedersi durante il weekend, e questo la spinse a chiedersi se avesse una ragazza. Si augurava che non fosse un altro Jack Bailey.

In ogni caso da quell'invito non sarebbe venuto fuori niente. Questa convinzione la faceva sentire meno in ansia.

318

23

Il giorno in cui sarebbe dovuta uscire a cena con Collin White era stata costretta ad assolvere uno di quei doveri penosi che, a volte, erano legati alla sua professione. Il padre di un suo studente era morto all'improvviso per un attacco di cuore su una pista da sci nel New Hampshire e lei aveva dovuto partecipare al funerale, insieme con il preside e diversi altri insegnanti. La famiglia – molto conosciuta e rispettata – era devastata dal dolore. Il defunto lasciava quattro figli; tutti avevano studiato alla Madison School. Il suo allievo era il più piccolo. Fu molto triste, e fu commovente sentire i ragazzi, che a uno a uno andavano sul podio a parlare; in chiesa piangevano tutti. Victoria aveva il cuore straziato per il suo alunno. Al termine della funzione lo abbracciò con affetto, e poi tutti si ritrovarono nell'appartamento della famiglia sulla Quinta Avenue. Victoria era stata insegnante di inglese anche del fratello maggiore e di una delle sorelle, ed erano tutti bravissimi ragazzi, molto simpatici. La maggiore aveva frequentato anche lei la stessa scuola, ma prima che arrivasse Victoria, e adesso era sposata con dei bambini. Il padre era ancora giovane e in buona forma fisica, e la sua morte improvvisa era stato uno choc terribile per tutti ma soprattutto per i suoi ragazzi.

Finito il funerale, Victoria trascorse il resto della giornata per conto suo, a riflettere, perché si sentiva molto triste. Quando Collin venne a prenderla alle sette con un taxi cercò di dimenticare tutto quello che era successo, ma non poté ugualmente trattenersi dal parlargliene, e lui le disse che anche uno dei suoi zii era morto improvvisamente come il padre di quel ragazzo. Era stato terribile per la famiglia, però, secondo lui, anche un modo bellissimo di andarsene per sempre, ancora in piena salute, senza soffrire, così, da un momento all'altro, dopo una buona vita. Victoria trovò che il suo fosse un discorso valido e convincente.

La portò in un ristorante che gli piaceva, nel Village, il *Waverly Inn*. Victoria ne aveva sentito parlare, ma sapeva che era molto difficile riuscire a trovare un tavolo. Era un locale pieno di animazione, rumoroso ma simpatico, e il menu in massima parte composto da pietanze americane. Ordinarono tutti e due una bistecca, e Victoria si fece forza per non ordinare anche lei maccheroni al formaggio come Collin.

«Sono a dieta da quando sono nata», gli confessò ordinando spinaci all'agro e rinunciando a quel piatto troppo calorico. «Mio padre, mia madre e mia sorella sono magri e possono mangiare tutto quello che vogliono. A quanto pare, invece, io ho ereditato i geni della mia bisnonna, che era grande e grossa. Combatto questa battaglia da tutta la vita.» Le veniva spontaneo essere così sincera con lui perché lo considerava né più né meno che un amico. Adesso i vestiti le andavano larghi, e quindi poteva parlare liberamente senza provare la solita vergogna e il solito senso di colpa per quello che aveva divorato. Era stata attenta alla dieta, e anche molto brava a continuarla per mesi e mesi, e finalmente si vedevano i risultati; era determinata a dimagrire ancora di un bel po', in modo da perdere due taglie per il giorno del matrimonio di Grace. Si stava avvicinando sempre di più a quella meta, però dopo avrebbe dovuto conservarsela, il che era tutt'altro che facile!

«Di questi tempi sembra che la gente sia ossessionata dalla paura di ingrassare. Fintanto che sei sana, che differenza vuoi che faccia qualche chilo in più? Le diete sono una pura e semplice follia. Sempre meglio un po' di sovrappeso che finire all'ospedale come quelle anoressiche che vedi sulle copertine delle riviste. Le vere donne non sono così. Mi domando come possano piacere a un uomo degli scheletri simili! Nessuno desidera una che sembra malata o scappata da un campo profughi. Nella storia dell'umanità, se ci pensi, le donne hanno sempre avuto un aspetto più o meno come il tuo», affermò Collin convinto; non sembrava che cercasse di indorare la pillola.

Victoria lo guardò a occhi sgranati, incredula. Forse era pazzo. Oppure gli piacevano le donnone, perché quel discorso, per lei, non aveva alcun senso.

Chiacchierarono di tutto: di arte, politica, storia, architettura, degli ultimi libri che avevano letto, della musica che amavano di più, dei cibi che detestavano o adoravano. Poi parlarono ancora delle loro famiglie e Victoria si accorse che, involontariamente, gli aveva raccontato più di quanto avesse intenzione di fare. Gli disse dell'origine del suo nome. Gli riferì anche della torta di prova e di quella perfetta che era invece Grace. Collin la guardò inorridito.

«C'è da meravigliarsi che tu non la detesti», commentò in tono partecipe.

«Non è colpa sua. Sono loro. La verità è che lei assomiglia moltissimo ai nostri genitori, e quindi loro sono convinti che sia perfetta. È una ragazza stupenda, devo ammetterlo, un po' come tua sorella.»

«Già, ma mia sorella non esce con un uomo da un anno. Come vedi, anche la bellezza non è garanzia di felicità», le ricordò Collin. Eppure Victoria continuava a non crederci. «La gente che parla così ai figli, non dovrebbe averne», concluse lui, serio.

«Verissimo. Ma lo fanno ugualmente. Chiunque può avere dei figli, che questi riescano belli e perfetti oppure no, e molti non lo sono. Mio padre trova divertente fare delle battute di spirito su di me. Qualche anno fa sono andata da una psicologa, e ho continuato ad andarci per un po', poi ho sospeso tutto e per due anni non l'ho più vista. L'estate scorsa ci sono tornata. Ti aiuta a ragionare con la tua testa, a capire che sono loro a essere difettosi, diciamo così, o imperfetti, non tu. Ma, dentro di te, continui a ricordare tutte le cattiverie che ti hanno detto quando avevi cinque o sei o tredici anni, e ti accorgi che ormai sono impresse dentro di te per sempre. Io ho cercato di tacitare quelle voci mangiando», confessò, «ma non ha funzionato.» Non era mai stata così onesta e sincera con nessuno in vita sua. Lui si limitava ad ascoltare senza fare commenti. Proprio per questo gli piaceva e si augurava che fosse sincero, anche se, dopo le esperienze che aveva avuto con uomini disonesti come Jack Bailey e qualcun altro, cercava di essere guardinga e di aspettare prima di fidarsi.

«Anch'io ho uno strano rapporto con mio padre e mia

madre», ammise lui. «Avevo un fratello maggiore che era il figlio perfetto. Un atleta perfetto, uno studente perfetto, perfetto in tutto e per tutto. Ha frequentato Harvard, capitano della squadra di football, laurea in giurisprudenza a Yale, il primo della classe. Un ragazzo fantastico e un fratello meraviglioso. È stato ucciso da un ubriaco a Long Island durante il weekend del 4 luglio, poco dopo aver saputo di aver superato l'esame per diventare avvocato – era la prima volta che lo tentava, naturalmente – con splendidi voti. Io l'ho ripetuto tre volte, prima che mi andasse bene. E sono sempre stato nella media, a scuola, a parte il fatto che due università come la Duke e quella di New York non hanno mai entusiasmato mio padre e mia madre, perché le confrontavano con Harvard e Yale. Io non sono un atleta, non lo sono mai stato. D'accordo, mi piace tenermi in forma, giocare un po' a tennis e a squash, ma tutto lì. Blake era il ragazzo d'oro. Tutti gli volevano bene. Da bambino sono sempre rimasto in ombra, rispetto a lui. Quando è morto è stato come se il mondo si fosse fermato per i miei genitori. Non si sono più ripresi. Mio padre si è ritirato dagli affari, e mia madre si è chiusa in se stessa. Da quel giorno nessuno, per loro, è mai stato, né mai sarà, all'altezza di Blake. Io no di sicuro. Mia sorella se l'è cavata un po' meglio perché è una ragazza, ma io sono considerato un sostituto molto modesto di Blake. Fra l'altro, lui meditava di entrare in politica, un giorno, e probabilmente avrebbe avuto successo anche in quello. Aveva un qualcosa dei fratelli Kennedy; possedeva lo stesso fascino, lo stesso carisma. Io invece sono uno come tanti. Qualche anno fa ho vissuto con una donna, ma non ha funzionato, e adesso i miei si domandano cosa c'è di sbagliato in me perché non sono sposato. Del resto, io per tutta la mia vita sono sempre rimasto indietro rispetto al mio defunto fratello, sono di seconda qualità. È duro avere un rapporto del genere con tuo padre e tua madre, perché non sei mai come loro avrebbero voluto. Mio fratello aveva cinque anni più di me, ed è morto quattordici anni fa; io avevo appena finito il college, e da allora in poi mi hanno sempre considerato un'autentica delusione.» Non aveva avuto l'infanzia dura e difficile di Victoria, ma indubbiamente per quei quattordici anni aveva percorso una strada aspra e faticosa; gliela si poteva leggere negli occhi, quella sensazione terribile di non essere abbastanza buono sia per le persone alle quali sei più affezionato e alle quali vuoi bene sia per il resto del mondo. Era uno stato d'animo che Victoria conosceva in modo ancora più profondo. «Io non sono grintoso come te. Non sono mai andato da uno psicologo, anche se probabilmente dovrei farlo. Ho semplicemente accettato l'eredità morale che mio fratello mi ha lasciato. Per un po' ho cercato di essere come lui, ma non potevo, perché io *non sono* lui. Sono me stesso. E per loro questo non è mai stato abbastanza, non è mai stata la cosa giusta. Sono persone tristi.»

Lui invece no, ecco una buona notizia. Ma aveva convissuto con gli stessi messaggi velenosi che Victoria ben conosceva, sia pure per motivi diversi. Il suo era il classico senso di colpa del sopravvissuto.

«Se i miei avessero tenuto tra le mani un cartello con su scritto NON TI VOGLIAMO BENE sarebbe stato più onesto», disse Victoria sorridendogli, e Collin scoppiò a ridere. Il quadro era talmente perfetto! Le loro esperienze di vita erano straordinariamente simili, anzi in molte cose addirittura coincidevano. Avevano tutti e due un rapporto difficile con i genitori, ed entrambi avevano lottato per riuscire a sopravvivere e rimanere persone sane di mente. Avevano combattuto e avuto successo.

Quando la serata si concluse, avevano fatto molte scoperte importanti l'uno sull'altra. Mentre andavano a prendere un taxi, lui le posò un braccio intorno alle spalle ma per fortuna senza cercare di baciarla. Victoria aveva sempre odiato farsi mettere le mani addosso da estranei convinti che siccome ti avevano pagato la cena tu dovevi considerarti in debito nei loro confronti. Lui non aveva fatto niente del genere, e lei apprezzò. Prima di arrivare a casa le chiese se avrebbe avuto piacere di uscire di nuovo a cena. Si scusò per aver affrontato argomenti così seri con lei la prima volta che si vedevano. Ma quella era la vita, convennero entrambi, ed era un vero sollievo poterne discutere con qualcuno in grado di capire.

«Ne sarei felice», gli rispose sincera. Collin le propose il sabato sera, e lei acconsentì con entusiasmo.

Le diede un bacio su una guancia e l'accompagnò fino all'ascensore; poi le disse che il giorno dopo le avrebbe telefonato. Lei stava ancora sorridendo quando entrò nell'appartamento. Harlan, appena la vide, le fece anche lui un sorriso che andava da un orecchio all'altro. John era già andato a letto.

«Ti devo dieci dollari», gli annunciò Victoria prima che lui facesse in tempo ad aprire bocca.

«Come fai a saperlo?» la stuzzicò Harlan.

«È stata una serata favolosa, e lui è un uomo fantastico. Mi ha riaccompagnata a casa in taxi senza tentare di baciarmi. È discreto e non gliene importa se sono grassa o no, gli piacciono le *vere* donne... e mi ha invitata a cena per sabato sera.» Era raggiante; Harlan la strinse in un abbraccio affettuoso e la baciò. John, invece, era meno incline a certe effusioni, perché era così di carattere e non si sentiva completamente a proprio agio con le donne. Aveva avuto una madre terribile, che lo picchiava, e questo lo aveva allontanato per sempre dal genere femminile. Ognuno porta su di sé le proprie cicatrici.

«Accidenti!» esclamò Harlan. «Tu me ne devi cinquanta, di dollari. Magari anche cento. Ma questo è qualcosa di più del solito appuntamento. Qui siamo davanti a un uomo vero, da quanto mi dici. Quando me lo presenti? Prima delle nozze, spero. Le tue, intendo, e che Grace vada a farsi friggere!» Adesso ridevano tutti e due. Victoria tirò fuori dal portafoglio una banconota da dieci dollari e gliela consegnò. Aveva un appuntamento! E con un uomo favoloso! Valeva la pena aver aspettato tanto a lungo, anche se era troppo presto per prevedere il futuro; magari era una storia che finiva in niente, oppure poteva continuare e concludersi male. Perché così è la vita, quella vera.

Collin la chiamò al telefono prima che si addormentasse, per dirle che si era divertito moltissimo e aveva una gran voglia di rivederla.

Lo stesso valeva per lei, gli rispose.

«Sogni d'oro», le augurò prima di riattaccare. Lei sorrise beata, distesa nel suo letto con il telefono ancora stretto in mano. Sogni d'oro sul serio!

24

Il secondo appuntamento fu ancora meglio del primo. Scelsero un ristorante di Brooklyn dove si mangiava soltanto pesce e ordinarono aragosta; il cameriere li invitò a legarsi al collo degli enormi bavaglini di carta. Era un posto divertente, loro apprezzarono molto la reciproca compagnia e la conversazione si rivelò interessante e ricca di argomenti come la prima volta. Entrambi si trovarono talmente a loro agio da confidarsi cose che non avevano mai osato dire a nessuno, imparando così a conoscersi a fondo.

Presero l'abitudine di trovarsi in palestra alla sera e di raccontarsi quello che avevano fatto durante la giornata mentre pedalavano energicamente sulla cyclette. Lui l'abbracciava e la baciava su una guancia, ma più in là di così non era mai andato. Victoria lo apprezzava.

Al terzo appuntamento, Collin la accompagnò a vedere il balletto, perché lei aveva detto che le piaceva. La domenica mattina visitarono un'esposizione al MET, poi fecero insieme il brunch. Lui la invitò alla prima di una commedia che davano a Broadway. Victoria si stava divertendo moltissimo, e Collin era sempre molto creativo e attento nella scelta degli spettacoli e dei posti che proponeva perché ci teneva a farla contenta.

Dopo il teatro, la invitò di nuovo a cena, e Collin per la prima volta le parve stranamente a disagio. Lui l'avvertì subito che, con ogni probabilità, non si sarebbe per niente divertita, perché non prevedeva niente di interessante o particolarmente attraente, ma si augurava che lei dicesse lo stesso di sì e accettasse.

«Papà e mamma vengono in città. Sarei felice che li conoscessi, ma non sono particolarmente simpatici. La verità è che non sono persone felici, e quindi non faranno che parlare di mio fratello per tutta la serata. Ma io ci tengo molto a presentarteli. Cosa ne pensi?»

«Penso che devono essere comunque meglio dei miei», gli rispose gentilmente. E si sentì commossa e lusingata all'idea che lui volesse farle conoscere i genitori.

Quando li vide, dovette ammettere che Collin aveva ragione su tutto. Erano persone eleganti e di piacevole aspetto, raffinate e intelligenti, ma la madre sembrava in piena depressione, e il padre distrutto dalle vicende della vita e dalla perdita del figlio maggiore; camminava curvo, come se fosse sempre accasciato. E avevano tutti e due la faccia smunta; si capiva alla prima occhiata che facevano una vita incolore. Era come se non vedessero nemmeno Collin, ma soltanto l'ombra di suo fratello; qualsiasi argomento si toccasse si finiva sempre per parlare di lui, e qualsiasi accenno si facesse al lavoro e ai suoi interessi portava sempre a un confronto sfavorevole con il fratello. Insomma, lui era sempre e comunque un perdente. Anche loro erano pessimi genitori, né più né meno come quelli di Victoria, e non meno deprimenti. Quando li ebbero lasciati davanti al loro albergo, Victoria si accorse di avere una gran voglia di abbracciarlo e coprirlo di baci per curare le ferite lasciate da quella serata; ma invece fu Collin che la baciò. Era la prima volta. Victoria lo ricambiò, e infuse in quel bacio i profondi sentimenti che provava per lui. Desiderava con tutto il cuore poter lenire il suo dolore e confortarlo per la solitudine provocata dal chiaro e netto rifiuto del padre e della madre, che non lo accettavano per quello che era.

Lui le disse che aveva sempre sofferto per quel modo di comportarsi e la ringraziò per il sostegno morale.

John e Harlan erano già andati a letto quando Victoria e Collin salirono nell'appartamento, dove rimasero a chiacchierare e a baciarsi per parecchie ore. Lei si accorse di trovare i genitori di Collin antipatici e insopportabili come i suoi, anche se loro avevano una scusa, piangevano la morte di un figlio, mentre Jim e Christine no: non le volevano bene e basta, senza nessun valido motivo, ecco la verità. Comunque in entrambi i casi si trattava di persone dure e incapaci di mostrare affetto, fredde e scostanti al punto da diventare addirittura crudeli, e avevano finito per convincere i loro figli di essere individui sgradevoli ai quali nessuno poteva dare affetto. Victoria e Collin avevano incise nel cuore e nello spirito quelle cicatrici, e le avrebbero portate per sempre. A lei sembrava che il peggior crimine che due genitori potevano commettere fosse quello di convincere le proprie creature non soltanto che loro non le amavano, ma che non erano degne di amore in senso generale. Era stata questa la maledizione della sua vita, e anche della vita di Collin.

Quella notte, però, riuscirono a darsi l'amore, la consolazione, l'approvàzione che meritavano da tanto tempo e di cui sentivano un immenso bisogno.

Ovviamente adesso lei non raccontava più ad Harlan tutto quello che facevano lei e Collin, perché il sentimento che stava nascendo a poco a poco fra loro era troppo prezioso per scherzarci sopra. Lo stesso valeva per Collin, che si confidava solo con la sorella quando lo chiamava al telefono. Un po' come se anche lui volesse proteggere Victoria e quel rapporto, tutto particolare, che cominciava a crearsi fra di loro.

Il sabato sera successivo a quello della visita dei genitori di Collin fu molto importante. Era il giorno di San Valentino, e lui portò Victoria in un romantico ristorantino francese dove si mangiava in modo divino, anche se Victoria si sforzò di non dimenticare che era a dieta. Fu una cena meravigliosa, e quando finirono raggiunsero la casa di Collin. Lui aveva tenuto in fresco una bottiglia di champagne... e le donò un braccialetto d'oro al quale era appeso un minuscolo cuoricino di brillanti, che le mise al polso. Poi la baciò. Per entrambi quello fu il momento perfetto, il luogo perfetto dove stare insieme. Victoria gli si abbandonò fra le braccia, e dopo un momento erano già nel letto di Collin. In un baleno vennero dimenticati tutti gli anni di solitudine che avevano vissuto l'una senza l'altro, fino a quando non si erano conosciuti. Al termine della serata si resero conto di amarsi moltissimo. Sì, si sentivano degni di quell'amore, e finalmente capaci di ispirare quel sentimento in un'altra persona.

Da quel momento in poi la loro vita comune prese un ritmo diverso. Si vedevano ogni giorno, uscivano a cena, oppure rimanevano in casa, facevano il bucato insieme, andavano in palestra, passavano la notte nell'appartamento di Victoria o in quello di Collin, andavano al cinema, e provavano a poco a poco ad armonizzare le loro due vite diverse con i reciproci impegni affinché diventassero una sola. Be', ci riuscirono alla perfezione.

Collin pensò di prendersi una settimana di vacanza, e andare da qualche parte con Victoria in primavera. Grace l'aveva pregata di tornare a Los Angeles, ma Victoria non ne aveva nessuna voglia. Non voleva che i suoi genitori si intromettessero fra lei e Collin, ma d'altra parte si rendeva conto che lui avrebbe dovuto conoscerli. Era terrorizzata al pensiero di presentarlo a Jim e a Christine, e ne aveva discusso più di una volta con la sua psicologa, che era molto felice perché aveva trovato il suo principe azzurro.

«Perché ha paura di presentargli i suoi genitori?» le aveva domandato, un po' sconcertata da tutta quella reticenza. D'altra parte, si rendeva conto che Victoria temeva che rovinassero il loro meraviglioso rapporto.

«Perché ho paura che potrebbero convincerlo che io sono una persona indegna, antipatica e sgradevole. E se lui arrivasse alla conclusione che hanno ragione?» disse d'impeto, senza reticenza.

«Ma è realmente convinta che potrebbe succedere una cosa del genere?» insistette la dottoressa guardandola dritto negli occhi. Victoria scosse la testa.

«No. Ma se invece succedesse? Sanno essere molto persuasivi, mi creda!»

«L'unica persona con la quale sono stati così persuasivi è stata lei. Nessuno, all'infuori della loro stessa figlia, potrebbe dargli retta, ed è proprio questo il motivo per il quale è tanto crudele quello che fanno. Nessun altro li starebbe

331

ad ascoltare, nessun altro crederebbe alle loro fandonie, e infatti nessuno ci ha mai creduto. E, da quello che mi racconta, quell'uomo sembra abbastanza intelligente da non cadere nella trappola. La sa lunga, lui!»

«È vero. Il fatto è che io mi tormento al pensiero di quello che diranno, e so già che cercheranno di umiliarmi davanti a lui.»

«È possibile. Ma in questo caso le garantisco che a Collin non piacerà proprio per niente, anzi conterà molto sul giudizio che si potrebbe fare su di loro. A proposito, l'ha invitato al matrimonio di sua sorella?»

«Non ancora. Vorrei tanto farlo, ma non voglio che mi veda con quel vestito marrone addosso che mi sta da schifo! È imbarazzante.»

«Può riuscire ancora a persuadere sua sorella a lasciarle scegliere qualcos'altro. Non è troppo tardi», le ricordò la psicologa.

«Ho provato, ma lei non mi ascolta. Devo ingoiare il rospo, ormai l'ho capito. Ma al pensiero che Collin mi veda conciata in quel modo mi sento morire, ecco!»

«Ma lui le vuole bene, e continuerà a volergliene. Cosa crede che gliene importi del vestito marrone?» La dottoressa Watson era rammaricata perché Victoria non si decideva ad affrontare sua sorella e risolvere il problema una volta per tutte.

Collin e Victoria avevano una magnifica intesa sessuale, anche se all'inizio lei era imbarazzata per il peso. Pur essendo dimagrita, era sempre più grossa della media, e aveva ancora parecchi rotolini di grasso; non voleva che lui la vedesse nuda, perciò spegneva sempre la luce. Si teneva coperta il più a lungo possibile e, sempre al buio, correva in bagno oppure si infilava in fretta e furia una vestaglia. Fino a quando un giorno lui non la convinse che gli piaceva il suo corpo così com'era; anzi, lo adorava, ne amava ogni centimetro, e lei alla fine gli credette.

Ogni volta che la vedeva nuda, Collin la contemplava come fosse una dea; la faceva sentire la regina del sesso, la grande sacerdotessa dell'amore. Victoria non aveva mai vissuto nulla di così eccitante, perciò i loro incontri finivano sempre a letto. Non si era mai divertita e goduto tanto in vita sua... e non era mai stata così attenta alla dieta, pur senza farne una tragedia e senza angoscia.

Adesso sceglieva i cibi con un po' di buon senso, aveva dimenticato l'esistenza dei gelati e dei cibi buonissimi ma ipercalorici, e si era messa a seguire la dieta con la massima diligenza. Ma soprattutto avrebbe voluto gridare a tutto il mondo che amava Collin e che lui l'amava a sua volta; che lei in fondo era un persona cara e simpatica, perciò c'era qualcuno che le voleva bene. Lei e Collin non erano mai stati così felici. Si crogiolavano nel calore, nell'affetto, nell'approvazione e nell'ammirazione reciproci, e si sentivano rinnovati. Per troppo tempo tutto questo era mancato loro. La vita che facevano insieme adesso sembrava un giardino ben curato e innaffiato, dove tutto cresceva rigogliosamente E il loro amore era una cosa bellissima.

Mancava poco alle vacanze, quando Victoria venne invitata a un *baby shower* – la tradizione tutta americana di festeggiare la prossima nascita di un bambino – di Amy Green, il cui figlio poteva venire alla luce da un momento all'altro. Lei aveva già interrotto le lezioni, che avrebbe ripreso dopo il parto per dare gli esami finali e diplomarsi. Victoria si commosse nel vederla con il pancione così grosso, con la mamma che le stava sempre vicino e la circondava di premure e affetto. Amy era felice perché era stata accettata sia ad Harvard sia alla New York University, ma aveva deciso di rinunciare ad Harvard per rimanere in città in modo da stare sempre con il figlio e sua madre, che aveva tutte le intenzioni di aiutarla ma che non era giusto si prendesse ogni responsabilità da sola. Anche Justin avrebbe frequentato la New York University. Insomma, tutto stava andando benissimo. Justin si era trasferito a vivere con lei e la sua mamma durante gli ultimi mesi della gravidanza, con l'approvazione dei propri genitori, che in principio non erano stati per niente felici di quello che era successo ma poi si erano ammorbiditi. Era commovente vedere persone così giovani – avevano entrambi solo diciotto anni – fare la scelta giusta con tanto impegno.

Victoria raccontò la loro storia a Collin. Le piaceva farlo partecipe di quello che le succedeva a scuola, e lui a sua volta le parlava del suo lavoro di avvocato e la presentava ai suoi amici e colleghi. Dal giorno in cui si erano messi insieme vivevano molto, ma molto meglio di quando erano single, e condividevano tutto.

Un giorno Collin portò Victoria nel Connecticut per vedere una splendida fattoria antica, ristrutturata, che aveva affittato per trascorrere insieme le vacanze. Era un po' isolata ma incantevole, fornita di tutte le comodità possibili e immaginabili, e si trovava nelle vicinanze di un piccolo, delizioso villaggio. Per tutti e due fu un po' come giocare alla casa. Facevano lunghe passeggiate, andavano al maneggio a prendere i cavalli e cavalcavano a lungo attraverso la campagna. Di sera cucinavano insieme, e poi facevano l'amore. Purtroppo le vacanze finirono, ed erano molto tristi tutti e due all'idea di tornare in città.

Nella loro vita tutto filava alla perfezione finché, una settimana dopo il ritorno dalle vacanze, Victoria, che era da Collin, non ricevette una telefonata sul cellulare. Era Grace. Piangeva tanto disperatamente che non riusciva a capire una sola parola di quello che le diceva. Collin intuì al volo che era successo qualcosa. All'inizio Victoria aveva pensato addirittura che fossero morti i loro genitori oppure Harry, perché Grace straparlava; stava cominciando a lasciarsi prendere dal panico.

«Grace, calmati!» urlò nel cellulare, ma dall'altra parte i singhiozzi continuavano sempre più convulsi e disperati. Poi, a poco a poco, tutta la storia venne fuori.

«Lui... mi ha... tra... tradita!» finalmente si decise a dire sua sorella, e scoppiò di nuovo in un diluvio di lacrime.

«Come fai a saperlo?» le domandò Victoria brusca, pensando che poteva considerarsi una vera fortuna l'opportunità di non sposare l'uomo sbagliato. Forse era quello che voleva il destino, e per quanto Grace la potesse considerare una tragedia devastante, magari la situazione non era brutta come si poteva credere.

«L'ho sorpreso uscire da una casa con una donna. Io ero in macchina e stavo andando da Heather per mostrarle i figurini del mio vestito da sposa. E l'ho visto. Stava uscendo da quella casa con lei, e l'ha baciata... poi sono saliti sulla sua macchina e sono partiti. A me aveva detto che doveva trovarsi con suo padre per non so quali affari... Mi ha raccontato una bugia!» Si dovette interrompere di nuovo perché non riusciva più a continuare. Poi riattaccò: «E ieri sera non era tornato a casa. Gli ho telefonato ma lui non ha risposto».

«Sei proprio sicura che fosse Harry quello che hai visto?» volle sapere Victoria. Era una domanda ragionevole.

«Assolutamente. Lui non mi ha vista. Il finestrino della mia macchina era aperto, e li ho sentiti mentre ridevano, tanto ero vicina. Lei sembrava una di quelle ragazze da quattro soldi, e anche un tipo volgare, ma non è una faccia nuova. Se non sbaglio, è una delle segretarie di suo padre.» Adesso Grace piangeva come una bambina.

«Gli hai detto che l'hai scoperto?»

«Sì. E lui mi ha risposto che non sono affari miei, che non siamo ancora sposati, e che lui è tuttora un uomo libero... e che se continuo a scocciarlo con questa storia non ci mette niente a mandare a monte il matrimonio. Ha detto che è questo il motivo per cui il brillante del mio anello è tanto grosso: perché così tengo la bocca chiusa e non gli rompo le scatole.» Victoria rimase scandalizzata e sconvolta. Si parla così, alla propria futura moglie? Del resto, non faceva che confermare il suo giudizio su Harry; anzi, lei non era mai arrivata a giudicarlo tanto male!

«Non puoi sposarlo, Grace. Non puoi sposare un uomo che ti tratta in questo modo, e che ti tradirà ancora.» Collin, a questo punto, aveva capito qual era l'argomento della conversazione. Si sedette sul divano vicino a Victoria con aria preoccupata. Non aveva ancora conosciuto la sua sorella minore, ma gli faceva già una gran pena perché era soltanto una ragazzina.

«Non so cosa fare», riprese Grace con una voce infantile, da bambina smarrita.

«Annulla il matrimonio. Non ti resta altra scelta. Non

puoi sposare uno che ha già cominciato a ingannarti e a tradirti, che se ne va in giro a divertirsi con questa e quella e ti dice di chiudere il becco solamente perché ti ha regalato un anello con un bel brillante grosso così! Non ti rispetta, ecco!» E non rispettava neanche se stesso, a giudicare da quello che le aveva appena raccontato sua sorella, pensò Victoria. Mentre lei parlava, Collin annuiva in segno di approvazione. Quel tipo doveva essere un gran farabutto. Anche lui non avrebbe assolutamente voluto che sua sorella lo sposasse.

«Ma non voglio annullare il matrimonio», singhiozzò Grace. «Io lo amo!»

«Non puoi permettergli di trattarti in questo modo. Senti un po', perché non vieni a New York per qualche giorno? Così ne parliamo. L'hai raccontato a papà?»

«Sì. Lui dice che sono cose che qualche volta gli uomini fanno, e che non vuol dire niente. Che non ha nessun significato.»

«Balle! Certi uomini lo fanno, d'accordo. Ma quelli rispettabili e corretti non tradiscono la moglie, se la amano. In questo modo, poi, con una puttanella cretina, due mesi prima del vostro matrimonio! È orribile.»

«Lo so.» Grace sembrava distrutta, smarrita.

«Penso io a comprarti il biglietto. Voglio che tu sia qui già domani.» Ormai, quella sera, era troppo tardi per poter fare qualcosa.

«Va bene.» Grace adesso sembrava diventata docile, ma non riusciva a smettere di piangere. Subito dopo, Victoria chiamò l'ufficio delle linee aeree, prenotò un biglietto e le mandò un messaggio sul cellulare con tutte le informazioni necessarie. Era perfino disposta a prendersi qualche giorno di permesso dalla scuola, se fosse stato necessario, per passare tutto il tempo possibile con sua sorella. In fondo si trattava di priorità. Grace non poteva sposare Harry. Su questo punto non c'era neanche da discutere. Collin si dichiarò pienamente d'accordo con lei quando gli riferì quello che era successo.

«E non è che l'inizio. Se lui comincia a tradirla fin da adesso, non smetterà mai. Probabilmente l'ha sempre fatto, solo che tua sorella non lo sapeva», fu il commento di Collin.

Victoria annuì. Del resto, a quel farabutto le occasioni non mancavano. Collin aveva ragione: se Harry già prima delle nozze era capace di metterle le corna, Grace stava per iniziare una vita coniugale ben triste e infelice.

Il giorno successivo Victoria aspettò che arrivasse un'ora decente per telefonarle, fra una lezione e l'altra. Grace si era appena alzata, e non aveva fatto che piangere tutta la notte. Le disse che Harry non le aveva telefonato, e l'ultima volta che gli aveva parlato l'aveva minacciata di nuovo di mandare a monte il matrimonio, come se fosse stata lei a sbagliare, telefonandogli per criticare il suo modo di comportarsi e raccontandogli quello che aveva visto.

«Faccia pure», rispose Victoria, tagliente. Sperava che succedesse proprio quello.

«Ma io non voglio che lui mandi a monte tutto!» ripeté Grace scoppiando di nuovo in lacrime. Victoria, a quel punto, era nel panico. La sua sorellina non poteva sposare una simile canaglia. Harry non le aveva neanche chiesto scusa per quello che aveva fatto, né manifestato il minimo rimorso, e questi erano segnali molto preoccupanti. Si stava comportando come il classico ragazzo ricco e viziato, che fa sempre quello che vuole perché è abituato così, e adesso stava addirittura minacciando la futura moglie invece di inginocchiarsi ai suoi piedi per implorare il suo perdono; il che, se non altro, avrebbe potuto essere un buon punto di partenza, anche se non era abbastanza. Per Victoria, comunque, non lo sarebbe stato mai.

«Senti, tu adesso devi semplicemente salire su quell'aereo e venire qui. Quando arriverai ne parleremo di nuovo. A papà e mamma devi raccontare che hai voglia di vedermi. A parte il fatto che voglio che tu conosca Collin.» Gliene aveva già accennato, anche se quello non era certo il momento migliore per fare conoscenza.

«E se Harry si arrabbia ancora di più perché vengo a New York?» Adesso Grace sembrava di nuovo in preda all'ansia.

«Senti un po', ma sei diventata matta? Come sarebbe... Se *lui* si arrabbia ancora di più? Ma ti ha *tradita*! Sei tu, quella che dovrebbe essere furiosa, non lui. Non credi?»

«Ha detto che io lo seguivo di nascosto, che lo spiavo.»

«Ed è la verità?»

«No, io stavo andando a trovare Heather per mostrarle i figurini del mio abito da sposa», ripeté Grace.

«Precisamente. Di conseguenza è lui il disgraziato, l'imbroglione. Vieni a New York.» Le ricordò l'ora della partenza dell'aereo, e Grace si rese conto che faceva in tempo a prenderlo.

«Va bene. Vengo. Ci vediamo presto», le rispose, ma sembrava ancora nervosa, anche se non piangeva più.

Victoria le aveva trovato un posto su un aereo che partiva da Los Angeles verso mezzogiorno e che avrebbe dovuto atterrare al JFK alle otto di sera ora locale. Lei avrebbe preso la navetta delle sette per andare a prenderla. Alle sei il suo cellulare si mise a squillare di nuovo mentre era ancora a casa a organizzare tutto per l'arrivo di Grace e a cambiare le lenzuola nel letto.

Era Grace. Per un momento Victoria ebbe l'impressione di non capire più niente. Si sentiva confusa. «Dove sei? Da dove mi stai chiamando?»

«Sono a Los Angeles.» Dal tono di voce si capiva che era sconvolta e si sentiva in colpa. «Harry se n'è appena andato. Ha detto che mi perdonerà e non manderà a monte il matrimonio se mi dimentico di tutta questa storia e se non faccio più tante scene come quelle che ho fatto!» Sembrava che ripetesse meccanicamente a pappagallo quello che le era stato imposto di dire. Victoria temette che le fosse partito il cervello.

«Cosa non dovresti più fare? Lasciarti tradire di nuovo? È quello che intende? Insomma, cos'è che non dovresti più fare secondo lui?» Le tremava la voce per la rabbia e l'angoscia. Ecco che Harry cambiava le carte in tavola e dava tutte le colpe di quello che era successo a sua sorella, quando il colpevole era lui. Grace non aveva fatto niente.

«Spiarlo, e accusarlo di certe cose.» Adesso stava piangendo, e Victoria non riusciva a sentirla in modo chiaro. «Dice che non so di che cosa parlo, che tutto quello che ha fatto è stato di darle dei baci, a quella là, e che in ogni caso non sono affari miei!»

«E questo sarebbe l'uomo che vuoi sposare?» Adesso Victoria si era messa a urlare. Era sola in casa, e non sapeva più a che santo votarsi.

«Sì», rispose Grace con voce piena di tristezza, poi scoppiò di nuovo in singhiozzi. «Sì. Non voglio perderlo. Lo amo!»

«Non sarà mai veramente tuo marito, se fin da adesso

340

comincia a tradirti. Mi pare che non basti, per un matrimonio felice. Ti sta ricattando perché tu non parli, Grace; ti sta dicendo che se cominci a criticarlo per quello che ha fatto e lo fai sentire in colpa, ti molla seduta stante anche se ha torto marcio. È un bastardo!» Grace, sentendo queste parole, si mise a piangere ancora più disperatamente di prima.

«Non me ne importa. Io lo amo!» Tutto d'un tratto sembrava in collera con sua sorella, invece che con il futuro marito, perché la costringeva ad affrontare una realtà dei fatti spaventosa. «Promette che non mi tradirà più, quando saremo sposati.»

«E tu gli credi?»

«Sì! Non mi racconterebbe mai una bugia.»

«Ma se è quello che ha appena fatto!» non poté trattenersi dal ribattere Victoria. Era esasperata. «Appena due sere fa era con un'altra donna, e tu l'hai visto. Non è tornato a casa... Me l'hai detto proprio tu. È questa la vita che desideri?»

«No, non lo farà. L'ha appena detto. La verità è che ha la classica strizza di chi sta per sposarsi.»

«Sarà! Ma non basta a farti tradire la donna che ami, o perlomeno non dovrebbe succedere, altrimenti perché ci si sposa?»

«Non m'importa di quello che dici», ribatté Grace in tono velenoso. Victoria la stava costringendo a guardare in faccia una verità che lei non voleva vedere, e si consolava con le fandonie che Harry continuava a raccontarle. «Noi ci amiamo, e stiamo per sposarci. E lui non è un traditore e un imbroglione.»

«No, è un uomo fantastico», commentò Victoria, caustica. «Tutta questa faccenda è disgustosa, e sarai tu che ne pagherai il prezzo.»

«No, niente affatto», rispose Grace. «Andrà tutto bene.»

Victoria si arrese: sua sorella non voleva più darle retta.

«Allora, vieni a New York, sì o no?» le domandò, esausta.

«No. Harry non vuole. Dice che ho da fare qui, e lui soffrirebbe troppo per la mia mancanza.» Soprattutto, non voleva che quell'ingenua della sua futura moglie venisse influenzata dalla sorella maggiore, ben più saggia e intuitiva, che non era mai rimasta abbagliata dalla sua personalità di ragazzo ricco e viziato. Victoria lo aveva capito al volo, e fin troppo bene.

«Figurati. Non vuole semplicemente che tu parli con me. Fai quello che credi, Grace. Però ricordati che io sono qui per te.» Sapeva che, presto o tardi, sua sorella avrebbe avuto bisogno di lei, e questo le spezzava il cuore. I soldi non le avrebbero dato sicuramente la felicità se suo marito la tradiva in continuazione e le faceva soltanto del male. Si chiese se una cosa del genere fosse accaduta anche a sua madre. Chissà, forse anche Jim l'aveva tradita, ecco perché era disposto a passare sopra con tanta disinvoltura a quello che il futuro genero combinava, altrimenti, per amore di sua figlia, non gliel'avrebbe certo fatta passare liscia, ricco o no che fosse.

Victoria pensò per un attimo di fargli una telefonata, ma poi si disse che era inutile perché non le avrebbe dato ascolto: riponeva troppe speranze nel matrimonio di Grace, e per le ragioni sbagliate. Quei tre non avrebbero mai rinunciato al matrimonio con Harry Wilkes, indipendentemente da tutto il resto. A Victoria non sembrava un buon inizio. Chiamò Collin al telefono e gli raccontò quello che era successo, e lui si disse dispiaciuto e preoccupato. Sapeva quanto fosse affezionata alla sorella minore, e quella che gli era appena stata descritta gli sembrava una situazione molto brutta.

«È una vergogna che tuo padre e tua madre si rifiutino di affrontare la situazione e di capire cosa c'è sotto.»

«Sono due stupidi; vanno in estasi per il nome che Harry porta e basta. Quanto a Grace, è una bambina sciocca; è convinta che se lo perde non troverà più nessun altro come lui, senza rendersi conto del fatto che così si sta creando una vita infelice.»

Quella sera, Victoria si sentì depressa. Provò a mandare un messaggio a Grace per dirle che le voleva bene, ma lei non rispose. Del resto cosa poteva dirle, all'infuori della verità?

Il giorno dopo andò dalla dottoressa Watson, ma neanche lei le fu di grande aiuto.

«Sono decisioni che toccano a loro», provò a ricordare a Victoria, «e si tratta della vita di sua sorella. Io sono pienamente d'accordo con tutto quello che ha detto. Lui la ricatta, sa di poterla controllare completamente, e con ogni probabilità è anche un disonesto. D'altra parte, Grace è l'unica che possa affrontare la situazione, che possa decidere se piantarlo in asso o no. Lei, in tutto questo, non ha nessuna parte», sentenziò in tono definitivo, come se volesse chiudere la discussione.

Victoria era furiosa. «Di conseguenza a me non resta nient'altro da fare che starmene qui seduta a guardare quello che succede?» chiese con gli occhi pieni di lacrime, arrabbiata e frustrata.

«No, lei deve pensare a se stessa, concentrarsi sulla sua vita con Collin, che sta andando alla grande. Non c'è niente che possa o debba fare per sua sorella o il suo matrimonio, a questo punto. La scelta, buona o cattiva, spetta a Grace.»

«Anche se ha ventidue anni, non capisce quello che le sta succedendo e ha bisogno di essere guidata?» Victoria si sentiva rabbrividire sentendo quello che la dottoressa Watson le stava dicendo... soprattutto perché era la verità.

«Proprio così. Sua sorella non le sta chiedendo che lei la guidi o le fornisca delle norme di condotta, sa? Le sta dicendo di mettersi da parte, di tirarsi indietro.» Victoria capiva che la sua psicologa aveva pienamente ragione, ma faceva fatica ad accettarlo.

«Anche se è pronta a bersi tutte le balle di Harry?» sbottò, offesa e indignata.

«Sì, se è quello che vuole. E così sembra, almeno in apparenza. Non piace neanche a me, e mi turba profondamente. Ma lei, Victoria, ha le mani legate.»

Victoria era sconvolta al pensiero che Grace fosse disposta a sposare Harry nonostante tutto, ma non voleva neanche dare un taglio netto al rapporto con sua sorella, mentre capiva che se avesse insistito a dirle che doveva mollare il futuro marito sarebbe successo proprio quello. Harry l'aveva ricattata, costringendola al silenzio, approfittando della sua giovane età e della sua ingenuità, nonché del narcisismo e della mania di grandezza del futuro suocero che voleva che sua figlia sposasse un Wilkes a qualsiasi costo in modo da potersene vantare. Grace aveva paura di perdere Harry e Victoria invece aveva paura che sua sorella perdesse se stessa, il che era molto peggio.

Il colpo successivo arrivò una settimana più tardi. Grace le telefonò per chiederle se, nella sua qualità di damigella d'onore, poteva organizzarle un weekend di addio al nubilato a Las Vegas, con tutte e dieci le sue damigelle. Lei compresa, naturalmente! A Victoria sembrava una cosa da pazzi. E quando provò a indagare su come andavano i rapporti con Harry, Grace le rispose che tutto funzionava a meraviglia e si affrettò a cambiare argomento. Era chiaro che lui le aveva fatto capire che doveva tacere, magari anche minacciandola; di conseguenza, se aveva delle preoccupazioni, Grace non gliele avrebbe mai confessate. Tutto quello che voleva, adesso, era che Victoria le combinasse quello squallido weekend di pessimo gusto. Victoria non aveva nessuna voglia né di porvi mano né di parteciparvi, così come non voleva facilitarle la strada verso l'unione con un uomo non degno di lei, ma non aveva neanche il coraggio di rifiutare.

«Ma perché non fai una festa di addio al nubilato normale? Chi ha tempo di fare un weekend a Las Vegas?» Solamente chi ha un sacco di soldi e non lavora, e questo non era il suo caso.

«No, adesso è di moda festeggiare lontano da casa. D'altra parte Harry la sua festa di addio al celibato l'ha organizzata a St. Bart, la settimana scorsa. Sono stati via cinque giorni», spiegò Grace.

Victoria preferì sorvolare. Sbuffò, scocciata. «Mandami un elenco di quello che vuoi, e io cercherò di fare il possibile. Ma non c'è nessun altro che possa occuparsene? Io ho la scuola, Grace, e poi devo calcolare la differenza di fuso orario fra New York e la Costa Ovest. Nessuna di voi lavora.» Tutte le sue damigelle erano ragazze ricche e viziate, mantenute dai genitori, oppure che studiavano ancora.

«Tu sei la damigella d'onore, e quindi tocca a te pensarci», insistette Grace, incaponita. Victoria si sentì in colpa.

In quei giorni, per la questione del matrimonio, i rapporti fra loro erano tesissimi.

«Per quando vuoi organizzarlo?» chiese Victoria scoraggiata.

«In maggio», rispose Grace subito rasserenata, infischiandosene dei grattacapi che dava a sua sorella.

«Va bene. Me ne occupo io», disse Victoria rassegnata, e riattaccò. Grace aveva promesso di mandarle i nomi delle damigelle e tutti i particolari necessari. Quel weekend a Las Vegas sarebbe stato pagato da Jim, che per quel matrimonio si era messo a spendere e spandere, cosa che non avrebbe mai fatto per Victoria, come si era premurato di farle sapere.

Victoria non considerò una buona notizia neanche la telefonata che ricevette da sua madre, la quale voleva informarla come dal momento che suo padre doveva vedere un cliente a New York, sarebbero venuti lì per un paio di giorni. Non aveva proprio bisogno di una complicazione come quella! Oltretutto in famiglia tutti sapevano di Collin e avrebbe dovuto presentarglielo. D'altra parte, lei aveva fatto la conoscenza dei suoi. Pensava già con angoscia alle cattiverie che Jim avrebbe detto sul suo conto. Ne parlò a Collin, quella sera.

«Verrai una sera a cena con me, così potrai conoscerli?» gli domandò scoccandogli un'occhiata piena di tristezza. Lui sorrise e la baciò.

«Naturalmente.»

«E già che siamo in argomento, c'è una cosa che volevo chiederti.»

«La risposta è sì», disse lui, scherzosamente. «Quale sarebbe la domanda?»

Victoria in quel periodo era agitata e ansiosa, e lui era

dispiaciuto per lei. D'altra parte era più che giustificabile che fosse preoccupata per sua sorella, almeno da quello che sapeva.

«Verrai con me al matrimonio di mia sorella?»

«Stavo cominciando a temere che non ti saresti mai decisa a chiedermelo.»

«Tutte le altre saranno splendide, nei loro abiti da damigella, e io invece sarò orrenda. Devi essere preparato. Non sarai per niente fiero di me», gli disse con le lacrime agli occhi.

«Sì che lo sarò, invece. Eccome! E tu non saresti orrenda neanche se ci provassi sul serio, sai? A proposito, quando arrivano i tuoi?»

«Fra due giorni.» Sembrava che gli stesse annunciando la fine del mondo, e in realtà per lei lo era. Suo padre si sarebbe messo d'impegno per farla passare da stupida e offenderla davanti all'uomo che amava, e sarebbe riuscito a dimostrare la sua inadeguatezza. Cosa sarebbe successo se Collin gli avesse creduto? Non si rendeva conto che un simile comportamento faceva sfigurare Jim, non lei. Quanto a Collin, nessuno avrebbe potuto indurlo a cambiare idea sulla sua ragazza.

Il giorno successivo Victoria cominciò a fare qualche telefonata a Las Vegas, benché la dottoressa Watson le avesse ricordato che non era obbligata a occuparsene. D'altra parte non voleva dare una delusione a Grace. Non l'aveva mai fatto.

Il giorno dopo ancora, suo padre e sua madre arrivarono a New York. Avevano fissato una camera al *Carlyle* e invitarono lei e Collin al bar interno, il *Bemelmans*, per un drink, perché dovevano cenare con un cliente di Jim e quindi non avevano tempo per uscire a cena con loro, circostanza che Victoria considerò un autentico colpo di fortuna. Un drink con quei due era più che abbastanza. Sapeva perfettamente che suo padre poteva distruggerla in cinque minuti, non era necessaria un'intera serata!

Si accorse che Collin gli aveva fatto un'ottima impressione, e che non riusciva a nascondere la sua meraviglia che un uomo come lui potesse frequentare sua figlia. A dir la verità, anche Victoria ci aveva messo un po' di tempo a convincersi che una cosa del genere fosse possibile, ma Collin le aveva dimostrato molto chiaramente la serietà dei propri sentimenti.

Tutti si comportarono nel modo più corretto possibile, e stavano già chiacchierando da una buona mezz'ora quando Jim osservò che si augurava che sua figlia facesse sempre attenzione a quello che mangiava, in modo da riuscire a infilare il vestito da damigella d'onore che sua sorella aveva ordinato. Victoria si irrigidì.

«Sono dimagrita, papà», gli rispose tranquillamente. «E vado ogni giorno in palestra.»

«Bisogna ammettere che hai una buona influenza su di lei», ribatté Jim con un caloroso sorriso a Collin, il quale aveva un'aria guardinga, come se si stesse chiedendo dove voleva andare a parare. «Però attenzione ai gelati, eh? Mi raccomando», insistette, scoppiando nella solita, odiosa risata. Non si erano accorti fino a che punto fosse dimagrita, e tanto meno avevano notato il cambiamento al naso, di cui neanche Collin sapeva niente. Non gliene aveva mai parlato perché secondo lei era inutile. Poi Jim, rivolgendosi direttamente a Collin, cominciò a tessere le lodi di Harry dicendo che erano felicissimi che sposasse Grace.

A quel punto Victoria non riuscì più a trattenersi e dichiarò, andando subito al sodo: «Ma non è un bravo ragazzo, papà. L'ha tradita, e tu lo sai benissimo». Suo padre, per un minuto, rimase sconcertato. Era la prima volta che Victoria osava tenergli testa apertamente. La fissò con attenzione.

«Il solito nervosismo prima del matrimonio. Una bazzecola innocente», ribatté in tono superficiale, come se si trattasse di una questione di nessuna importanza. «Tutti fanno delle stupidaggini prima di sposarsi... serve a scaricare un po' la tensione.» E strizzò l'occhio a Collin, in segno di complicità maschile. Ma lui non ricambiò.

«Come puoi permetterle di sposare un uomo che è già abituato a tradirla e ad andare con altre donne ancora prima di sposarla?» sbottò Victoria.

Sua madre fingeva di non sentirla e sorseggiava il suo drink con lo sguardo fisso nel vuoto. Era chiaro che aveva deciso di non prendere posizione.

«Nient'altro che un piccolo bisticcio fra innamorati... un malinteso, via! Ne sono sicuro», insistette Jim, continuando a sorridere. Victoria avrebbe voluto parlare chiaro e dire tutto quello che pensava, ma preferì finirla lì, tanto era inutile mettersi a discutere con lui.

Collin seguiva la scena in silenzio, l'espressione impenetrabile. Aveva l'aria di un uomo forte e deciso, e si comportava in modo da far capire che era d'accordo con Victoria.

Jim, a quel punto, fu costretto ad accettare il messaggio tacito ma eloquente che sua figlia adesso aveva un alleato, e chiunque l'avesse attaccata o sminuita avrebbe dovuto fare i conti con lui.

Poco dopo i genitori di Victoria salutarono Collin, dicendogli che era stato un piacere fare la sua conoscenza, e se ne andarono.

«Di solito si comportano molto peggio», non poté fare a meno di commentare Victoria mentre lasciavano il *Carlyle* e si incamminavano verso casa. Era una bella serata, tiepida. Si tenevano per mano. Victoria si sentiva stressata per il solo fatto di avere visto il padre e la madre, oltre che per tutto il resto.

«Guarda che non mi sono lasciato imbrogliare, sai?» disse Collin con la massima calma. «L'ho sentito fare i suoi commenti sul vestito, il tuo peso, i gelati... e ho capito che se ne frega altamente se Harry tradisce tua sorella. Lui vuole che Grace sposi un ragazzo ricco. Lo considera un vantaggio anche per se stesso, così può mettersi in mostra. Né più né meno come mio padre e mia madre, i quali avevano un concetto altissimo di tutto quello che mio fratello era riuscito a fare nella vita perché potevano guadagnarci anche loro e fare bella figura, ecco perché continuavano a sbandierare le sue virtù e a vantarsi di lui mentre tutto quello che facevo io non era mai abbastanza. So benissimo come possono essere certe persone», disse rivolgendo a Victoria un'occhiata piena di affetto e di comprensione. Si rendeva perfettamente conto dei soprusi che aveva dovuto affrontare tutta la vita, e quello che le era costato.

Victoria continuava ad avere l'aria infelice e a sentirsi a disagio. E anche quando lui la baciò per strada, mentre tornavano a piedi verso casa, continuò a sembrare tesa e chiusa in se stessa. Un po' come se, a poco a poco, volesse staccarsi anche da lui. Collin glielo leggeva negli occhi. Di punto in bianco si fermò e la guardò bene in faccia.

«Non sono io il nemico, ma i tuoi genitori! Li ho sentiti.

Secondo loro tu non vai bene, e quindi nessuno potrà mai amarti. Vieni qui», disse, attirandola tra le sue braccia e fissandola in quei grandi occhi, azzurri come i suoi. «Io ti amo. Tu sei gentile e simpatica. Tu *ispiri amore*. Sei una donna da amare. E loro sono due idioti. E io adoro tutto di te, ti apprezzo moltissimo così come sei. Ecco, questo è il messaggio che voglio darti. Non il loro: il mio. Sei la donna più cara, quella che mi ha fatto provare più amore e tenerezza. Non ne ho mai conosciuta nessuna come te.» Mentre le faceva questa dichiarazione, continuava a baciarla.

Victoria pianse di sollievo e si abbandonò singhiozzando fra le sue braccia. Nessuno le aveva mai parlato così.

25

QUANDO Victoria andò a scuola il giorno dopo, vide nell'atrio dei palloncini azzurri, e un grande cartello annunciava che Amy Green aveva avuto un maschietto. Pesava quasi tre chili, era lungo quarantotto centimetri e l'avevano chiamato Stephen William. Victoria fu felice per lei e si augurò che tutto fosse andato bene, ma era sicura che avrebbe avuto notizie più complete da qualche allieva. Per l'intera giornata a scuola non si parlò d'altro.

Più tardi, Victoria venne a sapere che Justin era rimasto in sala parto con Amy e sua madre. Non avevano voluto conoscere il sesso del bambino prima della nascita, quindi per loro era stata una sorpresa; comunque madre e figlio stavano bene ed entro un paio di giorni sarebbero tornati a casa. Amy si augurava di poter tornare a scuola una quindicina di giorni più tardi, venti al massimo. Bisognava dire che, da parte della scuola, aveva avuto un appoggio incondizionato, ed era stata molto aiutata. Victoria si ripromise di andare a trovarla appena fosse stata abbastanza in forze per ricevere visite. Le sue amiche riferivano che si sentiva molto bene e anche il parto non era stato troppo difficile. Victoria provò un gran sollievo. Amy e Justin erano giovani ma, per fortuna, erano anche studenti dell'ultimo anno, quindi, per quanto non si potessero fare previsioni a lunga scadenza, c'era la possibilità che tutto potesse andare bene, anche grazie all'aiuto e al sostegno totale della madre di Amy.

Durante l'intervallo Victoria cominciò a fare le telefonate per organizzare il weekend a Las Vegas, e a fine settimana telefonò a sua sorella per parlargliene. Grace era più calma delle ultime volte che l'aveva sentita, quando aveva appena scoperto il tradimento di Harry. Sembrava che avesse accantonato la faccenda definitivamente, ma Victoria continuava a essere molto scettica nei confronti del futuro cognato. Però si impose di prendere le distanze da quello che era successo.

Lei e Collin andavano in palestra tutte le mattine prima di cominciare il lavoro, non perché lui era preoccupato se Victoria non dimagriva come avrebbe voluto, ma perché sosteneva che l'avrebbe aiutata a scrollarsi di dosso lo stress. E aveva ragione. Infatti cominciava a sentirsi meno ansiosa di prima e a organizzare quell'addio al nubilato sul quale non era d'accordo con un certo distacco. Del resto si rendeva conto che le damigelle erano tutte ragazze molto giovani, e avevano una gran voglia di divertirsi.

Aveva fatto la prenotazione per tutte al *Bellagio*, dove le ragazze avrebbero dormito due per camera.

Tutte, naturalmente, avevano dovuto dare a Grace il numero della loro carta di credito.

Poi Victoria aveva pensato anche a prenotare la cena e trovato i biglietti per uno spettacolo. Sarebbero arrivate a Las Vegas, lei da New York e le altre da Los Angeles, il venerdì sera, per ripartire la domenica mattina, quando avrebbero dovuto lasciare libere le camere. Aveva fatto un ottimo lavoro, come competeva alla damigella d'onore, e sua sorella, soddisfatta del modo in cui tutto era stato organizzato, le chiese scusa per averla messa sotto pressione dandole quell'incarico.

«Per carità! Va bene così. Questo è il tuo grande momento», le rispose Victoria, cercando di mostrarsi all'altezza della situazione, come sempre. Ma in questo caso il suo successo poteva essere considerato doppio, perché Harry le stava sempre più antipatico ed era molto preoccupata per la sorella. A volte le sembrava che le fosse toccato l'onere di accompagnare una condannata a morte al patibolo... ma Grace voleva così. E la dottoressa Watson aveva ragione. Dopo tutto era la vita di Grace.

«Io farò la stessa cosa per te, un giorno», disse Grace, che le sembrava tornata quella di sempre e si era adattata alla situazione che le aveva imposto il futuro marito, che si faceva i suoi comodi. Per la luna di miele, avrebbe portato Grace nel Sud della Francia, prima all'*Hotel du Cap*, a Cap d'Antibes, e poi a Saint-Tropez, dove voleva trovarsi con dei suoi amici.

«Mi auguro soltanto che non penserai di fare niente per me a Las Vegas», aggiunse Victoria ridendo. Si sentiva un po' più rilassata.

«Com'è Collin?» domandò Grace. Era ansiosa di conoscerlo, e le pareva incredibile di non vedere sua sorella dal Giorno del Ringraziamento. Non erano mai state lontane tanto tempo, ma molte cose stavano cambiando per tutte e due.

«Adorabile.»

«A papà è piaciuto», fu il commento di Grace, che meravigliò moltissimo Victoria in quanto Collin era sempre rimasto vicino a lei come un santo protettore, mentre erano con Jim e Christine, e doveva aver mandato a suo padre un messaggio molto chiaro. Forse suo padre non l'aveva capito o preferiva far finta di non averlo ricevuto. «È rimasto molto sorpreso perché dice che gli sembra un uomo di successo, e, secondo lui, sarebbe stato più logico che si fosse trovato una donna che faceva la sua stessa professione, non un'insegnante. Ma gli è piaciuto», ripeté. La critica era stata dura, e chiara. Lei non era abbastanza buona per Collin. Non solo, ma con quel discorso, le stavano arrivando anche altri messaggi, e riguardavano Grace. La sua sorellina minore era un fantoccio non soltanto nelle mani di Harry, ma anche in quelle di Jim.

«Non gli viene il dubbio che a lui piaccio io?» mormorò Victoria. Ormai era sicura del suo amore, ed era una sensazione esaltante.

«La mamma dice che è molto bello.»

«Sì, è vero. E sono certa che papà deve essersi meravigliato anche di questo. Si aspettava che trovassi qualcuno come me, cioè un perdente.»

«Non è così cattivo. Cerca di non essere troppo dura con lui.» Grace difendeva Jim, ma Victoria preferì non prolungare quel discorso con la sorella perché sapeva che era inutile. Suo padre stava organizzando per Grace un matrimonio sontuoso e le dava tutto quello che voleva, ma in realtà sua sorella si stava soltanto sottomettendo alle scelte del padre e del futuro marito. Era quel padre che le aveva sempre voluto bene, l'aveva adorata. E se lei adesso era disposta a diventare la servetta di Harry, poteva esserlo anche del padre. Ecco quello che Grace aveva in comune

355

con sua madre, mentre Victoria era l'opposto. Lei era la classica combattente per la libertà, pronta a lottare in difesa della verità. E adesso non era più Grace, la sua alleata, ma Collin. Quei giorni erano passati, e non sarebbero mai più tornati se sposava Harry, come ormai tutto lasciava presagire. Victoria soffriva perché si rendeva conto di non avere più, con sua sorella, quel rapporto che era durato molti anni, anche se era felicissima di avere trovato Collin.

Diede gli ultimi ritocchi ai piccoli dettagli che ancora dovevano essere sistemati per il viaggio a Las Vegas, e poi passò un weekend tranquillo e sereno con Collin. Il successivo fine settimana doveva partire, e non ne aveva alcuna voglia. In teoria sarebbe dovuto essere un viaggio divertente, invece per lei sarebbe stato una tortura.

Prima di partire andò a trovare Amy Green e a vedere il suo meraviglioso bambino. La giovanissima mamma era felice. Lo allattava, ma avrebbe cominciato a dargli il biberon, anche se sempre con il suo latte, quando fosse tornata a scuola per le poche settimane che mancavano alle vacanze estive. C'era anche Justin, che prese in braccio il figlio per lasciare chiacchierare tranquillamente Amy con Victoria. Aveva proprio l'aria del papà fiero e orgoglioso. Victoria aveva portato in regalo una maglietta azzurra e un paio di scarpine dello stesso colore, che ad Amy piacquero moltissimo. Com'era strano vedere due ragazzi diventare genitori! Sembravano due bambini che avevano avuto un bambino, eppure erano persone mature e pronte ad assumersi le proprie responsabilità con il figlio, anche se la madre di Amy era sempre lì, presente, ad aiutarli. Per Amy e Justin, era la situazione ideale; e alla mamma, dopo il divorzio, il nipotino aveva dato un nuovo impulso alla vita. Insomma, si sarebbe detto che la nascita di quella creatura fosse stata una fortuna per tutti.

Il giorno successivo Victoria, finite le lezioni, prese un aereo per raggiungere Las Vegas. Aveva promesso a Collin che gli avrebbe telefonato, ma si era rassegnata al fatto che le amiche di Grace si sarebbero ubriacate, avrebbero giocato d'azzardo, fatto tutte le pazzie possibili e immaginabili, e magari si sarebbero anche trovate un ragazzo con cui divertirsi poiché nessuna di loro era sposata. Le sembrava di accompagnare i suoi studenti in gita. Quelle ragazzine poco più che ventenni erano pronte a scatenarsi in tutti i modi leciti e illeciti, e lei, che stava per compiere i trenta, in quel gruppo si sentiva una vecchia signora.

L'unica cosa piacevole era la possibilità di rivedere sua sorella.

Grace, quando arrivò, si buttò fra le sue braccia. Poi controllò il naso nuovo di Victoria e dichiarò che le piaceva.

Le ragazze avevano cominciato a bere prima ancora che lei arrivasse, e qualcuna si era già messa a giocare alle slot-machine e aveva vinto un po' di soldi. Uscirono insieme a cena, poi vagarono per il casinò. Era un mondo strano, pieno di luci abbacinanti, completamente chiuso perché di finestre non se ne vedevano, fra tante persone eccitate, mentre il denaro cambiava continuamente di mano e ragazze in costumi sexy giravano offrendo bibite gratis. Le amiche di Grace erano estasiate. E poi avevano scoperto che negli alberghi, soprattutto nel loro, si poteva fare shopping, e che c'erano molti uomini soli.

Victoria si sentì in dovere di dare un'occhiata al gruppo per tutta la serata, ma dopo un po' fu stanca e annoiata. Le future damigelle di Grace erano delle sciocchine, avevano già bevuto troppo e si divertivano a civettare con tutti gli uomini che incontravano. Grace invece si comportava molto correttamente, mentre Harry continuava a chiamarla al telefono per controllare quello che faceva. Victoria poté finalmente ritirarsi nella sua camera alle due del mattino. Per fortuna avrebbe dormito da sola: questo l'aveva preteso. Grace, invece, aveva scelto di dormire con le sue due migliori amiche. Victoria non poteva più chiamare Collin perché a New York era troppo tardi; ma gli aveva mandato parecchi messaggi e lui l'aveva incoraggiata a resistere come meglio poteva. Insomma, quel weekend si trasformò in un'autentica maratona, anche se lei si rendeva conto che, come damigella d'onore, era suo dovere essere presente. Grace si divertiva tantissimo e si godeva ogni minuto. Più che una futura sposa, sembrava una bambina a Disneyland.

Il giorno successivo fu dedicato completamente allo shopping, al pranzo, al gioco al casinò, e poi a massaggi, manicure, pedicure, una nuotata in piscina, la cena in un bel ristorante, uno spettacolo meraviglioso del Cirque du Soleil, e, ancora, al casinò fino alle tre del mattino. Non c'erano orologi, e sembrava che il tempo si fosse fermato, ma era proprio quello che tutti i casinò volevano, perché così nessuno si accorgeva delle ore che passavano. Qualcuna delle ragazze rimase in piedi tutta la notte e si prese una sbronza formidabile, ma Grace no. Verso le tre del mattino Victoria, senza farsi notare, sgusciò via e se ne tornò nella sua camera a farsi un bel sonno.

La mattina dopo si ritrovarono tutte per il brunch, in ritardo sulla solita ora, e a quel punto Victoria lasciò il gruppo per tornare a New York. Le altre sarebbero partite più tardi. Prima di andarsene, diede un bacio a Grace. Qualcuna delle sue amiche era vittima di un atroce doposbornia, però anche loro si erano divertite da matti.

«Hai organizzato tutto alla perfezione», disse Grace ringraziandola. «Adesso immagino che non ti vedrò più fino al giorno del matrimonio», aggiunse con aria un po' malinconica. «Se sapessi come mi manchi!»

«Verrò qualche giorno prima, per aiutarti», la rassicurò Victoria. Poi si abbracciarono strette di nuovo, e lei partì, felice di potersene tornare a casa. Era stato un weekend molto lungo. Niente di terribile, nessun incidente spiacevole, ma doveva confessare a se stessa di non essersi divertita in modo particolare. Las Vegas non era il suo luogo di vacanza preferito. E non era neanche quello di Collin, le aveva detto. Lo chiamò al telefono mentre attendeva la partenza del suo volo, e lui le disse che l'avrebbe trovato ad aspettarla, quando fosse arrivata a casa, e le promise che sarebbero andati a dormire presto. Victoria aveva bisogno di farsi una buona nottata di sonno. L'indomani aveva la prova finale della recita di fine anno, che avrebbero dato la sera. Avevano deciso di scegliere *Annie*. Si trattava di una produzione importante e lei aveva promesso ai suoi studenti che li avrebbe aiutati dietro le quinte con le scenografie e i costumi, proprio come era successo, a suo tempo, quando studiava alle superiori. Fra l'altro, con quel weekend a Las Vegas, aveva saltato tutte le prove dello spettacolo e dei costumi. Comunque, a quanto aveva visto, era convinta che sarebbe andato bene. Una delle sue studentesse era la diva dello spettacolo perché aveva una voce bellissima, che avrebbe meritato ben altri palcoscenici. Collin le aveva detto che avrebbe fatto di tutto per assistere alla rappresentazione.

Victoria si accorse di non essere mai stata tanto felice di

vedere qualcuno come quando se lo trovò davanti quella sera. Si abbandonò fra le sue braccia con un sospiro di sollievo. Finalmente un po' di tranquillità! Aveva avuto il suo bel da fare con quelle ragazze viziate e abituate a ottenere sempre quello che volevano; qualcuna si era rivelata tutt'altro che facile da trattare, anche se per fortuna, a dispetto delle previsioni, tutto era andato bene. Si infilarono insieme nella doccia e poi sotto le coperte. Fecero l'amore, ma subito dopo Victoria si addormentò. Collin le rimboccò le coperte con un sorriso pieno di tenerezza. Aveva sentito la sua mancanza.

La mattina seguente uscirono presto entrambi. Lei aveva qualcosa da sbrigare prima di andare nell'auditorio a dare una mano con lo spettacolo. Era ancora lì, a mezzogiorno, tutta indaffarata. Stava spostando una scena con l'aiuto dei suoi studenti; si scostò per far passare qualcun altro con qualche arredo di scena e, senza rendersene conto, fece un passo di troppo e precipitò giù dal palcoscenico, ritrovandosi lunga distesa per terra. Tutti urlarono spaventati, perché Victoria per almeno un minuto sembrò svenuta; per fortuna riprese i sensi in fretta e assicurò che si sentiva bene. Ma era pallidissima, e quando tentò di rialzarsi si accorse di non esserne capace. Sentiva un dolore atroce a una gamba, che era piegata con una strana angolazione! E anche se lei continuava a dire che stava bene, Helen preferì cercare il signor Walker e l'infermiera, che era sempre presente a scuola, per avvertirli dell'incidente. Loro chiamarono subito il pronto soccorso. Quando i paramedici arrivarono la fecero stendere su una barella. Aveva cercato di alzarsi, ma non c'era riuscita. E, per di più, si era accorta di avere anche battuto forte la testa quando era caduta. In ambulanza le dissero che non potevano escludere una frattura alla gamba, ma lei sostenne che era impossibile perché non le sembrava di aver fatto una caduta così disastrosa. Invece Helen, salita a bordo dell'ambulanza per accompagnarla all'ospedale, dichiarò esattamente il contrario, cioè che era stato un brutto tonfo e che aveva battuto con violenza anche il capo. I paramedici conclusero che sarebbe stato meglio fare le radiografie e una TAC al cranio.

«Ma è una stupidaggine!» ripeteva lei, cercando di mostrarsi coraggiosa, anche se aveva una nausea terribile e le si era abbassata di colpo la pressione. Comunque chiamò Collin per avvertirlo di quello che era successo. Lui promise di raggiungerla subito all'ospedale.

Victoria scoppiò in lacrime. Si sentiva una stupida, la solita maldestra!

Ma Collin la rassicurò: «Non è colpa tua quello che è successo. Io ti voglio bene, e arrivo tra pochissimo». Victoria ne fu sollevata.

Quando Collin arrivò, la trovò al pronto soccorso. Avevano già fatto una radiografia: la gamba era rotta, anche se per fortuna si trattava di una frattura semplice per la quale non sarebbe stato necessario un intervento chirurgico ma soltanto una semplice ingessatura. Aveva anche una lieve commozione cerebrale, e doveva riposare.

«Bene, hai avuto una intensa mattinata di lavoro, o sbaglio?» fu il commento di Collin. Era dispiaciuto per lei, ma anche sollevato perché la situazione non era grave come temeva. Victoria invece era contenta di non essersi rovinata il naso nuovo. Una volta eseguita l'ingessatura, Victoria fu dimessa. Giunta a casa, Collin l'aiutò a sdraiarsi sul divano, appoggiata a una pila di cuscini. Poi le preparò una zuppa di orzo e funghi e un sandwich con il tonno. Le avevano anche fornito un paio di stampelle e le avevano detto che avrebbero tolto l'ingessatura dopo quattro settimane, cioè una decina di giorni prima del matrimonio di Grace.

Collin fu costretto a tornare nel suo studio perché aveva un'importante riunione con i soci, ma le promise che sarebbe ritornato il più presto possibile. Lei lo ringraziò, lui la salutò e corse via.

Poi lei chiamò Harlan in ufficio e lo informò di quello che era successo.

«Non ti ha detto nessuno che sei una bella imbranata?» rispose lui, prendendola garbatamente in giro. Victoria si mise a ridere, ma anche ridere le faceva male. Per fortuna, all'ospedale le avevano assicurato che sarebbe durato solo pochi giorni. Poi telefonò a Grace, e lei e Harry le mandarono dei fiori; Harlan le portò un mucchio di riviste. E un'ora più tardi arrivò anche Collin con pollo arrosto e verdure alla griglia per tutti, e diede un bacio alla sua inferma.

«Scusami. Sono tornato appena possibile. Stiamo cercando di comporre la vertenza senza arrivare al processo.» Victoria si sentiva come una regina circondata dalla sua corte perché tutti erano pieni di premure e gentilezze nei suoi confronti. Collin rimase con lei tutta la notte, le diede gli antidolorifici e la sua amorevole assistenza.

«Sei un bravo infermiere», si complimentò Victoria. «Mi dispiace. Che stupidaggine ho fatto!»

«Già. Figurati se non l'avevo capito subito che l'avevi fatto apposta!» Le sorrise. A Victoria era spiaciuto perdere lo spettacolo, ma soffriva troppo per avere la forza di alzarsi e andare a vederlo trascinandosi con le stampelle. Che peccato! Per fortuna, se la gamba fosse guarita bene le avrebbero tolto l'ingessatura prima del matrimonio di Grace. Ecco un fastidio del quale non aveva proprio bisogno. Sua madre le telefonò, quella sera, e le lasciò un messaggio sulla segreteria dicendo che le dispiaceva molto per l'infortunio.

La mattina dopo, bene o male, zoppicando, riuscì a trascinarsi a scuola, e i suoi studenti si prodigarono per aiutarla com'era possibile, in tutti i modi. Helen e Carla vennero più di una volta in classe a controllare come andava, e anche Eric Walker passò a salutarla. Tutti erano contenti che fosse di nuovo fra loro, e le dissero che *Annie* era stata un enorme successo. Ma alla fine della giornata lei si sentiva stanchissima, tanto che prese un taxi per tornare a casa. Durante il tragitto pensò che non poteva andare in palestra per un mese intero, e si sentì cogliere dal terrore all'idea di ingrassare di nuovo. Lo disse ad Harlan quando tornò a casa. Si era ripromessa di perdere dodici chili per giugno. Era già a quota nove e si sentiva molto meglio; le sarebbe piaciuto perderne ancora qualcuno, prima del matrimonio di Grace, ma adesso sarebbe stato più difficile, con la gamba ingessata, costretta a stare sdraiata sul divano tutto il tempo e non potendo fare sport.

«Tu devi soltanto stare attenta a non mangiare quello che ti fa male», le disse Harlan. «Niente gelati. Niente dolci. Niente pizza. Niente ciambelle. Niente formaggi grassi, perché non puoi smaltire le calorie come facevi prima.»

«Ti prometto che farò come dici», gli rispose, anche se quella sera aveva una gran voglia di gelato perché la gamba le faceva male. Ma si guardò bene dal chiedergli di portargliene un po', e stette alla larga dal frigorifero. Mangiò invece due piatti di pasta: era squisita. Ma poi giurò a se stessa che non l'avrebbe fatto più. Niente cibi di quelli

363

che ti tirano su il morale! Non voleva dare a suo padre la soddisfazione di fargli vedere che aveva ragione, che non aveva nessuna speranza di dimagrire sul serio.

Parlò dei suoi timori a Collin, ma lui le fece notare che, se anche fosse aumentata di peso finché camminava con le stampelle, l'avrebbe perso appena avesse ricominciato a fare ginnastica. E anche se non ci fosse riuscita, che importanza poteva avere?

«Non devi preoccuparti. Non ce n'è bisogno. Sei una donna molto bella e, in fin dei conti, la tua taglia non è una questione di primaria rilevanza, credimi!»

«Per me invece lo è», gli rispose, rattristandosi. «E poi, con quel vestito addosso, non voglio sembrare una mucca marrone.»

«Di qualsiasi taglia possa essere, comunque, non fa per te. Non riesco a vederti in marrone, sai?» fu il commento di Collin, anche perché quello della moda femminile non era un campo nel quale potesse vantare molta esperienza.

«Invece mi vedrai quanto prima», gli rispose abbacchiata. Voleva essere snella. Per la prova della vigilia del matrimonio si era comprata un modello di chiffon azzurro chiaro, con un bolero d'argento e i sandali a tacco alto, d'argento anch'essi. Le stava benissimo, perché la slanciava, e ne era molto soddisfatta, mentre l'abito da damigella era la sua spina nel cuore.

«Dopo le nozze gli diamo fuoco con una bella cerimonia rituale», ribatté Collin, rivolgendole un sorriso pieno di comprensione. «Io continuerei a volerti bene anche se tu andassi in giro con addosso un sacco, quindi non farti problemi.» Victoria gli sorrise, e si baciarono. Collin rimase da lei fino a quando cominciò a sentirsi meglio, poi si trasferirono a casa di Collin perché era più comodo per lui, essendo più vicina al suo studio.

Una domenica pomeriggio, due settimane dopo che Victoria si era rotta la gamba, lui affrontò un argomento interessante. «E se uno di questi giorni ci trovassimo un posto dove vivere insieme? Potremmo cominciare a cercarlo questa estate.» Fino a quel momento si erano accontentati di andare avanti e indietro dalle rispettive abitazioni. Ormai erano cinque mesi che si frequentavano, e il loro rapporto era talmente solido che entrambi si sentivano pronti a prendere quella decisione, in attesa di vedere come si sarebbe sviluppata la situazione in seguito. «Cosa ne pensi?» Adesso, quando lui stava preparando un processo e doveva lavorare fino a tardi alla sera, rimaneva a casa propria. Il resto del tempo, durante la settimana, stava da lei, mentre nel weekend era Victoria che si trasferiva da lui.

«Mi sembra una buona idea», gli rispose con voce sommessa, dandogli un bacio. Lui aveva già messo la sua firma sull'ingessatura almeno sei volte, Harlan un paio, e John ci aveva aggiunto il suo nome in rosso. Quanto ai ragazzi della scuola, l'avevano firmata tutti almeno una volta. Helen diceva che era l'ingessatura più decorata di New York e sembrava una esposizione d'arte, un raro esempio di graffiti. «Anzi la tua idea mi piace moltissimo», conclude.

«Anche a me. Credi che Harlan e John avranno problemi?» chiese Collin guardandola preoccupato.

«No. Ormai tutti e due se la cavano abbastanza bene e possono permettersi di tenere l'appartamento anche senza di me. Magari piacerebbe anche a loro sentirsi più liberi.» Collin annuì.

Qualche giorno dopo ne parlarono anche ad Harlan e

John. Harlan rispose che non si meravigliava affatto, anzi, se lo aspettava. «A quando le nozze?» soggiunse con un'occhiata sbarazzina a Collin, il quale si limitò a ridere e a guardare Victoria. Non ne avevano ancora parlato, però ci stavano pensando. La sorella di Collin aveva commentato la stessa cosa, e avrebbe voluto conoscere Victoria durante l'estate. Ma di tempo ce n'era in abbondanza. Per ora si godevano quello che avevano. Entrambi avevano aspettato tutta la vita l'anima gemella, e adesso apprezzavano infinitamente ogni momento che passavano insieme. Anche la sorella di Collin aveva appena conosciuto un uomo che le interessava. Collin, pur non avendolo ancora visto, sosteneva che gli sembrava il tipo perfetto per lei. Era un medico, vedovo, con due figli piccoli, di cinque e sette anni. E sua sorella diceva che erano molto carini. Che bizzarre, le strade della vita! Se hai pazienza, alla fine trovi quello che cerchi.

Decisero di mettersi alla ricerca di un appartamento dopo il matrimonio di Grace. Per quell'epoca Collin prevedeva un periodo più tranquillo, e lei avrebbe finito la scuola. Comunque non vedevano l'ora di cominciare a guardarsi in giro.

Tre giorni prima che la scuola chiudesse i battenti per le vacanze estive le tolsero l'ingessatura. La gamba era un po' indebolita, e non la reggeva molto bene, ma le avevano detto che con un po' di ginnastica e di fisioterapia si sarebbe rinforzata presto. In ogni caso, entro il giorno del matrimonio, avrebbe potuto sicuramente camminare, sebbene senza appoggiare completamente il peso sulla gamba appena guarita, perché non era forte abbastanza. E in palestra non doveva esagerare con l'attività.

Il giorno in cui le tolsero l'ingessatura Victoria, senza

farsi notare, andò in bagno a pesarsi. Poi si mise a sedere sul bordo della vasca e scoppiò in lacrime. Era stata attenta, sì, ma senza troppo rigore. Così, nelle brutte serate in cui la gamba le faceva male e sentiva il bisogno di mangiare qualcosa che le desse un po' di conforto, si era divorata troppa pasta, un paio di pizze, e di tanto in tanto anche un gelato e i cracker al formaggio. E poi un purè con il polpettone che aveva comprato Harlan nella gastronomia dietro casa. In conclusione, aveva riacquistato tre dei nove chili perduti. Così, per il matrimonio di Grace, invece di dodici chili ne aveva persi soltanto sei! Dunque, adesso, non le rimaneva altra soluzione che rassegnarsi a indossare quell'orribile vestito con la sua ciccia quasi intatta. Era ancora lì seduta a piangere, quando Collin entrò.

«Cos'è successo?» chiese preoccupato. «Ti fa male la gamba?»

«No, ma sono in un bel casino», gli rispose furiosa. «Per colpa di questa stupida gamba rotta ho messo su più di tre chili.» Non voleva angosciare Collin, ma lui appena entrato si era accorto delle sue lacrime ed era stata costretta a confessare.

«Li perderai di nuovo, e a chi vuoi che interessi!» ribatté lui. Poi gli venne un'idea. «Adesso faccio scomparire questa bilancia. Non voglio che tutta la tua vita sia regolata dal peso. Sei una donna favolosa e io ti amo. E non me ne frega niente se metti su qualche chilo o lo perdi.»

«A me invece frega», ribatté lei triste, soffiandosi il naso.

«Be, allora devi farlo per te, perché a me non importa. Io ti amo così come sei, ecco!»

Victoria gli sorrise. «Come ho fatto a essere tanto for-

367

tunata da trovare uno come te? Sei la cosa migliore che mi sia mai successa in una palestra!»

«Ci siamo guadagnati l'un l'altro, con il fatto di essere stati tristi e infelici per molto tempo. E adesso meritiamo di essere contenti», disse Collin dandole un bacio.

Victoria si decise ad alzarsi dal bordo della vasca e a lasciarsi stringere fra le sue braccia.

«A proposito, quando devi andare a Los Angeles?»

«Tra due giorni. Mi dispiace di partire prima di te», gli rispose con un sospiro, «ma Grace dice che ha bisogno di me.»

«Ricordati soltanto di stare alla larga dai tuoi genitori. Perché mordono», la mise in guardia Collin. E lei scoppiò a ridere. Aveva ragione. «È un po' come nuotare con gli squali. Io arrivo la vigilia del matrimonio. Speravo di liberarmi prima, ma non è proprio possibile. Devo assolutamente arrivare a una transazione in una causa di cui mi sto occupando, prima di potermene andare.»

«Va benissimo», rispose lei, e lui la baciò di nuovo.

Passarono il weekend insieme a New York; Victoria volò a Los Angeles il lunedì. Gli assicurò che sarebbe riuscita ad affrontare la sua famiglia, e a convivere con il padre e la madre per quei pochi giorni; del resto c'era abituata.

Grace venne a prenderla all'aeroporto e la accompagnò a casa in macchina. I vestiti erano stati provati, ritoccati nei casi necessari, e adesso risultavano perfetti. Anche il servizio di catering era in piena attività, così come il fiorista. Avevano già scelto le musiche per la cerimonia in chiesa e il ricevimento successivo, e prenotato l'orchestra. Alla fine, aveva comprato il suo vestito da Vera Wang, e le piaceva alla follia. Sembrava tutto a posto. Ma ricontrollando la lista si accorse che Victoria non aveva ancora provato il suo abito.

«Lo facciamo appena arriviamo a casa», le disse, scoccandole un'occhiata dubbiosa. «Pensi che dovrai farlo ritoccare?» si azzardò a domandare, guardandola di sottecchi in automobile e sperando che non si accorgesse di essere scrutata con tanto rigore. Non le sembrava cambiata, però come si faceva a esserne sicuri?

«No, non sono molto più magra di prima», rispose Victoria scoraggiata.

«Veramente io volevo sapere se eri ingrassata», puntualizzò Grace un po' esitante, e Victoria scosse la testa. Ecco il giudizio che tutti si erano sempre fatti di lei: quello di una grossa montagna di lardo che invece di diventare più piccola aumentava sempre più di volume. Da quando aveva tolto l'ingessatura aveva perso soltanto mezzo chilo. Purtroppo, anche senza assumere carboidrati, non aveva fatto abbastanza ginnastica.

Quando arrivarono a casa, la mamma stava controllando una lista di regali di nozze. C'erano moltissimi oggetti di argento e cristallo, in confezioni meravigliose. La sala da pranzo sembrava un magazzino.

Jim era in ufficio, e quindi Victoria non lo incontrò fino alla sera. Quando tornò a casa, l'abbracciò e fece il suo solito commento: stava bene, aveva un bell'aspetto. Per lui erano sempre sinonimi di più grande e grossa. Victoria lo ringraziò, disse che trovava bene anche lui, e filò subito in un'altra stanza. Non lo vedeva dal giorno in cui era venuto a New York. Ripensò al commento che Collin aveva fatto sugli squali, e preferì stare alla larga. Bene o male se la cavò fino al suo arrivo.

Quella sera festeggiarono gli sposi con una cena alla quale parteciparono entrambe le famiglie, e le cose andarono abbastanza bene. La sera successiva, invece, era prevista la cena per la prova generale della cerimonia, e i Wilkes l'avevano organizzata al circolo sportivo fuori città che frequentavano abitualmente. Il ricevimento che avrebbe seguito la cerimonia in chiesa, invece, si sarebbe svolto al club, dotato di grandioso giardino, dove i Dawson andavano a giocare a tennis e a nuotare in piscina, sotto una enorme tenda che era costata un patrimonio. Cinquecentoquaranta invitati avevano confermato la loro presenza.

La vigilia delle nozze, al mattino, Victoria riuscì a rimanere sola con sua sorella per pochi minuti, e ne approfittò per chiederle se voleva proprio continuare imperterrita come se non fosse successo niente, e se era sicura di Harry. In tal caso, le promise che da quel giorno in poi si sarebbe rassegnata e non avrebbe più toccato lo scottante argomento.

Grace la guardò solennemente e le rispose di sì: era sicura.

«Sei felice?» le domandò ancora Victoria, perché non si sarebbe detto. Sembrava molto stressata, e quando c'era Harry faceva di tutto per accontentarlo. Se lo sposava, da quel giorno in poi la sua vita sarebbe sempre stata così! Lui era convinto di meritarselo.

«Sì, sono felice», rispose Grace. Victoria sospirò e annuì.

«Va bene. Mi rassegno e sto al gioco. Puoi dirgli da parte mia che, se dovesse renderti infelice, lo prenderò a calci», dichiarò, e Grace scoppiò in una risatina nervosa. Temeva che sua sorella parlasse sul serio.

«Non mi renderà infelice», disse, tornando seria. «So che non lo farà!» Ma a giudicare dal tono della sua voce pareva che cercasse di convincere soprattutto se stessa.

«Spero che tu abbia ragione.»

Da quel momento in poi Victoria non toccò più l'argomento e provò un gran sollievo quando Collin arrivò. Harry si diede subito un gran da fare per far colpo su di lui e sfruttò tutto il suo fascino per incantarlo. Lui si mostrò cortese e diede l'impressione di accettarlo per quello che voleva apparire, ma Victoria capì che non gli piaceva, così come non piaceva a lei. Ma ormai non avrebbero più potuto liberarsene. Era lì, e, buono o cattivo che fosse, bisognava tenerselo.

La cena della vigilia fu qualcosa di grandioso e stupefacente, organizzata dal catering più famoso di Los Angeles, con uno stuolo di gente importante. I Wilkes apparvero straordinariamente amabili e cortesi, si impegnarono a fondo affinché anche i Dawson si sentissero a loro agio e dissero tutto il bene possibile di Grace. Era giovane, naturalmente, ma aveva le carte in regola per essere una moglie perfetta per il loro ragazzo. Jim Dawson si sperticava in lodi su Harry. Al termine della cena ci furono una serie di discorsi che sembravano non finire mai, per la maggior parte di una noia mortale. Anche Victoria aveva intenzione di fare un discorso, ma lo avrebbe fatto alla festa di nozze, in qualità di sorella maggiore e damigella d'onore.

Era bellissima, quella sera, con la toilette di chiffon azzurro chiaro che aveva comprato per l'occasione e che le donava molto. Collin la guardava incantato. Jim aveva bevuto qualche drink di troppo, quando raggiunse Victoria e Collin al termine della cena, e anche gli altri invitati avevano cominciato ad alzarsi da tavola e a vagare qua e là. Quando beveva, purtroppo, Jim iniziava a fare il simpatico con tutti. Come Victoria ben sapeva, di solito era un brutto segno, perché il suo bersaglio preferito era sempre lei. Non fece in tempo ad avvertire Collin che era già lì vicino a loro.

«E allora», attaccò, guardando Collin con la condiscendenza del padre che squadra il quattordicenne che chiede di uscire per la prima volta con la figlia. «Con questa qui, hai fatto una buona scelta. Victoria è la nostra intelligentona. Grace è la bella di famiglia. È sempre interessante avere in giro donne sveglie e in gamba.» Era il primo attacco dello squalo, quella sera. L'acqua cominciava a prendere il colore del sangue. Di solito, quel sangue era il suo. Collin gli rivolse un'occhiata piena di amabilità, mentre metteva un braccio intorno alle spalle di Victoria e la stringeva a sé. Lei si sentì sicura e protetta, per una volta nella vita, in salvo. E amata.

«Temo di non essere d'accordo con lei, signore», obiettò Collin cortesemente.

«A proposito delle donne in gamba e intelligenti?» Jim sembrava sorpreso. Di solito nessuno si azzardava a contestare le sue opinioni, indipendentemente da quanto offensive, imprecise o insolenti fossero.

«No, a proposito della bellezza e dell'intelligenza nella vostra famiglia. Direi che Victoria ha tutte e due le doti, bellezza e cervello. Lei la sottovaluta.» Per un attimo, Jim tentò di balbettare una risposta, e poi si limitò a far segno di sì con la testa perché non sapeva cosa rispondere. Victoria fece fatica a non scoppiare a ridergli in faccia e strinse forte la mano a Collin in segno di tacito ringraziamento. Ma era chiaro che Jim non aveva alcuna voglia di lasciar perdere. Non gli garbava affatto di essere contraddetto né tanto meno che qualcuno interferisse quando cercava di sminuire la figlia.

372

Proruppe in una risata cavernosa, altro brutto segno familiare. «È strana, la genetica. Victoria è la fotocopia di mia nonna, non è mai somigliata a noi. È uguale a lei in tutto, nella corporatura e nel naso...» Sperava di metterla in imbarazzo, perché sapeva benissimo fino a che punto sua figlia detestasse il proprio naso. Era la sua vendetta per la protezione che Collin le aveva offerto. Con aria piena di innocenza, Collin si fece più vicino e osservò attentamente il naso di Victoria. Poi si voltò verso suo padre con un'espressione perplessa.

«A me sembra che somigli molto al naso di sua madre e di sua sorella», rispose con sincerità. E naturalmente era vero, grazie alla dottoressa Schwartz. Ma lui non poteva saperlo. Victoria diventò rossa. Jim, sempre più indispettito, si accostò a sua volta; guardò il naso della figlia e si vide costretto ad ammettere dentro di sé che effettivamente era molto simile al naso di sua moglie e di Grace.

«Che strano! Di solito assomigliava a quello di mia nonna», bofonchiò. «Ma nel fisico abbondante è proprio identica», continuò, scoccandole un'occhiata malevola.

«Forse intende parlare della statura? Perché è alta, vero?» lo punzecchiò Collin.

«Sì, naturalmente.» Per la prima volta in vita sua, Jim si trovò costretto a ritrattare quello che aveva detto. Poi, senza ulteriori commenti, li piantò in asso per allontanarsi in mezzo alla folla. Le sue frecciate, le sue battute pungenti, erano state crudeli come sempre, ma stavolta aveva mancato il bersaglio. Ormai aveva capito che a Victoria i suoi commenti non importavano più, e soprattutto che Collin l'amava. Poverino, aveva perso il suo passatempo preferito!

Victoria sospirò seguendolo con gli occhi: stava andando a cercare Christine per dirle che era ora di battere in ritirata.

«Grazie», sussurrò a Collin. Le sarebbe piaciuto moltissimo avere la forza di affrontare da sola suo padre, ma era ancora troppo timorosa. Forse un giorno ci sarebbe riuscita, ma per ora era prematuro.

Collin continuò a tenerle un braccio intorno alle spalle mentre si avviavano al grande parcheggio dove gli inservienti del club avevano portato le macchine degli invitati. «Non mi capacito delle cazzate che dice sul tuo conto», osservò, senza nascondere che il modo di comportarsi di Jim gli aveva dato molto fastidio. «Cos'è questa storia del naso?» volle sapere poi, un po' sconcertato. E allora lei scoppiò a ridere mentre aspettavano che venisse a prenderli l'automobile con autista che Collin aveva noleggiato per la serata.

«Durante le vacanze di Natale mi sono fatta rifare il naso. Ecco la verità: non si è trattato di un incidente d'auto, come ti ho detto quando ti ho conosciuto», gli spiegò imbarazzata. Gliel'aveva tenuto nascosto più che altro per una questione di vanità personale, ma non voleva più avere segreti per lui, né adesso né mai; perciò gli confessò la verità fino in fondo, dopodiché si sentì più sollevata. «Detestavo il mio naso, e lui continuava a tormentarmi sull'argomento! Così me lo sono fatta ritoccare. A loro non l'ho mai rivelato, lo sapeva soltanto Grace. Del resto nessuno dei due se n'è accorto, quando mi hanno vista a New York, e neanche adesso.» Collin non poté fare a meno di sorridere di fronte a una simile confessione.

«Allora, quando ti ho parlato, ti eri appena fatta fare un ritocco di chirurgia estetica al naso? E io che pensavo a un brutto incidente d'auto.»

«Era il mio naso nuovo», rispose lei, orgogliosa.

Lui la osservò per un minuto. Aveva bevuto parecchio, altrimenti non avrebbe trovato il coraggio di rimbeccare il padre di Victoria a quel modo. Ma le sue stoccate a Victoria lo avevano irritato in un modo intollerabile. «È un naso proprio carino. Mi piace moltissimo.»

«Secondo me sei sbronzo», rispose lei con una risata. Si era divertita da matti, vedendolo ridurre al silenzio suo padre.

«È vero. Ma non è una sbronza pericolosa.» Si fermò un secondo per darle un bacio, poi arrivò la macchina e ci salirono. Collin era ospite a casa di Victoria, quindi era prevedibile che sarebbero incappati di nuovo in suo padre, ma per fortuna salirono in camera di Victoria il più in fretta possibile senza incontrarlo. Collin era talmente esausto che in cinque minuti era già profondamente addormentato. Victoria rimase sdraiata vicino a lui per un po'; poi andò a cercare Grace nella sua camera.

Si affacciò sulla soglia, e la vide seduta sul bordo del letto. Sembrava un po' smarrita. Allora entrò e andò a sedersi vicino a lei, come faceva quando erano bambine. «Stai bene?»

«Certo. Sono nervosa per domani. Entro nella loro famiglia, e perdo la nostra», le confidò, un po' ansiosa e inquieta. Victoria non l'avrebbe mai considerata una gran perdita, a parte per lei, la sua sorellina minore, ma per Grace era molto diverso.

«Per quanto mi riguarda, non mi perderai», si affrettò a rassicurarla. «Ricordatelo. Mai e poi mai.» Grace le buttò le braccia al collo senza dire una parola. Sembrava sul punto di scoppiare in lacrime, ma riuscì a dominarsi. Victoria si domandava se per caso non stesse cominciando a vedere Harry sotto una nuova luce, anche se non l'avrebbe mai confessato. «La cerimonia di nozze andrà benissimo», cercò di incoraggiarla Victoria. Ma, purtroppo, il matrimonio no, pensò.

«Mi piace Collin», disse Grace cambiando argomento. «È proprio carino e simpatico, e ti ama alla follia.» Era facile accorgersene, perché Collin si mostrava tenero e premuroso nei suoi confronti in modo addirittura commovente, e la guardava con aria adorante come se si considerasse l'uomo più fortunato del mondo.

«Anch'io lo amo moltissimo», confessò Victoria felice.

«Pensi che lo sposerai?» A lei sembrava che ormai fossero avviati su quella strada, i due innamorati... E Victoria sorrise. «Non lo so. Non me l'ha ancora chiesto. È troppo presto. Per il momento stiamo bene così. Quest'estate cercheremo un appartamento per andare a vivere insieme.»

«Mi spiace per il vestito marrone!» esclamò Grace d'improvviso, guardandola con aria colpevole. «Avrei dovuto scegliere qualcosa di più adatto anche a te. La verità è che mi era piaciuto subito, sai? Ma avrei dovuto immaginarlo su di te.»

Victoria si commosse perché Grace finalmente se n'era resa conto. La strinse in un forte abbraccio per farle capire che la perdonava.

«Va bene così. Quando mi sposo io scelgo qualcosa che ti faccia sembrare un orrore, così mi vendico!» Scoppiarono a ridere e chiacchierarono ancora un po'. Poi Victoria la strinse di nuovo in un abbraccio e tornò nella propria camera. Si sentiva molto triste per la sua sorellina. Aveva la sensazione che la vita di Grace non sarebbe stata facile.

Certo, i soldi non le sarebbero mancati, e avrebbe vissuto nella ricchezza, ma questo non implicava necessariamente una vita felice. Ma ormai non le restava nient'altro da fare che sperare che tutto andasse per il meglio. Del resto ognuna di loro era responsabile della vita che si sceglieva.

Quando si infilò a letto, vicino a Collin, gli sorrise, gli si rannicchiò contro e si addormentò. Per la prima volta in vita sua, in casa di suo padre e di sua madre si sentiva al sicuro.

26

LA mattina delle nozze c'era una grande agitazione. La colazione era stata preparata in cucina in modo che tutti potessero servirsi da soli. Collin e Victoria andarono a mangiare in giardino, per non essere d'intralcio. Grace si stava facendo fare la manicure e la pedicure nella sua camera. Arrivò un parrucchiere per pettinare tutte le signore della famiglia, e Victoria, che voleva semplicemente farsi raccogliere i capelli in una crocchia sulla nuca, fu la prima ad affidarsi alle sue abili mani.

La cerimonia di nozze era stata fissata alle diciannove, ma per l'intera giornata in casa ci fu un confuso andirivieni di gente. Dall'ora di pranzo in poi, si presentarono tutte le damigelle e Victoria, quando si accorse che ormai sua sorella era reclamata da loro e non avrebbe più potuto starle vicino e farle compagnia, le lasciò sole e si dedicò, come poteva, ad aiutare la mamma. Incredibilmente, sembrava tutto sotto controllo. L'abito da sposa di Grace era disteso sul letto nella camera della mamma. Jim si sarebbe vestito nella camera degli ospiti, e sembrava che ciascuno avesse qualcosa da fare. Arrivavano di continuo telefonate e doni, tanto che Collin si offrì di dare una mano rispondendo al telefono e aprendo la porta. A un certo momento Jim scomparve, e poi tornò, ma per tutta la giornata non aprì bocca né con Victoria né con Collin. Aveva trovato qualcuno che gli teneva testa, finalmente! Collin era stato molto abile a rimbeccarlo con stile ed eleganza. Adesso suo padre ci avrebbe pensato due volte prima di aggredirla, com'era abituato a fare, perché sapeva che sua figlia aveva qualcuno che la proteggeva.

Alle cinque del pomeriggio cominciò il conto alla rovescia. Il parrucchiere si dedicò all'acconciatura di Grace. Le sue damigelle erano già pronte. Alle sei tutti indossarono l'abbigliamento da cerimonia. Victoria si infilò il suo; poi, mentre una delle damigelle ne accostava i bordi, un'altra si incaricava di tirare su la cerniera lampo. E lei, intanto, continuava a trattenere il respiro. Preferì non guardarsi nello specchio. Sapeva già quello che avrebbe visto. Malgrado fosse dimagrita, riusciva a respirare a fatica, e aveva il seno troppo schiacciato, che straripava dalla profonda scollatura dell'abito senza spalline. Insomma, quel vestito era un vero tormento! Sapeva che le stava malissimo, ma non gliene importava più di tanto! Collin l'amava, e se quella non era la tenuta più adatta a lei ormai non aveva importanza. Per fortuna aveva trovato un paio di scarpe di raso marrone in tinta e le calzò. I tacchi alti la slanciavano. Stranamente, si sentiva bella. Era una donna realizzata, che aveva dato il meglio di sé in quell'ultimo anno, e non soltanto perché aveva Collin, ma per gli sforzi profusi per liberarsi del suo passato doloroso. Collin era arrivato nella sua vita perché si sentiva pronta per lui. Aveva fatto tanti cambiamenti, ed ecco che lui si era presentato al suo orizzonte. D'improvviso, si sentì sicura di se stessa perfino con addosso quel vestito che non le donava! Appariva bellissima, perché la sua era una bellezza che nasceva da dentro. Si mise un po' di fard sulle guance, e si accorse che il marrone non le stava poi così male come credeva.

Entrò nella camera di sua sorella proprio nel momento in cui la mamma la stava aiutando a indossare l'elaborato abito da sposa. Per sé, Christine aveva scelto un completo, gonna e giacca, di taffettà beige, semplice e insieme elegante. Era sempre una donna stupenda. A volte Victoria se ne dimenticava. Grace sembrava una principessa, tutta in pizzo bianco con la gonna ampia. L'anello di fidanzamento brillava sull'anulare. La mamma, come dono di nozze, le aveva regalato un filo di grosse perle con il fermaglio di brillanti. Sua sorella le sembrava un po' troppo giovane per portare tutti quei gioielli, ma poi a Victoria tornò in mente quando, da piccole, si divertivano a travestirsi da principesse... E adesso doveva ammettere che Grace era incantevole. Era la sposa perfetta, tanto che Jim, quando le raggiunse pochi minuti più tardi, non poté trattenere le lacrime. Sembrava sopraffatto dalla visione affascinante di sua figlia vestita da sposa. Grace era sempre stata la sua bambina prediletta e lo sarebbe rimasta sempre. Ma era la prediletta anche di Victoria. In quel momento Grace si guardò intorno, contemplò a una a una tutte le persone della sua famiglia... La mamma le raccomandava di non rovinarsi il trucco mettendosi a piangere. Le sembrava di lasciarli per sempre, di entrare da sola nel mondo o di partire per un viaggio in terre sconosciute. Era una prospettiva che poteva spaventare, soprattutto una ragazza giovane come lei. Nell'abito da sposa, Grace sembrava vulnerabile e fragile come una bambina, mentre Christine le posava delicatamente sulla testa il lungo velo.

Poi madre e sorella maggiore la aiutarono a scendere le scale, reggendole lo strascico, e a farla salire sull'automobile dove l'aspettava il padre per raggiungere la chiesa. Jim era visibilmente commosso, mentre la macchina partiva, e Grace si protese a dargli un bacio. Lei aveva un padre che Victoria non aveva mai conosciuto e che le sarebbe tanto piaciuto avere. Per fortuna adesso c'era Collin.

Quanto a lei e alla mamma, salirono su un'automobile che avevano noleggiato e che era lì ad aspettarle. Collin si era già avviato da solo, e Victoria l'avrebbe ritrovato in chiesa.

Quando arrivarono, tutto sembrava in perfetto ordine. Harry stava aspettando all'altare. Le damigelle, con il loro elegante vestito marrone, entrarono precedendo Grace, mentre Victoria percorreva l'intera navata da sola, davanti a sua sorella. Passandogli vicino, lanciò uno sguardo a Collin, che le sorrise, fiero di lei. Poi giunsero Grace con suo padre, che procedettero fino all'altare a passi misurati, solenni.

Pronunciati i voti nuziali e scambiate le fedi, erano diventati marito e moglie. Si baciarono mentre Victoria si scioglieva in lacrime. Poi percorsero a ritroso la navata della chiesa verso l'uscita, raggianti di felicità. Era finita. Quel matrimonio che li aveva fatti diventare pazzi per un anno intero ormai era diventato realtà. Il ricevimento fu proprio come Jim e Christine volevano e come Grace aveva sognato. Dopo le fotografie di rito, e dopo aver salutato a uno a uno tutti gli invitati che volevano fare gli auguri agli sposi, Grace si avvicinò a Victoria per darle un bacio e stare un po' con lei.

«Desidero soltanto dirti che ti voglio bene. Grazie di

tutto quello che hai fatto per me nella mia vita. Ti prendi sempre cura di me, lo hai sempre fatto, perfino quando ero una mocciosa, una stupidina... grazie... ti voglio bene... sei la sorella migliore del mondo.»

«Anche tu! E ricordati che io sarò sempre qui per te. Ti voglio bene, piccola... spero che sarai felice.»

«Lo spero anch'io», mormorò Grace, ma non ne sembrava convinta come Victoria avrebbe voluto. D'altra parte, se il suo matrimonio con Harry fosse fallito, avrebbero affrontato la situazione e deciso cosa fare. A volte, non si può immaginarlo in anticipo.

Al ricevimento Collin prese posto vicino a Victoria al lungo tavolo destinato a tutte le damigelle e agli accompagnatori e testimoni dello sposo. Victoria tenne il suo discorso e tutti l'applaudirono. Lei e Collin ballarono tutta la sera. Harry e Grace tagliarono la torta. E Victoria fece perfino un ballo con suo padre che, in smoking e cravatta nera, era affascinante ed elegante. Una volta tanto, Jim evitò di fare commenti antipatici sulla figlia; si limitò a farla volteggiare intorno alla pista e poi la affidò di nuovo a Collin. Fu una splendida festa di nozze, e Grace una sposa stupenda. Grace e Harry sembravano al settimo cielo. Non c'era modo di sapere se quella felicità sarebbe durata, ma Victoria si augurò che tutto andasse per il meglio.

Victoria stava ballando con Collin quando annunciarono che Grace avrebbe lanciato il bouquet, e che tutte le donne non ancora sposate erano pregate di radunarsi sulla pista da ballo. Grace salì su una sedia, aspettando il momento fatale, e le ragazze nubili cominciarono a raccogliersi intorno a lei. Christine passò rapidamente di fianco a Victoria, che stava per unirsi alle altre, e le scoccò un'occhiata di rimprovero.

«Lascia il posto a loro, cara. Sono tutte più giovani di te. Un giorno, tutte si sposeranno. Tu non lo sai neanche, se hai voglia di sposarti!» Con una sola frase, e con poche parole, aveva già accantonato Collin considerandolo un marito improbabile, e aveva detto a sua figlia non soltanto che sarebbe rimasta zitella, ma che non meritava neanche di partecipare al lancio del bouquet. Come al solito, non meritava niente. Lei si ritrasse di colpo, cercando di uscire dal gruppo, mentre Grace si sbracciava per farle capire che invece doveva farsi avanti... Ma il messaggio della madre era stato tanto spietato quanto incisivo. Collin si era accorto che le aveva detto qualcosa, e aveva visto Victoria diventare seria, però si trovava troppo lontano per poter sentire quello che le aveva detto. Ma si capiva che doveva averle fatto molto male perché si era chiusa di nuovo in se stessa lasciando ricadere le braccia lungo il corpo. Intanto Grace era pronta al lancio del bouquet. La stava guardando, quando si decise a compiere quel gesto; prese attentamente la mira... Il bouquet passò sopra le sue amiche come un missile, puntando direttamente su di lei. Ma le parole della mamma l'avevano impietrita, ed era addirittura incapace di alzare il braccio. Collin decise di non perderla d'occhio neanche un momento, pronto se necessario a obbligarla ad alzare quel braccio e ad afferrarlo. In fondo, bastava semplicemente che allungasse una mano. Collin a un certo punto non riuscì più a trattenersi. «Sei una donna stupenda!» le gridò, anche se Victoria non poteva sentirlo. Ma, d'un tratto, la sua faccia si illuminò tutta di un sorriso e, con un gesto improvviso e inaspettato alzò il braccio e afferrò il bouquet. Lo tenne stretto nella mano sollevata, per un attimo, e tutti scoppiarono in grida di entusiasmo.

Quelle di Collin furono le più forti di tutte. Poi Victoria si girò a guardarlo e lui le fece il segno della vittoria. Quindi Harry tirò giù sua moglie dalla sedia prendendola per la vita. Dovevano partire per Parigi quella sera stessa, a bordo dell'aereo del padre di Harry.

Collin si fece largo tra la folla per raggiungere Victoria, che continuava a tenere il bouquet stretto in mano; quando se lo trovò davanti lo guardò raggiante. Lui preferì non sapere cosa le aveva detto sua madre per turbarla tanto. Tutto quello che voleva era proteggerla e ripararla per sempre da quelle ferite così crudeli.

«Uno di questi giorni dobbiamo farne buon uso», le disse, togliendoglielo gentilmente e andando a posarlo sul loro tavolo. Poi se la trascinò dietro fino alla pista e, prendendola fra le braccia, si lanciò con lei nel vortice delle danze. Victoria era una donna bellissima. Lo era sempre stata, solo che non lo sapeva. Ma adesso, guardando negli occhi Collin, si rese conto di essere amata.

Collana «Pandora»

S. Casati Modignani, *Come stelle cadenti*
J. Michael, *Il bene più grande*
R. Mason, *Il vento non sa leggere*
D. Steel, *La tenuta*
M. Higgins Clark, *Incubo*
D. Steel, *Ritratto di famiglia*
B. Taylor Bradford, *L'eredità di un sogno*
D. Steel, *Svolte*
S. Casati Modignani, *Disperatamente Giulia*
J. Michael, *Affari d'amore*
D. Steel, *Menzogne*
D. Steel, *Ora e per sempre*
D. Steel, *L'anello*
B. Taylor Bradford, *I nodi del destino*
D. Steel, *Giramondo*
D. Steel, *Amarsi*
D. Steel, *Amare ancora*
M. Higgins Clark, *Non piangere più, signora*
D. Steel, *Cose belle*
S. Casati Modignani, *E infine una pioggia di diamanti*
E. Segal, *Dottori*
B. Plain, *L'arazzo*
J. Lynch, *Il diario segreto di Laura Palmer*
S. Casati Modignani, *Lo splendore della vita*
D. Steel, *Il cerchio della vita*
S. Lord, *Il prezzo della bellezza*
D. Steel, *Il caleidoscopio*
D. Steel, *Messaggio dal Vietnam*
J. Michael, *Una sola passione*
D. Steel, *Stagione di passione*
D. Steel, *Promessa d'amore*
J. Susann, *La valle delle bambole*
W. Adler, *La guerra dei Roses*
D. Steel, *Zoya*
D. Steel, *Batte il cuore*
J. Michael, *L'eredità del patriarca*
D. Steel, *Star*
B. Taylor Bradford, *Sempre di più*
D. Steel, *Nessun amore più grande*
S. Casati Modignani, *Il Cigno Nero*
D. Steel, *Gioielli*
D. Steel, *Le sorprese del destino*
D. Steel, *Scomparso*
S. Casati Modignani, *Come vento selvaggio*
D. Steel, *Il regalo*
M. Higgins Clark, *Ricordatevi di me*

D. Steel, *Scontro fatale*
S. Casati Modignani, *Il Corsaro e la rosa*
D. Steel, *Cielo aperto*
M. Higgins Clark, *Domani vincerò*
D. Steel, *Fulmini*
M. Higgins Clark, *Un colpo al cuore*
D. Steel, *Cinque giorni a Parigi*
M. Higgins Clark, *Una notte, all'improvviso*
P. Mosca, *C'è una farfalla dentro di noi*
D. Steel, *Perfidia*
M. Higgins Clark, *Bella al chiaro di luna*
S. Casati Modignani, *Caterina a modo suo*
D. Steel, *Silenzio e onore*
P. Mosca, *Beata incoscienza*
D. Steel, *Il ranch*
M. Higgins Clark, *Testimone allo specchio*
S. Casati Modignani, *Lezione di tango*
D. Steel, *Un dono speciale*
S. Casati Modignani, *Saulina (Il vento del passato)*
S. Casati Modignani, *Donna d'onore*
D. Steel, *Il fantasma*
D. Steel, *La lunga strada verso casa*
M. Higgins Clark, *Accadde tutto in una notte*
D. Steel, *Immagine allo specchio*
M. Higgins Clark, *Ci incontreremo ancora*
S. Casati Modignani, *Vaniglia e cioccolato*
M. Higgins Clark, *Uno sconosciuto nell'ombra*
D. Steel, *Dolceamaro*
D. Steel, *Forze irresistibili*
S. Casati Modignani, *Vicolo della Duchesca*
D. Steel, *Le nozze*
M. Higgins Clark, *Sapevo tutto di lei*
D. Steel, *La casa di Hope Street*
M. e C. Higgins Clark, *Ti ho guardato dormire*
D. Steel, *Il viaggio*
M. Higgins Clark, *La figlia prediletta*
S. Casati Modignani, *6 Aprile '96*
S. Townsend, *Il diario segreto di Adrian Mole*
D. Steel, *Aquila solitaria*
D. Steel, *Atto di fede*
M. Higgins Clark, *La seconda volta*
C. Higgins Clark, *Quattro diamanti per un delitto*
S. Casati Modignani, *Qualcosa di buono*
D. Steel, *Il bacio*
M. Higgins Clark, *Quattro volte domenica*
D. Steel, *Il Cottage*
M. Higgins Clark, *La notte mi appartiene*
C. Higgins Clark, *Festa di nozze con brivido*
D. Steel, *Tramonto a Saint-Tropez*

Finito di stampare nel febbraio 2012
presso la Mondadori Printing S.p.A.
Stabilimento N.S.M. di Cles (TN)
Printed in Italy